LE ROMAN DE RENART

LE ROMAN
DE RENART
II

Texte établi et traduit

par

Jean Dufournet,
professeur à la Sorbonne,
et
Andrée Méline,
professeur agrégée.

*Lexique, notes,
bibliographie et chronologie*

par

Jean Dufournet

Publié avec le concours
du Centre National des Lettres

GF
FLAMMARION

On trouvera à la fin de ce volume un lexique, une bibliographie et une chronologie.

Le premier volume comprend une introduction littéraire et historique et un lexique.

NOTE LIMINAIRE

Pour établir notre texte que nous destinons aussi bien au grand public qu'aux étudiants des facultés, nous avons suivi l'édition d'Ernst Martin, mais nous avons modifié, en plus d'un endroit, la ponctuation et appliqué, en général, les règles publiées dans la *Romania* (LII, 1926, p. 243-249); de plus, nous avons apporté un certain nombre de corrections qui nous ont été suggérées soit par E. Martin lui-même *(Observations sur le Roman de Renart),* soit par G. Tilander *(Notes sur le texte du Roman de Renard),* soit par le recours aux manuscrits.

Si nous avons, dans cette seconde édition, supprimé la plupart des notes, nous avons en revanche, pour aider le lecteur, introduit une traduction continue de l'ensemble des branches. Cette traduction se veut avant tout fidèle; aussi n'avons-nous fait aucune coupure ni supprimé aucun vers, même si, çà et là, l'original, qui n'a pas toujours la même qualité littéraire, paraît long et répétitif.

Toutefois, notre objectif essentiel est de faciliter l'accès au texte lui-même. Si l'on est, au premier contact, désorienté par les graphies du texte, on le sera moins quand on reconnaîtra bien souvent, sous une forme légèrement différente, des mots qui vivent encore dans le français commun ou les parlers régionaux d'aujourd'hui, quand on se rendra compte que le même son pouvait être rendu au Moyen Age par des signes divers. Voici quelques-unes de ces alternances qui pourront faciliter la lecture du texte et l'utilisation du glossaire :

AI/E	: let — laid; mes — mais; set — sait; auré — aurai, etc.
AIM/EIM	: eime — (il) aime.
AIN/EIN	: ainz — einz; ainc — einc…
AN/EN	: tans — tens *(temps)*…
AR/ER	: sarmon — sermon; apparchu — aperçu…
C/CH	: trencerai — trancherai; cemin — chemin…
CA/CHA	: capel — chapeau; carrière — charrière; cascuns — chacun; escaufer — échauffer…
CH/C	: manache — menace; archons — arçons; achole — accole; corochier — courroucer…
CH/G	: venchié — vengié; damache — dommage — damage…
E/IE	: chen — chien; chet — chiet (cf. le désuet *il échet*); bere — bière; arere — arrière;
ER/RE	: fermir — frémir; berbis — brebis; pernés — prenez…
EÜ/OÜ	: deceü — deçoü (c'est notre *déçu*)…
G/GU	: gerre — guerre…
J/G	: jesir — gésir; ganbe — jambe; gument — jument…

L, devant une consonne, équivaut à un U : molt — mout *(beaucoup);* malvaise — mauvaise…

O/EU	: sol — seul; dol — deul (c'est notre *deuil*)…
O/OU	: ros — roux; for — four; po — pou *(peu);* cocher — coucher…
QUI/CUI	: quit — cuit (du verbe *cuidier* encore employé par La Fontaine).
U/OU	: u ou *(où)*…
U/EU	: ju — jeu…
UE/EU	: puet — peut; duel — deul *(deuil);* bués — bœuf…
X/US	: notre *mieux* s'écrit soit *mieus*, soit *miex*, soit même *mius; ieux* et *iex* correspondent à notre *yeux*.

Ajoutons que les consonnes sont tantôt simples, tantôt doubles *asieger* et *assieger*, *aseür* et *asoür* pour *assuré*, *guere* et *guerre*…), que l'*h* initial sera présent ou absent *(ost* et *host)*.

Dernier conseil : que les lecteurs se laissent porter par le texte, mais qu'ils fassent attention aux faux amis, c'est-à-dire aux mots qui se retrouvent en français moderne avec une forme semblable, mais un sens différent. Ainsi en est-il, par exemple, pour *converser, dras* (draps), *encor, garder, gasté* (gâté), *gracïer, navrer, poison, si, trop, vertu, vïande*…

Fous est qui croit sa fole pense :
Molt remeint de ce que fous pense.
Fous est qui croit fole esperance,
Que toz li monz est en balance.
5 Fortune se joe del mont :
Li un vienent, li autre vont,
L'un met en bien, l'autre en la briche,
Si fet l'un povre et l'autre riche.
Tex est la costume Fortune
10 Que l'un eime, l'autre rancune ;
Ele n'est mie amie a toz,
L'un met desus, l'autre desoz ;
Et celui qu'ele met plus haut
Et qui meus fet et qui meus vaut,
15 Fait ele un maveis saut saillir
Ou a l'entrer ou a l'issir.
   Segnor, cist mondes est prestez,
Li uns a poi, li autre asez :
Et qui plus a, tant doit il plus,
20 De tant sont li povre au desus ;
Et qui poi enprunte, poi rent :
En le lest vivre bonement.
Tex a ores grant poesté,
Qu'ançois que un an soit pasé
25 Sera de molt povre pooir,
Ices sachés vus tot de voir.
Par mon chef, ce n'est mie gas,
L'en vient molt bien de haut en bas,
Par foi, et de molt grant bassece
30 Revient en bien en grant hautece.
   Par ce est droiz que je me tese :

Renart mange son confesseur

Il faut être fou pour suivre ses folles pensées :
il y a beaucoup de déchets dans les pensées d'un fou.
Il faut être fou pour suivre de folles espérances,
car le monde entier vit dans l'instabilité.
5 Fortune se joue des gens :
les uns montent, les autres descendent,
elle élève celui-ci, abaisse celui-là,
elle appauvrit l'un, enrichit l'autre.
Les manières de Fortune
10 font qu'elle aime l'un et se fâche contre l'autre ;
elle n'est pas l'amie de tous,
elle place l'un au-dessus et l'autre au-dessous,
et à celui qu'elle met à la plus haute place,
au plus sage, au plus valeureux,
15 elle fait un croc-en-jambe
un jour ou l'autre.
Seigneurs, le monde ici-bas ne nous est que prêté :
l'un a peu, l'autre beaucoup,
mais le plus fortuné a tant de dettes
20 que les pauvres se retrouvent au-dessus de lui.
Quand on emprunte peu, on a peu à rembourser
et on vous laisse vivre tranquillement.
Quelqu'un est-il aujourd'hui très puissant ?
Avant la fin de l'année,
25 il n'aura plus qu'un bien mince pouvoir,
il faut que vous en soyez persuadés.
Je vous l'assure sans plaisanter :
l'on tombe facilement de haut en bas
et, ma foi, des bas-fonds
30 on peut remonter sur les hauteurs.
Aussi est-il juste que je me taise :

D'autrui avoir a l'en grant ese.
Ge quit que grant biens en vendroit,
Qui reison i esgarderoit,
35 Qar qui ovre solonc reson,
Ne l'en puet venir se bien non.
Molt est fox qui meine ponee
De chose qui li est prestee :
Costume est d'autrui garnement,
40 Qui froit lo vest et caut le rent.
Foz est qui por son grant oüir
Est en cest siecle asoüir,
Car je vos di bien seinz feintise
Tant vait li poz al puis qu'il brise.
45 Ou tost ou tart, ou pres ou loin
A li fors del feble besoin.
    Cest essample vos ai mostrez
Por Renart qui tant est devez
Et qui ovre contre nature.
50 Ja nus n'aura de lui droiture,
Il prent a tort, il prent a droit,
C'est merveille qu'il ne recroit.
Mes certes ja ne recreira
Devant ce qu'il l'en mescarra,
55 Car son deable le demeine,
Et si est toz en son demeine
Qui de lui ne se velt partir
Jusq'a tant qu'il l'ait fait honir.
Une piece puet il rener,
60 Mes aprés le fet trebucher :
Pendre le fet ou afoler,
Ardoir en fu et enbraser
Ou a si grant honte baillir
Qu'a noient le fet devenir.
65 Certes qui sert itel baron,
Ne l'en puet venir se mal non.
Je ne di pas par tot folie,
N'il n'est pas droit que ja la die.
    Se vos le volés consentir,
70 Je vos dirai ja sans mentir
De Renart le gopil la vie,

l'on se pare à son aise du bien d'autrui.
Je crois que l'on retirerait un grand profit
à suivre la raison,
35 car l'homme raisonnable
ne peut en retirer que du bien.
Il faut être bien fou pour s'enorgueillir
d'un bien qui nous est prêté :
l'on se sert du vêtement d'autrui
40 que l'on met froid et que l'on rend chaud.
Il faut être fou pour croire à la pérennité de ce monde
lorsqu'on est heureux,
car je vous le dis tout net :
tant va la cruche à l'eau qu'à la fin elle se brise.
45 Tôt ou tard, à une distance plus ou moins grande,
le fort a besoin du faible.
   Si j'ai développé ce discours moral,
c'est en songeant à Renart, ce monstre
de déraison et de perversité.
50 Jamais personne n'obtiendra qu'il se conforme à la jus-
à tort ou à raison il ne cesse de se servir,   [tice,
il est surprenant qu'il ne renonce pas à cette conduite.
Mais en vérité jamais il n'y renoncera
avant qu'il ne lui arrive malheur,
55 car il est mené par son mauvais génie
qui le tient entièrement à sa merci
et refuse de le quitter
tant qu'il ne l'aura pas couvert de honte.
Renart peut un certain temps tenir le haut du pavé,
60 mais l'autre, ensuite, le renverse,
il le fait pendre ou estropier,
ou brûler sur un bûcher,
ou traiter de façon si humiliante
qu'il le réduit à moins que rien.
65 En vérité, à servir un tel maître,
on ne peut s'attendre qu'au malheur.
Je ne parle pas toujours à tort ou à travers,
je n'en ai pas le droit.
   Si vous le voulez bien,
70 je vais vous raconter exactement
la vie de Renart le goupil

Qui a fet tante trecherie
Et qui tant home a deçoü
Que par engin que par vertu.
75 Il n'est nus hom que il n'engigne.
Il avint l'autrer a Conpigne
Que Renars fu del bois issus,
Si s'en ala les saus menus
Droit a une grant abeïe.
80 La avoit une conpaignie
De capons cras et sojornez.
Cele part est Renart alez.
Unc ne fina, si vint tot droit
La u li jeliniers estoit.
85 Et quant il vint au jelinier,
Si conmença a oreillier
Se les gelines somelloient,
Et, quant il vit qu'eles dormoient,
A soi sacha le paleszon [1]
90 Qui est lïez d'un hardellon.
Tot coiement et aseri
Un capon prent, n'a pas failli,
Qui bien valoit cinc et maaille.
Onc n'i quist nape ne toaille ;
95 Premerement li ront la teste.
Renart mangüe et fet grant feste.
Ne fet pas senblant au manger
Que li chapon li fussent cher.
Molt par se contient ferement.
100 Au chapon vent son mautalant
Qui n'i avoit nient mesfet,
Mes bien savés que ausic vet
Qu'il avient bien souent a cort
Que tex ne peche qui encort.
105 Molt a Renars de ses aveax,
Car il mangüe bons morseax
Qui grant bien li font a son cuer.

1. *Paleszon* est le même mot que *palisson*, « pieu », « latte » (avec laquelle on fermait une porte). Dans d'autres manuscrits (C D E H M), on a *chevillon*, qui selon Littré avait encore le sens de « bâton de bois » dans des emplois techniques.

qui a commis tant de tromperies
et s'est joué de tant d'hommes
par sa ruse aussi bien que par sa force.
75 Personne ne saurait lui échapper.
L'autre jour, à Compiègne,
il arriva que Renart sortit du bois
et se dirigea à petits sauts
tout droit vers une grosse abbaye
80 où se trouvait une troupe
de chapons gras et dodus.
Renart s'est donc dirigé de ce côté
et, sans perdre une minute, s'est rendu
au poulailler.
85 Une fois sur les lieux,
il se mit à tendre l'oreille
pour savoir si les poules étaient endormies ;
quand il vit qu'elles dormaient,
il tira vers lui le chevillon
90 attaché par une ficelle.
Tout doucement, sans faire de bruit,
il attrapa du premier coup un poulet
qui coûtait bien cinq sous et des poussières.
Foin de nappe et de serviettes :
95 il commença par lui briser la tête
et le dévora. Un vrai festin !
Il ne montra pas, en le mangeant,
qu'il avait de l'affection pour les poulets.
Quelle férocité !
100 Il passa sa colère sur le poulet
qui pourtant ne lui avait rien fait,
mais vous le savez bien, le monde est ainsi fait
qu'il arrive très souvent à la cour
que c'est un innocent qui écope.
105 Les désirs de Renart sont comblés
car il mange de bons morceaux
qui lui réjouissent le cœur.

La plume et les os jete puer.
Molt fet Renart riche relief,
110 Et si jure sovent son chef
Que malgré tos les mainiax
En mangera il des plus baus.
Molt afiche son serement,
Mes il ne set q'a l'ueil li pent.
115   Or lairons de Renart a tant
Et si diromes d'un serjant
Qui releva la nuit pissier,
Si a oï Renart rongier.
Molt durement s'esmerveilla
120 Et en aprés se porpensa
Que c'estoit gorpils ou tessons
Qui estoit venus as capons.
Au gelinier en vint corant,
L'uis deferma de meintenant,
125 Reclos l'a molt bien et serez :
Or est Renars bien atrapez.
Atant s'en vet en la meson,
Puis s'escrïa a molt haut ton :
« Levez tost sus et si m'eidiés !
130 Or est li gorpil enginniés.
Or saura il asez de frape,
Se il de ma prison eschape :
Or tost sus ! si l'alon tuer ! »
Qui lors veïst moignes lever,
135 Qui ainz ainz core au jelinier
Por lor gelines aïdier,
Bien li menbrast de gent iree.
Mal vit Renars ceste asamblee,
El li sera molt cher vendue.
140 N'i a cel qui ne port maçue
Dunt il manacent a ferir
Renart, s'il le poent tenir.
A l'uis vienent, si le deferment,
Trestuit de bien ferir s'aesment,
145 Enz entrerent trestuit ensenble.
Renars fremist, li cuers li tremble,
Molt se dehaite et molt s'esmaie,

Il jette au loin plumes et os.
C'est un festin de roi !
110 Renart jure plusieurs fois sur sa tête
qu'en dépit de tous les moinillons,
il en mangera encore, et des plus beaux.
Il le jure, dur comme fer,
sans se douter de ce qui lui pend au nez.
115   Maintenant laissons là Renart
pour parler d'un valet
qui, s'étant relevé la nuit pour pisser,
avait entendu Renart ronger.
Après un moment de stupéfaction,
120 il songea
que c'était un renard ou un blaireau
venu pour manger les chapons.
Il courut au poulailler,
ouvrit sur-le-champ la porte
125 qu'il referma à double tour :
voici Renart bel et bien attrapé !
Alors l'autre de retourner à la maison
où il hurla à tue-tête :
« Vite, debout ! A l'aide !
130 Le renard est pris au piège.
Il lui faudra être bien malin
pour m'échapper.
Vite debout, et allons le tuer ! »
Si vous aviez vu les moines se lever,
135 courir à qui mieux mieux au poulailler
pour secourir leurs poules,
vous auriez deviné leur colère.
C'est pour son malheur que Renart a vu ce rassemblement
qui le lui fera payer très cher.
140 Pas un qui n'ait sa massue
dont ils menacent de le frapper
s'ils parviennent à l'attraper.
Ils arrivent à la porte, ils l'ouvrent ;
tous se font fort de bien cogner,
145 tous entrent comme un seul homme.
Renart frissonne et tremble de tous ses membres,
il se désespère et s'effraie,

Bien set que sanz cop ne sanz plaie
Ne puet issir del jelinier.
150 « Ha, fet il, moignes sont si fier
Et gens de molt male manere,
Rien ne feroient por proiere.
Ha, que ferai ? se prestre oüsse,
Corpus domini reçoüsse,
155 Et a lui confes me feïsse,
Car se mes pechés rejeïsse,
Ne m'en poïst venir nus maus.
Se morusse, si fusse sax.
Il n'est mie tot or qui luist,
160 Et tex ne puet aidier qui nuist.
Por ce qu'il vestent capes noires,
Si les apele l'en provoires,
Mes il sont tuit con forsenez ;
Meuls les puis apeler maufez :
165 Maufé sont noir et cist ausi.
Bien les puis apeler einsi.
Ce me convient ore esprover,
Bien les puis einsi apeler. »
A cest mot saut Renars en place,
170 Molt se recorce et se rebrace [1],
Molt s'apareille de foïr.
Vers lui vit un moigne venir
Qui si le fiert parmi les reins
D'une grant maçue a dous meins,
175 Que a terre l'abat tot plat.
Ez voz Renart hontex et mat,
Si se redresce conme cil
Qui est estors de meint peril.
Quant il vit que chascuns l'asaut,
180 Parmi euls toz a fait un saut
Qui qatre des moignes trespasse.
Mes ce que vaut ? Li uns l'esquasse,
Li uns le fiert, l'autre le bote,
Or est entrés en tele rote [2]

1. Il s'agit de relever ses vêtements et ses manches pour se préparer à fuir.
2. L'on peut voir en *rote* un synonyme de *voie*.

car il sait bien qu'il ne sortira pas
du poulailler sans coups ni blessures.
150 « Ah! dit-il, les moines sont si cruels,
ce sont de très mauvaises gens
qu'aucune prière ne pourrait toucher.
Ah! que faire? Si j'avais eu un prêtre,
j'aurais reçu la communion,
155 je me serais confessé à lui,
car, si j'avouais mes péchés,
je serais à l'abri du mal.
Si je devais mourir, je serais sauvé.
Tout ce qui brille n'est pas or,
160 et il n'y a rien à attendre d'un ennemi.
Parce qu'ils portent des robes noires,
on les appelle prêtres,
mais ils sont comme fous furieux;
aussi serait-il plus juste de les appeler démons:
165 les démons sont noirs, eux aussi.
Je peux bien les nommer ainsi.
Il me faut maintenant donner la preuve
que je peux bien les nommer ainsi. »
Sur ce, Renart se redresse vivement
170 et retrousse ses vêtements,
se préparant à fuir.
C'est alors qu'il voit venir vers lui un moine
qui le frappe sur le dos
d'un gros gourdin, à deux mains,
175 si fort qu'il l'étend raide par terre.
Quelle humiliation, quelle défaite pour Renart!
Il se relève pourtant, habitué
à se sortir de plus d'un péril.
Quand il voit que tous foncent sur lui,
180 il fait un saut au milieu d'eux,
passant au-dessus de quatre moines.
Mais à quoi bon? L'un lui rompt les os,
l'autre le frappe, un troisième le pousse:
le voici au milieu d'une troupe

185 Dunt ses hauberz et ses escus
     Sera desmailliez et ronpuz [1].
     A la parfin l'ont tant mené,
     Tant travellié et tant pené
     Que em plus de quatorze leus
190 Li a mestier ogulle et fius.

     Tant home ont de Renart fablé,
     Mes j'en dirai la verité
     En ceste brance sanz esloigne :
     Or nel tenés pas a mençoigne !
195 Quant Renars se fu delivrez
     Et des moignes fu escapez,
     Sachés que molt li en fu bel.
     Fuiant s'en vet tot un vaucel.
     Aprés s'en vet par un grant bos,
200 Molt li sue la pel du dos.

     Fuiant s'en vet grant aleüre
     Con cil qui pas ne s'asoüre,
     Qu'il ne dit mie : « Cus, siu moi »,
     Mes « Se tu pues, pense de toi ! »
205 Malveisement eidast autrui
     Cil qui son cul lait aprés lui :
     Se je fusse en sa conpaignie,
     Petit me fiasse en s'aïe.
     Unc ne fina de cure a toise [2],
210 S'est venuz sor la rive d'Oise,
     Et qant il vint sor la rivere,
     Garda avant, garda ariere,
     Si a choisi enmi un pré
     Un mulon de fein ahuné
215 Que iloques estoit laissiez
     Por ce qu'il n'est pas essuiez.
     Iloc fist li gorpil son nit.
     En sus se drece un sol petit,
     Car il se voloit eslascher
220 Einçois que il s'alast cocher.
     Il a mis la coe en arçon,

     1. C'est le haubert (ou cotte de mailles) qui sera *desmailliez* et l'*escu*
(ou bouclier) qui sera *ronpuz*.
     2. *Corre a toise*, c'est « courir longtemps ».

185 d'où son haubert et son écu
     sortiront l'un démaillé et l'autre brisé.
     En fin de compte, ils l'ont tant malmené,
     tant torturé, tant harcelé
     qu'en plus de quatorze endroits
190 il a besoin de fil et d'aiguille.
     L'on a beaucoup raconté d'histoires sur Renart,
     moi, je m'en tiendrai à la vérité
     dans cette branche, et sans plus attendre.
     N'y voyez donc pas une fiction !
195 Une fois que Renart eut réussi
     à échapper aux moines,
     sachez qu'il en fut très content.
     Il prend la fuite à travers un vallon,
     puis s'en va par un grand bois,
200 la peau du dos toute trempée de sueur.
     Il s'enfuit à toute allure,
     comme quelqu'un qui ne se sent pas en sécurité,
     sans dire : « Cul, suis-moi ! »
     mais plutôt : « Débrouille-toi, si tu peux ! »
205 Quelle aide attendre
     d'un homme qui laisse son cul derrière lui ?
     Si j'avais été son compagnon,
     je n'aurais pas compté sur son aide.
     Sans cesser de courir à grandes enjambées,
210 le voici parvenu jusqu'à l'Oise.
     Au bord de la rivière,
     il regarda de tous les côtés
     et aperçut au milieu d'un pré
     un tas de foin que l'on avait amassé
215 mais laissé là
     parce qu'il n'était pas sec.
     C'est là que le renard se nicha.
     Il s'en écarta un tout petit peu,
     avec l'idée de se soulager
220 avant d'aller se coucher.
     Il arqua sa queue

Si fist set pes en un randon :
« Icist premiers soit por mon pere
Et l'autre por l'arme ma mere,
225 Et li tiers por mes bienfetors
Et por toz apres leceors,
Et li quars soit por les jelinez
Dont j'oi rongies les escines,
Et li quins soit por le vilein
230 Qui ici aüna cest fein ;
Li sistes soit par druerie
Dame Hersenz ma douce amie,
Et li semes soit Ysengrin
Qui Dex doinst demein mal matin
235 Et male encontre a son lever.
Male mort le puisse acorer !
Car je hé molt le cors de lui.
Ja ne voie il tel jor conme hui !
A male hart puisse il pendre
240 Que nus ne l'en puisse desfendre !
Se je soi onques de barat,
Pendus iert il a male hart. »
    Atant se rest alés jesir,
Car talant avoit de dormir,
245 Si se conmande as douze apostres,
Puis a dit douze patrenostres
Que Dex garisse toz larons,
Toz traïtors et toz felons,
Toz felons et toz traïtors,
250 Et toz aprimes lecheors
Qui meus eiment les cras morsaux
Qu'il ne font cotes ne mantax,
Et toz çous qui de barat vivent
Et qui prenent quanqu'il consivent.
255 « Mes as moignes et as abez
Et as provoires coronez,
Et as hermites des boscagez,
Dunt il ne seroit nuz damagez,
Pri Deu qu'il doigne grant torment
260 Si qu'en le voie apertement. »
Ce dist Renart li forsenez

et fit sept pets d'affilée :
« Que le premier soit pour mon père
et le second pour l'âme de ma mère,
225 et le troisième pour mes bienfaiteurs
et pour tous les princes de la débauche;
que le quatrième soit pour les poules
dont j'ai rongé les carcasses,
et le cinquième pour le paysan
230 qui fit ici ce tas de foin;
que le sixième soit un gage d'amour
pour Hersent ma douce amie,
et le septième pour Isengrin :
puisse Dieu lui donner demain une mauvaise matinée
235 et à son réveil une mauvaise rencontre !
Puisse-t-il être terrassé par une mort terrible !
Car je lui voue une haine mortelle.
Que jamais il ne voie le jour d'aujourd'hui !
Puisse-t-il être pendu au bout d'une méchante corde
240 sans que personne puisse le secourir !
Si jamais je m'y connus en tromperie,
il finira pendu au bout d'une méchante corde. »
     Sur ce, il retourne se coucher
car il avait envie de dormir.
245 Il se recommande aux douze apôtres,
puis récite douze patenôtres
afin que Dieu protège tous les voleurs,
tous les traîtres, tous les félons,
tous les sans foi ni loi
250 et tous les pires des débauchés
qui préfèrent les bons morceaux
aux cottes et aux manteaux de cérémonie,
et tous ceux qui vivent de tromperie
et s'approprient tout ce qu'ils rencontrent.
255 « En revanche, les moines, les abbés,
les prêtres tonsurés,
les ermites des forêts,
qui ne causeraient jamais de mal à personne,
je prie Dieu de les tourmenter
260 de façon éclatante. »
Ainsi parla Renart le fou furieux

Qui meinz homes a baretez :
« Car qui bien fet, ne doit pas vivre.
Mes cil qui tot ades s'enivre,
265 Et cil qui emble, et cil qui toust,
Et qui enprunte et rien ne sost,
Ja cist secles ne doit faillir.
Et Dex, vos m'en puissiés oïr,
Que ja icist siecles ne muire,
270 Que pechez seroit del' destruire. »
    Ce fu la proiere Renart
Le traïtor de male part.
Atant se test li renoiez,
Si mist la teste entre ses piez.
275 Or sachez bien soürement
Que il savoit bien vraiement
Que se Dex aïdast as maux,
Adonques seroit il bien saux,
Que plus lere de lui ne fu
280 Des icel ore que Dex fu.
Li gorpil fu tost endormiz,
Car molt estoit soef ses liz.
    Au matin quant il s'esveilla,
Un mot dit que fere quida :
285 « Leverai moi, s'irai en proie.
Dan Gonberz a une crasse oie
Que il a fet en franc norrir.
Bien se cuide fere servir,
Au Noël la cuide mangier.
290 Mes se je puis tant esploitier,
Ja ne la verra neïs cuire :
Je en ferai mes gernons bruire,
Hui en cest jor sanz demorance
Saura je qu'ele a en la pance.
295 Honte ait fors Deu qui destina
C'onques vilein d'oie manga !
Vilein doit vivre de cardons,
Mes moi et ces autres barons
Lait l'en les bons morsaus mangier,
300 Car nus les manjon sanz dangier. »
    Les crestines crourent la nuit :

qui a trompé bien des hommes.
« Car l'homme de bien n'est pas digne de vivre ;
au contraire, celui qui est saoul du matin au soir,
265 celui qui vole, celui qui prend,
celui qui emprunte sans rien payer,
ce sont ces gens-là qui ne doivent jamais disparaître.
Dieu, puissiez-vous m'entendre
et faire que ce monde-là ne meure jamais,
270 ce serait un péché de le détruire. »
    Telle fut la prière de Renart,
le traître d'infernale engeance.
Alors le renégat se tut
et posa sa tête entre ses pattes.
275 Soyez-en persuadés :
il était sûr et certain
que, si Dieu menait en aide aux méchants,
aucun doute qu'il serait sauvé :
n'était-il pas impossible de trouver plus voleur
280 que lui de toute éternité ?
Le goupil ne tarda pas à s'endormir,
car sa couche était très douillette.
    Au matin, à son réveil,
il évoqua ce qu'il comptait faire :
285 « Je vais me lever pour partir en chasse.
Sire Gombert possède une oie grasse
qu'il a fait engraisser sans regarder à la dépense.
Il compte se la faire servir
et la manger pour Noël.
290 Mais, si je peux faire ce que je veux,
il ne la verra même pas cuire :
elle craquera sous ma dent
et pas plus tard qu'aujourd'hui
je saurai ce qu'elle a dans le ventre.
295 Honte à celui qui décida, Dieu excepté,
qu'un paysan pourrait manger de l'oie !
Le paysan doit vivre de chardons,
tandis qu'à moi et aux autres grands personnages
doivent revenir les bons morceaux,
300 que nous mangeons sans faire de manières. »
    Le niveau de l'eau s'éleva dans la nuit,

Encor nos en sentons nus tuit,
Car li blé en furent plus cher
Troi sols ou quatre le sestier.
305 Qant il vit l'eve blanchoier
Et le mulon dedenz plungier,
Si se conmence a dementer
Con d'iloc porra escaper.

    Que que il se vait dementant,
310 Es vos un escofle volant
Qui iloc s'aloit reposer
Por ce q'il est las de voler :
Vers le mullon s'est adreciez.
Renart le voit, si s'est dreciez :
315 « Sire, fait il, bien veignez vos !
Seés vos ci dejoste nos,
Lez ceste lasse creature
Qui est ici en aventure
Et en dotance de morir.
320 Sire, bien puissiez vos venir :
Vos soiez hui li bien venuz.
Or m'a Dex fait molt grant vertuz
Q'il vos a ici envoié :
Or serai confes, ce croi gié. »
325 Li escofles le vit plorer,
Lez lui s'est alez demorer,
Et si li conmence un sarmon
Por reconforter le gloton.

    « Renart, ce dist sire Huberz,
330 Par le temple ou Dex fu oferz,
Clerc et provoire sont tuit fol.
Ja Dex ne place que je vol
De sus cest fein a terre seche,
Se ome vaut rien qui ne peche,
335 Ne hons qui n'a fet asez mal.
Li pautonnier, li desloial,
Li traïtor, li foimentie,
Cil sont des peines d'enfer quite. »
    Atant a son sarmon feni.
340 « Bau frere, fait il, or me di !
Or pues tes pechés rejeïr,

nous en ressentons tous encore les effets,
car, de ce fait, les céréales ont augmenté
de trois ou quatre sous par setier.
305 Quand Renart vit l'eau écumer
et le tas de foin s'y enfoncer,
il commença à se faire du souci :
comment sortir de là ?
    Pendant qu'il s'inquiétait,
310 survint un milan à tire-d'aile
qui s'apprêtait à se poser,
parce qu'il en avait assez de voler,
et qui se dirigea vers le tas de foin.
Renart, à sa vue, s'est levé :
315 « Seigneur, fit-il, soyez le bienvenu !
Asseyez-vous ici auprès de nous,
à côté de cette pauvre créature
qui risque de mourir
et le redoute.
320 Seigneur, puissiez-vous arriver à propos !
Soyez le bienvenu.
C'est une grande grâce que Dieu m'a faite
en vous envoyant ici :
je vais pouvoir me confesser, je le crois. »
325 Le milan, quand il le vit pleurer,
se posa à côté de lui
et entama un sermon
propre à réconforter cette canaille.
    « Renart, dit sire Hubert,
330 par le Temple où Dieu fut présenté,
tous les clercs et les prêtres sont fous.
Que jamais Dieu ne me permette de voler
du haut de ce foin jusqu'à la terre sèche,
si l'on vaut quelque chose quand on ne pèche pas
335 ou que l'on ne commet pas de faute grave !
Les scélérats, les fourbes,
les traîtres, les parjures, eux,
sont quittes des peines de l'enfer. »
    Sur ce, il a conclu son sermon.
340 « Mon cher frère, dit-il, confie-toi donc à moi !
Tu peux à présent avouer tes péchés,

Et je sui toz pres del oïr.
— Sire, dist Renars, volentiers.
J'ai esté set mois toz entiers
345 Parjure et escuminïez,
Mes ce n'est mie grant peciez :
Ja por escuminacïon
N'aura m'arme damnacïom.
Sire, g'ai esté sodomites,
350 Encore sui je fins herites,
Si ai esté popelicans [1]
Et renaié les cristïens.
Je hax hom frans et debonaire.
Volentiers preïsse la haire
355 Et devenisse moignes blans ;
Mes j'ai un mal parmi les flans
Qui chascun jor, par droite rente,
Me reprent bien vint fois ou trente ;
Et je sai bien que moignes noir
360 Trestos sont faillis et por voir
N'ont cure d'ome s'il n'est seins
Ou s'il n'est clers ou chapeleins.
Sire, je ai molt grant essoigne
Que je ne puis devenir moigne,
365 Car je ne sai parler latin ;
Si manguz volentiers matin.
Sire, je ne puis jeüner,
Ne fiens espandre n'aouner
Ne fere les ovres qu'il font,
370 Qui me dorroit trestot le mont.
Si ai la crope trop liegere
Et fol samblant et fole chere,
Qui trop sovent me feroit batre.
Por ce si ne m'i os enbatre.
375 Par le cuer bé, la ou l'en bat,
Dunt n'est il fox qui s'i enbat ?
Moigne noir sont trop a mal ese,
Ja n'auront cose qui lor plese,

---

1. Les *popelicans* étaient des hérétiques manichéens de la secte des
Pauliciens.

je suis tout disposé à t'entendre.
— Seigneur, répondit Renart, volontiers.
Durant sept mois entiers,
345 j'ai été parjure et excommunié,
mais ce n'est pas un péché grave,
ce n'est pas pour une excommunication
que mon âme sera damnée.
Seigneur, j'ai été sodomite
350 et je suis encore un parfait hérétique.
J'ai été apostat,
j'ai renié la foi chrétienne,
je hais tout homme noble et loyal.
J'aurais volontiers pris la haire
355 et serais devenu moine blanc,
mais je suis atteint d'un mal dans les flancs
qui chaque jour, c'est réglé comme du papier à musique,
me reprend bien vingt ou trente fois.
Quant aux moines noirs, je le sais bien,
360 ils sont tous méchants et, en vérité,
personne ne les intéresse à moins d'être en bonne santé,
ou d'être un clerc ou un chapelain.
Seigneur, un obstacle bien plus sérieux
m'empêche de devenir moine :
365 je ne sais pas parler latin,
et j'ai bon appétit le matin,
Seigneur, je suis incapable de jeûner,
d'étendre ou d'entasser du fumier,
de me livrer à leurs travaux,
370 quand bien même on me donnerait tout l'or du monde.
De plus, j'ai la croupe trop légère,
l'air fripon et la mine frivole,
ce qui attirerait très souvent les coups sur moi.
Voilà pourquoi je n'ose pas m'y engager.
375 Corbleu, ne faut-il pas avoir perdu la tête
pour se précipiter dans un endroit où l'on reçoit des
Les moines noirs ont une vie trop difficile,   [coups ?
jamais ils ne connaîtront le moindre plaisir,

Trop sont tenu en grant destrece.
380 Neïs l'abé qui les adrece
Batent il bien le dos deriere,
Quant il fet une male chere.
De ce esploistent il molt mal
Qu'entr'eus ne font un jeneral
385 De foutre une fois la semeine,
S'en seroit l'ordre molt plus seine.
Et quant il oüssent fotu
Et ele eüst le cul batu,
Si la meïssent hors de cloistre
390 Tant que il fust saisons de croistre.
Car se remanoit au covent,
Il la foutroient trop sovent,
Si n'en porroit soffrir la peine,
Car trop sont lecheor li moine.
395 Il la conbriseroient tote
Si que ja mes ne tendroit gote.
Et il porroit bien avenir
Que grant mal en porroit venir,
Que il entr'eus se conbatroient
400 Si que il s'escerveleroient.
Car chascun volroit fotre avant,
Ausi li viel con li enfant,
Et li serjant conme li mestre.
Et ice ne porroit pas estre,
405 Ce ne seroit mie raisons,
Que blame en auroit la mesons,
Si en seroit pire lor ordre.
Por ce ne lor veut l'en amordre.
Li blans ordres par est si fors
410 Nus n'i entre qui n'i soit mors
De jeüner et de veiller,
De chanter et de versellier
Et d'ovrer et de laborer,
Si n'i fait pas bon demorer,
415 Ce dient cil qu'i ont esté,
Car je n'en sai la verité,
Mes j'en oï Ysengrin pleindre,
Qui est asés plus fors et greindre

leur règle est trop rigoureuse.
380 Même l'abbé qui les dirige
reçoit des coups sur le dos
quand il n'a pas une attitude convenable.
Ils ont tort
de ne pas prévoir dans leur règle
385 une séance hebdomadaire de baisage,
cela assainirait l'ordre.
Leur coup tiré,
la femme baisée
serait chassée du cloître
390 jusqu'à ce que revînt le moment du rut.
Car, si elle restait au couvent,
ils la baiseraient trop souvent,
elle ne pourrait le supporter,
tant les moines sont portés sur la chose.
395 Ils la mettraient en pièces
si bien qu'elle ne pourrait résister à un tel traitement.
Il pourrait en résulter
de grands malheurs,
car les moines s'entre-déchireraient
400 au point de se faire sauter la cervelle,
chacun voulant passer le premier,
les vieux comme les jeunes,
les serviteurs comme les maîtres.
L'on ne saurait l'accepter,
405 ce serait déraisonnable,
car on blâmerait leur maison
et leur ordre en sortirait diminué.
Voilà pourquoi on ne veut pas les appâter.
La règle des moines blancs est si dure
410 que personne n'y entre sans y mourir
à force de jeûner et de veiller,
de chanter et de psalmodier,
de travailler et de trimer;
aussi ne fait-il pas bon séjourner chez eux,
415 à ce que disent ceux qui y sont allés.
Pour moi, je ne sais pas ce qu'il en est exactement,
mais j'ai entendu Isengrin s'en plaindre,
alors qu'il est bien deux fois

Que je ne sui bien les deus parz.
420 Il me dist q'uns molt mavais garz
L'out sic el capistre batu
Tot en a le cors confundu.
Qui le feroit seignor del mont
Et de trestoz çouls qui i sont,
425 N'entreroit il en l'abeïe,
Si par a il l'ordre enhaïe.
Et je conment i entreroie
Qui nul mal soffrir ne porroie,
Ne qui consirrer ne me puis
430 De Hersent ne de son pertuis?
Partuis? je ment, ains est grant chose,
Molt est hardiz qui nomer l'ose.
Car por seul itant qu'il m'en membre
M'en remuent trestuit li membre
435 Et heriche tote la charz
Par mon chef, ce n'est mie gas.
Car ce est li plus nobles nons
Qui soit en cest siecle que cons.
C'est merveille, quant om le nome,
440 Que c'est ce que plus honist l'ome
Et ce que plus le torne a mal
Et plus le fait torner el val;
Et des que il li veut aidier,
De ce ne fait pas a plaidier,
445 Il li done plus en un jor
De joie et de bien et d'onor
Que boce d'ome ne puet dire.
Cons est li plus sovereins mire
Que puisse envers amors trover.
450 Ce n'est or mie a esprover,
Car maint home en sont gari
Qui autrement fussent peri.
Et encore en garront il meint,
S'en lor maveisté ne remeint,
455 Et qui par maveisté perdra,
Dahez ait qui l'en aidera.
Ne quidiés pas que ce soit fables,
Je ne voudroie mie estre abes,

plus grand et plus fort que moi.
420 Il me raconta qu'un méchant garnement
l'avait tant battu dans la salle du chapitre
qu'il en a encore tout le corps endolori.
Même si l'on faisait de lui le roi du monde
et de tous ses habitants,
425 il n'entrerait pas dans cette abbaye,
si vive est sa haine contre l'ordre.
Et moi, comment pourrais-je y entrer,
alors que je suis incapable de supporter le moindre mal
et que je ne puis me passer
430 d'Hersant ni de son trou?
De son trou? Erreur, mais c'est une chose exception-
il faut être téméraire pour oser la nommer!   [nelle:
En effet, à son seul souvenir,
je tremble des pieds à la tête,
435 toute ma peau se hérisse,
parole d'honneur, je ne plaisante pas.
N'est-ce pas au monde le plus beau nom
que celui de con?
Chose étrange: lorsque l'on prononce ce mot,
440 c'est pour désigner ce qui déshonore le plus l'homme,
et le pervertit le plus,
et l'abaisse le plus.
Mais dès qu'il veut lui venir en aide,
inutile de discuter,
445 il lui apporte en un jour
plus de joie, de bien et de gloire
qu'on ne saurait dire.
Le con, c'est le médecin le plus efficace
que l'amour puisse trouver.
450 Pas besoin d'en faire la démonstration:
il a guéri bien des gens
qui sans lui seraient trépassés;
beaucoup d'autres encore en guériront,
à moins que leur méchanceté n'y fasse obstacle,
455 et celui que sa méchanceté perdra,
maudit soit qui voudra l'aider!
Ne croyez pas que je vous raconte des histoires.
Je ne voudrais pas être abbé,

Se Hersent n'estoit abeesse
460 Ou celerere ou prioresse,
    Ou qu'ele fust en teil leu mise
    Qu'ele fust hors de lor devise,
    Que j'en poüsse avoir mes bouens
    Et ele ausi de moi les souens ;
465 Car molt est l'ordre bone et bele
    Qui est de male et de femele. »
       Li escoufles prist a parler
    Qui n'i voloit plus demorer.
    Renart conmence a chastier
470 Et durement a laidengier :
    « Fel nein, fel rous, fel descreüz,
    Tant par es ores desçoüs
    Que Hersent as t'amor donee,
    A une vielle espoistronee
475 Qui ne puet mes ses piés tenir.
    L'en la puet bien trop meintenir.
    Renart, molt par est ses cons baux !
    Hersent, ja es ce uns corbaux.
    C'est une estrie barbelee
480 Qui a porté verge pelee [1]
    Espoir bien a passé cent anz,
    Ou plus ou meins, je ne sai qanz.
    Mes itant te di je de voir,
    Et tu le doüsses savoir,
485 Qu'il n'a jusqu'à la Mer Betee
    Garçon qui ne l'ait garçonee.
    Haï haï ! quel druerie !
    Trop est vielle sa puterie :
    Ele a entor le cul plus fronces
490 Qu'en un arpen de bois n'ait ronces.
    Dont par devroies ores fondre.
    Ja te porroies tu repondre
    En la pel qui au cul li pent.
    Fé te confés, si te repent
495 Et de ces pechés et des autres

---

1. La *verge pelee,* qui désignait une branche ou une tige écorcée, est un euphémisme pour le membre viril.

si Hersant n'était abbesse
460 ou économe ou prieure,
ou placée en un endroit
qui l'arrache à leur autorité
et me permette d'avoir du bon temps avec elle
et à elle également avec moi,
465 car l'ordre est bon et beau
quand il mêle les mâles et les femelles. »
    Le milan, perdant patience,
prit la parole
pour réprimander Renart
470 et le couvrir de honte :
« Sale nabot, sale rouquin, sale avorton,
il faut que tu sois tombé bien bas
pour t'être amouraché d'Hersant,
d'une vieille efflanquée
475 qui ne peut plus tenir sur ses pattes.
Ah ! oui, on a raison de l'entretenir !
Renart, son con est d'une beauté !
Vrai, Hersant a tout du corbeau.
C'est une sorcière toute barbue
480 qui s'est fait enfiler
peut-être pendant plus de cent ans,
plus ou moins, je ne sais au juste.
Mais ce que je peux t'affirmer,
et ce que tu devrais savoir,
485 c'est qu'il n'y a pas jusqu'à la Mer gelée
truand qui ne l'ait tringlée.
Ah ! Ah ! Quel bel amour !
C'est une garce depuis la nuit des temps :
il y a plus de rides autour de son cul
490 que de ronces dans un arpent de bois.
Tu devrais mourir de honte.
Vraiment, il te serait facile de te cacher
dans la peau qui lui pend au cul.
Avoue tes péchés, repens-toi
495 de ces péchés et des autres,

Que tu ne voises o les autres
Qui en enfer voisent tot quite !
Va t'en en Inde ou en Egipte
Ou en une lointaine terre,
500 Ele ne t'iroit avant querre,
Ainz t'auroit tost mis en oubli.
Se tu estoies a Chambli
Et ele estoit a Ronqueroles,
Por que les terres fussent moles,
505 Ne t'iroit ele auan veoir,
Toz jors i porroies seoir.
Einçois requerroit un tafur
Qui auroit le vit gros et dur,
Dunt el feroit tenter sa plaie
510 En leu d'estopes et de naie.
Il n'i a el siegle si grant tente,
S'ele estoit enz, que ja la sente,
Ne plus que se ce fust neanz,
Car la plaie qui est dedens
515 Li fu trop ferue en parfont.
La plaie que cist archer font
Ele a a tot le meins deus fonz :
Mes icele plaie est parfons,
Si n'est plaie el monde si griés,
520 Que cele garist de legiers,
Que l'en puet tenter et chercier ;
Mes ci ne puet mires tocher,
Par oignement ne par poison
N'i puet nus metre garison,
525 Si metroit l'en por neent peine,
Qu'el n'ert jamés de cel mal seine.
La mer seroit avant tarie
Qu'ele fust de cel mal garie.
L'en ne porroit sa rage esteindre,
530 Nus ne porroit au fons ateindre ;
Et se en la plaie n'a tente,
Por nient i met l'en s'entente.
Ice vos di je sanz relés
Qu'ele n'en garira jamés,
535 Ainz ardra pardurablement ;

afin que tu n'ailles pas en enfer avec les autres
damnés qui y vont tout droit !
Pars pour les Indes ou l'Égypte
ou pour toute autre terre lointaine :
500 loin de te rechercher,
elle aurait tôt fait de t'oublier.
Si tu étais à Chambly
et qu'elle fût à Ronquerolles,
elle prendrait prétexte de l'humidité des terres
505 pour ne pas aller te voir de l'année,
et tu pourrais t'y installer à jamais.
A ta place, elle chercherait un malfrat
à la verge grosse et dure
dont elle ferait sonder sa plaie,
510 au lieu d'y mettre de l'étoupe et de la charpie.
Il n'existe au monde aucune sonde
dont elle ressente la présence, une fois enfoncée dans la
d'une manière quelconque,   [plaie,
car la plaie qu'elle porte en elle
515 est beaucoup trop profonde.
De la plaie que font les archers,
on peut distinguer les deux orifices,
mais celle d'Hersant est si profonde
qu'il n'est au monde plaie plus dangereuse.
520 L'autre se guérit facilement,
on peut la sonder, l'explorer ;
mais celle-là, aucun médecin ne peut la toucher,
personne ne peut la guérir
ni avec des onguents ni avec des potions.
525 Ce serait peine perdue :
cette blessure-là est incurable.
La mer serait plus tôt tarie
qu'elle ne fût guérie de sa maladie.
Personne ne pourrait éteindre sa fureur,
530 personne ne pourrait toucher le fond.
Si l'on ne peut placer de sonde dans la plaie,
on se donne du mal en pure perte.
Je vous le dis tout de go :
elle ne guérira jamais,
535 mais brûlera éternellement,

Car c'est plaie sanz finement.
Et une itele vielle sece
Art plus de fotre q'une mece.
Ele a toz jors le con baé,
540 En meins de leu a l'en gaé
Un palefroi a qatre piez.
De qatre soudees d'oint viez
Ne seroient les fronces pleines
Que la vielle a entre les eines.
545 De bele feme est baux piechés,
Mes de vielle est le cuir sechiez ;
Qui plus la moilleroit ouan,
Tant seroit plus seche encoan.
Hersent n'a mes dent en la gole,
550 Si a plus mal fet tote sole
Que totes les puteins del mont.
Hersent poile et Hersent tont,
Hersent escorce, Hersent plume.
Maldite soit tote s'enclume,
555 Qu'ele a plus cops de coille oüs
Qu'il n'a foilles en cent soüs
En esté quant les foilles sont.
Ha ! quex delices dun toz ont !
Onques Richel n'en sot neant [1],
560 Ne nul barat envers Hersent.
Qui sauroit donc, se Hersent non ?
Des le tens le roi Salomon
A ele itel mester mené.
Ce sachoiz tot de verité,
565 En tote Franche n'a mortier
Qui tant soit bons, forz ne entier,
Tant fust de liois ou de coivre,
Por qoi qu'il fust autretant coivre,
Ne eüst le fons abatu,
570 S'en i oüst autant batu,

---

1. Sans doute faut-il lire *Richelt*. Il s'agit de Richeut, le type de la
prostituée et de l'entremetteuse. C'est l'héroïne d'un fabliau, cf.
I.C. Lecompte, *Richeut, old French poem of the twelfth century*, dans
Romanic Review, t. 4, 1913, p. 261 et suiv.

car cette plaie est sans fond.
Ce genre de vieille toute sèche
brûle de se faire baiser plus qu'une mèche enflammée.
Elle a toujours le con béant,
540 il faut moins de place à un palefroi
pour passer à gué des quatre pattes.
Quatre sous de vieille graisse
ne suffiraient pas à colmater les fronces
que la vieille porte à l'aine.
545 Chez une belle femme, le péché a de l'attrait,
mais le cuir d'une vieille est desséché,
et plus on le tremperait d'eau,
plus il serait sec.
Hersant n'a plus de dent dans la gueule,
550 et elle a fait plus de mal à elle seule
que toutes les putains du monde réunies.
Hersant pèle, Hersant tond,
Hersant écorche, Hersant plume.
Maudite soit son enclume
555 qui a reçu plus de coups de bite
qu'il n'y a de feuilles sur cent saules
en plein été.   [elle !
Ah ! quels plaisirs peuvent-ils donc prendre tous avec
Jamais Richeut ne put rivaliser avec elle en ce domaine,
560 ni dans celui de la tromperie.
Qui pourrait y être experte, sinon Hersant ?
Elle a pratiqué ce métier
dès l'époque du roi Salomon.
Soyez sûrs et certains
565 que, dans toute la France, il n'existe pas de mortier
assez solide, robuste, parfait en son genre,
fût-il en pierre de taille ou en cuivre,
pour résister à un tel écartement
sans se briser
570 (après avoir reçu autant de coups que le sien)

Ou qu'il ne fust brisiés encoste.
L'en met el suen sovent et oste,
N'iert ja que puisse estre oiseus.
Des Morenci jusqu'a Poisous
575 N'a nul n'i ait sovent boté,
Meint i ont tret et meint bouté.
L'en n'i set tant boter ne trere
Que ja a lendemein i peire.
Il est perdu qanqu'en i met,
580 Car trop set la veille d'abet.
Par le cuer Bieu, quant tu aresces [1],
Fes tu eschaces jamberesces ?
Par le cuer Bé, c'est la fontene
Qui toz jors sort, et ja n'ert pleine.
585 A droit a non Hersent la love,
Car c'est cele qui toz mauz cove.
Auques set ele de barat
Quant ele au cul a pris Renart,
Celui qui tot le mont deçoit,
590 Que tot siecles le seit et voit.
Mieuz conchié ne sai je nul
Que celui qui est pris au cul.
Qui cul prent, il est conchiez,
Et s'il le rent, il est chiez.
595 Et s'il l'estreint et il le tient,
Ne dirai pas que il devient ;
Car trop i auroit vilein mot,
Si m'en tendroit le siecle a sot.
    Renart, faites une autre amie
600 Qui plus sache de cortoisie
Et qui un poi soit plus jounete,
Et qui se sache tenir nete
En sisamus, en sebelin.
En Moce la feme Belin
605 A asez bele et jone et tendre.
La se fet il molt meus entendre.
Ele n'est pas mal enseignee

---

1. *Arescier,* « être en érection » (cf. l'adj. *aroit*), a continué à vivre
jusqu'au XVIᵉ siècle, surtout sous la forme *arser*.

ou sans être mis en pièces.
L'on va et vient souvent dans le sien
qui ne risque pas de chômer.
Il n'est personne de Morenchies à Puisieux
575 qui n'y ait souvent poussé sa queue ;
ils sont nombreux à y avoir tiré leur coup ;
mais on a beau se démener,
le lendemain il n'y paraît plus rien.
Tout ce que l'on y met est perdu,
580 tant la vieille est roublarde.
Corbleu, quand tu bandes,
utilises-tu des échasses ?
Parbleu, c'est la source
qui jaillit toujours, sans jamais se remplir.
585 Le nom d'Hersant la louve lui convient tout à fait,
car c'est elle la source de tous les maux.
Il fallait qu'elle fût rusée
pour attraper par le cul Renart,
le trompeur universel
590 au vu et au su de tout le monde.
La meilleure manière de mystifier quelqu'un
est de l'attraper par le cul.
Quand on prend un cul, on est trompé
et quand on le rend, on est emmerdé.
595 A l'étreindre et à le tenir,
je me garderai de dire ce qu'on devient,
car il me faudrait user d'un terme inconvenant,
et les gens me prendraient pour un imbécile.
    Renart, choisissez-vous une autre amie
600 mieux rompue aux belles manières,
un peu plus jeunette
et qui sache rester propre
dans le satin et la zibeline.
Mousse, l'épouse de Belin,
605 est un beau brin de fille jeune et tendre :
c'est de ce côté-là qu'il faut se tourner,
Non seulement elle est bien éduquée,

Ainz est petite et aisee.
La doit l'en aler et venir
610 Ou l'en puet a aise venir.
Mes a Hersent la trecheresse,
Cele qui toz mastins aresce,
Une vielle au cul puceus !
Il n'a mastin juqu'a Poissous
615 Ne nul veautre que trover puise
Qui ne li ait levé la cuisse,
Et vos l'amés ausi de cuer
Conme s'ele fust vostre suer.
D'itant est li jeus mal partis,
620 Car ele est granz et tu petis.
Il t'i estuet fere degré
S'ele ne se coce de gré.
Par le cuer Bé, qant tu i viens,
C'est merveille que tu deviens
625 Au jou ou toz li mons se soille.
Se tu eres toz vis ou coille,
Et teste et col et ventre et piez,
Ne seroit mie pleins li biés ;
Ce est li gorz de Satenie,
630 Que quant que il ateint s'i nie.
Je ne t'en dirai ore plus,
Car il n'avient pas a reclus,
Ne a moigne ne a provoire
Qu'il die chose se n'est voire. »
635   Renars ot s'amie blamer,
Et ledengier et mesamer :
Grant dol en a en son corage,
Ne tient mie l'escofle a sage
Qui si vilainement parole,
640 Einz li est vis quë il afole,
Et dist soef entre ses denz :
« Mar fu ledengie Hersenz.
Je en prendrai molt grant venchance,
Se ne la pert par mescheance.
645 Filz a puein, maveis bocuz,
Ore a en vos maveis reclus.
Mesdit avés de la plus france

mais elle est aussi petite et facile.
L'on doit fréquenter les endroits
610 d'accès aisé.
Fi d'Hersant la trompeuse,
qui fait bander tous les mâtins,
une vieille au cul plein de puces !
L'on ne trouverait jusqu'à Puisieux
615 aucun mâtin ni aucun chien de chasse
qui ne lui ait relevé la cuisse,
et vous, vous l'aimez
aussi tendrement qu'une sœur !
Cependant, le jeu est inégal :
620 elle est grande, tu es petit ;
aussi te faut-il prendre une échelle
si elle refuse de se coucher.
Parbleu, lorsque tu la pénètres,
on se demande bien ce que tu peux devenir
625 au jeu où tout le monde se salit.
Quand bien même tout en toi ne serait que bite ou
— la tête, le cou, le ventre, les pattes —   [couilles,
tu ne parviendrais pas à combler le chenal.
C'est le gouffre d'enfer :
630 tout ce qui y pénètre s'y noie.
Pour le moment je n'en dirai pas plus,
car il ne convient pas à un reclus,
à un moine ou à un prêtre
de dire autre chose que la vérité. »
635   A entendre blâmer,
injurier et dénigrer son amie,
Renart éprouve une vive contrariété.
Il ne tient pas le milan pour sage
à cause de la grossièreté de ses propos,
640 mais il lui semble qu'il devient fou,
et il marmonne entre ses dents :
« Tu as tort d'outrager Hersant.
J'en tirerai une terrible vengeance,
si la malchance ne m'en fait pas perdre l'occasion.
645 Fils de pute, sale bossu,
tu as tout d'un méchant moine.
Tu as dit du mal de la plus noble dame

Qui einz portast guimple ne mance,
Ne laz de soie ne ceinture.
650 Ja senble ele une pointure
Qui soit fete por esgarder.
Je me lairoie ançois larder
Que j'en deïsse une folie,
Car sa douçor m'estreint et lie :
655 Vos par en avés dit trop mal.
Se trestuit li rendu d'un val [1]
Estoient orez toz des voz,
Si en sereez vos provoz.
Je vos ferai damage avoir
660 De vostre cors, non d'autre avoir.
Dahez ait qui el en fera
Ne qui autre avoir en prendra
Se le cors non de meintenant
Qui a parlé si folement.
665 Je vos ferai en mon Deu croire :
S'onques nus manja son provoire,
Je vos manjerai en cest jor,
Ja n'en aurés autre retor.
Je m'en terei ore a itant,
670 Car je dot molt chose volant :
S'il savoit ore que je pense,
Ja por proiere ne desfensse
Ne lairoit que ne s'en volast,
Ne l'en chaudroit qui en pesast. »
675 Renart se test et cil parole
Qui ert venus a male escole,
Et qui son dïable dechasce
Et qui son grant ennui porchace :
« Di, di avant, se tu sez rien,
680 Et si te confesse molt bien !
— Sire, j'ai esté molt pervers,
Meinte chose ai fete a envers
Que je ne doüsse pas fere.
Molt ai esté de mal afere

1. Les couvents étaient souvent situés dans les vallées : il suffit de se
rappeler le Val de Grâce à Paris, le Val des Écoliers.

qui ait jamais porté guimpe, manches,
lacets de soie et ceinture.
650 En vérité, on dirait une peinture
que l'on ne se lasse pas d'admirer.
Je me laisserais larder de coups
plutôt que de parler d'elle à l'étourdie,
car sa douceur me captive et retient.
655 Vous avez parlé d'elle d'une façon ignoble.
Si tous les moines d'un vallon
appartenaient à votre ordre,
eh bien! vous en seriez le plus méchant.
Vous allez en souffrir
660 dans votre chair même.
Maudit soit celui qui agira autrement
et qui acceptera une autre rançon
que la personne même de celui qui a dit
de telles folies, et dès maintenant
665 je vais vous apprendre à me connaître.
Si quelqu'un mangea un jour son confesseur,
je vais, moi, vous manger aujourd'hui même,
sans autre forme de procès.
Je vais maintenant me taire,
670 car je me méfie beaucoup de tout ce qui vole :
s'il pouvait lire dans mes pensées,
aucune prière, aucune interdiction
ne sauraient l'empêcher de s'envoler,
il se moquerait bien de faire des mécontents. »
675   Renart se tait, l'autre reprend son discours.
Le voici en danger,
pourchassant sa perte
et cherchant son malheur.
    « Continue à parler, si tu as encore quelque chose à dire,
680 et fais une très bonne confession!
    — Seigneur, je m'accuse d'avoir été pervers,
d'avoir fait bien de mauvaises choses
que je n'aurais pas dû faire.
Je me suis très mal conduit,

685 Et si fel et si desrubez,
     Quant mon cervel est detenprés :
     Neïs li abes de Corbie
     Dunt l'ordre en est tote enorbie,
     Hunant li roux ne Tabarie
690 Qui tuit vivent de roberie,
     Ne Qoquins ne Hernauz li roux
     Qui vet contant des roges trouz,
     Ne Herberz cil de males bordez
     Qui est fet au coing as coordez [1],
695 Ne missire Hernauz Bruiere
     Qui fet nape de sa suiere,
     Ne Mauduis li clers d'Auteinvile
     Qui tant cuide savoir de gile,
     Ne Godemaus ne Marcheterres,
700 Qui se fet or molt bon borderez,
     Ne Pieres li roux ne Fetas
     Qui sevent remuer lor dras,
     Ne Richarz li cras ne Tanpeste,
     Ne tuit cil qui sont de la jeste
705 N'ont pas tant entr'ous alochié [2]
     Con je ai fet el mien pechié.
     J'ai fotu la fille et la mere
     Et toz les enfanz et le pere,
     Et aprés tote la mesnie,
710 Si Dex me doinst boivre de lie [3]
     Ne de mouré ne de vin cuit.
     Il m'est avenu meinte nuit

---

1. Être fait *au coing as coordez*, « au moule des citrouilles », signifie « être obèse ».
2. Selon G. Tilander (*Notes...*, p. 677), « ... il se pourrait que *alochier* doive être lu ici *alechier* « séduire » ; les vers suivants rendent
compte de cette traduction. *Alochier* pourrait à la rigueur être le verbe
que Godefroy enregistre avec un seul ex. au sens de « ébranler », autre
forme de *eslochier*. *Alochier* serait dans ce cas un euphémisme pour
« foutre ».
3. Le vin *sur lie* est un vin que l'on a laissé reposer pour que la lie
soit bien tombée au fond du tonneau, un vin clair, fermenté et rassis. De
toute façon, c'est un bon vin, capiteux. Selon A. Henry (éd. du *Jeu de
saint Nicolas*, 3e éd., 1981, p. 289-290), il s'agit d'un vin qui n'a pas
été soutiré.

685 j'ai vécu de violences et de traîtrises,
j'ai vraiment le cerveau dérangé.
Pas même l'abbé de Corbie
qui, par sa débauche, a perverti tout son ordre,
pas même Hunant le roux et Tabarie
690 qui vivent tous deux de rapines,
pas même Coquin ou Hernaut le roux
qui passe son temps à compter les trous sanglants,
pas même Herbert, l'homme aux mauvaises plaisanteries,
qui est gros comme un tonneau,
695 pas même monseigneur Hernaut Bruyère
qui fait une nappe de son torchon,
pas même Mauduit le clerc d'Autainville
qui se vante de tant connaître de ruses,
pas même Godemaus ou Marcheterre
700 qui devient à présent un joyeux plaisantin,
pas même Pierre le roux ou Fetas
qui savent changer de vêtements,
pas même le gras Richard ou Tempête,
comme tous ceux qui sont de la même trempe,
705 n'ont à eux tous baisé
autant que moi dans ma vie de pécheur.
Je me suis envoyé la fille et la mère,
tous les enfants et puis le père,
et puis toute la famille,
710 aussi vrai que je demande à Dieu de boire du vin clair,
du vin de mûres ou de l'hydromel.
Bien des nuits, il m'est arrivé

Que je fotoie quinze fois,
Mes j'estoie toz jorz aroiz.
715 Je sui de molt chaude nature :
Quant je truis con a ma mesure,
Je fot bien dis foiz pres a pres,
Et noef foïes tot ades.
Ja n'iert si hideuse la beste,
720 Nes s'ele n'avoit oil en teste,
N'est nus qui men puisse tenser.
J'ai fait que nus n'ose penser,
Car je manjai un mien filloil.
Qar fusse je ore a Maroil
725 Penduz par ma pute de gorge ! »,
Li huart crent qu'il ne le morge,
Ariere se tret, si l'esgarde :
« Renart, fait il, li max fous t'arde,
Se trestoz li cors ne me tramble
730 Plus que la foille qu'est el tranble,
Et si ne sai que ce puet estre.
— Par foi, fet Renart, bau doz mestre,
De ce vos dirai bien la some.
Il est costome de seint ome,
735 Quant il ot parler lecheor,
Pecheresse ne pecheor,
De ce a poür, si s'esmoie
Qu'il ne le traie a male voie
Qui en maveisse vie meint. »
740 Oez del lere con l'ateint
Et con il l'atrait de parole :
Maldite soit tote s'escole !
Car onques ne se prist a beste
A cui il ne feïst moleste,
745 Si fera il cestui molt grant,
Car il le het molt dorement.
As denz se prent parmi la coe,
Si puet il fere, qu'ele est soe.
Tot en aroche et poil et cuir :
750 « Ha laz, fet il, dolent, je muir. »
Il s'est cochés en pameisons.
« Dex, fet Huberz, c'est deveisons

de repiquer au truc quinze fois
sans être jamais fatigué.
715 Je suis un chaud lapin :
quand je trouve un con à ma mesure,
j'envoie dix coups rapprochés
et neuf à la suite.
Aucune bête n'est trop hideuse pour moi :
720 même si elle n'avait qu'un œil,
personne ne pourrait m'en détourner.
Ce que j'ai fait dépasse l'imagination.
En effet, j'ai mangé l'un de mes filleuls.
Puissé-je à présent me trouver à Mareuil
725 pendu haut et court par ma saleté de gorge ! »
Le milan, de peur d'être mordu,
se recula, les yeux fixés sur lui.
« Renart, dit-il, que le feu de l'enfer te brûle,
s'il n'est pas vrai que je tremble de la tête aux pieds,
730 plus que la feuille du tremble,
sans savoir pourquoi.
— Par ma foi, répliqua Renart, mon très cher maître,
je vais vous en dire le fin mot.
Il est fréquent qu'un saint homme,
735 lorsqu'il entend parler un débauché,
une pécheresse ou un pécheur,
s'effraie, de peur
que l'autre ne l'entraîne sur la mauvaise voie
qui conduit à la perdition. »
740 Voyez comme le coquin le touche
et l'attire pas ses paroles.
Maudite soit toute sa science !
Jamais, en effet, il ne s'en est pris à une bête
sans qu'elle en souffrît.
745 Il ne s'en privera pas avec celui-ci,
car il le hait à mort.
Il s'enfonce les dents dans la queue,
il peut bien le faire, elle est à lui.
Il en arrache tout le poil et le cuir.
750 « Ah ! malheur à moi, fait le renard, je me meurs ! »
Et le voici évanoui.
« Dieu, fait Hubert, c'est un coup de folie

Qui tient ceste caitive beste.
Molt li pent ores cele teste.
755 Je li alasse redrecier
Mes je me crembroie blecier.
Par noz ordres, je ne puis croire
C'onques Renart a son provoire
Osast fere nul maveis plet,
760 Car trop a il aillors meffet.
Ore a tant fet qu'il est au chef.
Je l'irai redrecher le chef :
Ja ne sera ores si chens.
Totes voies veintra li biens. »
765 Li huans en ot molt grant pec :
Par l'oreille le prist au bec,
Si li leva amont la teste.
Donques vint Renart pute beste,
Et jete les denz, si le hape ;
770 Et Hubers tire, si eschape :
Seigne soi plus de qatre foiz
Dou pié o tot les qatre dois.
« Seigniez soie, fait li huas,
De *fiat voluntas tuas,*
775 Et *debitoribus nostres,*
De *credo* et *patrenostres !*
En qui se fiera l'en mes,
Quant cil qui se fesoit confes
Voloit son provoire manger ?
780 Einz, par l'anesse Berenger,
Ne vi mes si tres grant merveille.
Car fust il or en une seille
De puis boli et de plonc chaut !
Mal dahez ait or qui en caut
785 Ques chemins ne quel voie tiegne !
La male honte li aviegne !
Tel poor m'a il ores fete,
Ceste longaine, ceste sete.
Une longaine, une priveise,
790 Fous est qui de lui s'apriveise.
Un traïtor qui por un oef
Traïroit uit homes hu noef !

qui saisit cette malheureuse bête.
Comme sa tête pend !
755 J'irais bien la lui redresser,
mais je craindrais d'être blessé.
Par nos saints sacrements, je ne puis croire
que Renart oserait tenter un mauvais coup
contre son confesseur,
760 eu égard à l'énormité de ses fautes.
Il en a tant fait qu'il est au bout de son rouleau.
Je vais donc lui redresser la tête,
car il ne saurait être si pervers.
Le bien finira par l'emporter. »
765 Le milan, plein de compassion,
le prit de son bec par l'oreille
et lui releva la tête.
C'est alors que cette sale bête de Renart,
les crocs dehors, le happa,
770 mais Hubert l'évita et s'échappa.
Il se signa plus de quatre fois,
avec la patte, de ses quatre doigts.
« Dieu me bénisse, dit le milan.
Dieu *fiat voluntas tuas,*
775 Et *debitoribus noster,*
Dieu *credo et paternoster !*
A qui désormais se fier
lorsque celui qui se confesse
prétend manger son confesseur ?
780 Par l'ânesse de Béranger,
je n'ai jamais vu une chose comme ça !
Plût au ciel qu'il fût à cette heure dans un seau
rempli de poix bouillante et de plomb chaud !
Maudit soit celui qui se préoccupe
785 de la route qu'il peut prendre !
Puisse-t-il être couvert d'ignominie !
Quelle peur il m'a faite,
cette bouche d'égout, cette bête puante !
Une bouche d'égout, une fosse d'aisance,
790 il faut être fou pour la fréquenter.
C'est un traître, capable de trahir,
pour un œuf, huit hommes, voire neuf,

C'est uns leres, uns losengiers
Qui, por moi ores engignier,
795 Se fist ainsi con beste morte.
La male passïons le torte !
Di di avant, mal es baillis,
Ja n'ieres mes espeneïs.
— Volentiers, sire, dist Renart.
800 J'estoie ouan en un essart,
Si trovai qatre huaniax
Bien enpenez et grant et beax,
Qui erent fil Hubert l'escofle,
A un religïous ermofle [1]
805 Qui par cest païs quiert les pes,
Et si se font a lui confes
Li malade et li peceor
Qui de lor peché ont poor.
Sire, si les mangai tos quatre,
810 Des lores me doüst l'en batre ;
Mes certes ores m'en repent,
Si en vien a amendement. »
Li huans leve les sorcis,
Quant il ot parler de ses fis :
815 « Seigniez soie, dist li huans,
Et de corbeilles et de vanz
Et de paniers et de banastres !
Licherres, por qoi les mangastes ?
Il erent mis li huanel.
820 Grant dol m'avés mis el cervel.
Jes avoie bien un mois quis
Par la terre et par le païs,
Et vos les m'aveés mangiés,
Cuiverz, traïtres, renoiés !
825 Il erent tuit quatre mi fil.
Ja n'issiés vos de cest peril,
Tant que vos i soiés noiés !
Car forment en sui corociés.

---

1. *Ermofle*, *ermoufle* vient selon G. Tilander, *Remarques*... p. 108-111, du bas latin *eremofilus* et a désigné l'ermite, puis l'hypocrite, selon une dérivation facile à retrouver (cf. *jésuite*).

une crapule, un faux jeton
qui, pour me tromper, vient
795 de faire le mort.
Que le haut mal le torde de douleur!
Parle, continue, te voilà mal parti,
jamais tu ne seras pardonné.
— Volontiers, seigneur, dit Renart.
800 Un jour, je me trouvai dans un essart
où je découvris quatre jeunes milans,
bien en plumes, grands et beaux,
les fils du milan Hubert,
une sorte de tartuffe
805 qui rétablit la concorde à travers le pays
et confesse
les malades et les pécheurs
que leurs fautes effraient.
Seigneur, je les ai mangés tous les quatre.
810 J'aurais dû en être châtié sur l'heure,
mais, c'est vrai, je m'en repens à présent,
et je viens faire amende honorable. »
Le milan releva les sourcils
lorsqu'il entendit parler de ses fils:
815 « Que je sois béni, dit le milan,
par les corbeilles, les vans,
les paniers et les bourriches!
Goinfre, pourquoi les avoir mangés?
Ils étaient à moi ces petits milans.
820 Vous m'avez plongé dans une grande tristesse.
Je les ai cherchés un bon mois
à travers tout le pays,
et vous, vous les aviez mangés,
coquin, traître, renégat.
825 C'étaient mes quatre fils.
Puissiez-vous ne jamais sortir de ce péril,
sans y perdre la vie!
Je suis dans une grande fureur,

Certes se la force estoit moie,
830 Orendroit vos i neeroie.
   — Sire, ce respont li golpis,
Se je vos ai mangiés vos fils,
Je en vien a grant repentance.
Mes or fetes une acordance !
835 Por vos enfans que mangiés ai
Vostre home lije devendrai,
Si nos entrebesons en foi.
   — Volentiers, fet Hubert, par foi. »
Li huans tent a lui reçoivre,
840 Et Renart bee a lui deçoivre,
Si l'ot ençois tot devoré
Que en oüst son pié torné.
Ha las ! ci a mal pecheor
Qui a mangié son confessor.

et, en vérité, si j'avais la force pour moi,
830 je vous noierais sur-le-champ!
— Seigneur, répondit le goupil,
si ce sont vos fils que j'ai mangés,
je m'en repens très sincèrement.
Mais mettons-nous d'accord :
835 en échange de vos enfants que j'ai mangés,
je deviendrai votre homme lige,
et échangeons un baiser en toute bonne foi.
— Volontiers, par ma foi », dit Hubert.
Le milan s'approcha pour l'accueillir,
840 mais Renart ne pensait qu'à le tromper ;
aussi l'eut-il complètement dévoré
en moins de temps qu'il ne faut pour tourner les talons.
Hélas! Il faut être un pécheur endurci
pour manger son confesseur!

JADIS estoit Renart en pes
A Malpertus en son palés.
Lessié avoit le guerroier :
Ne voloit mes de tel mestier
5 Vivre con il avoit vescu.
Tant avoit de l'autrui eü
A male reson et a tort
Que bien le haoient de mort
Plus homes qu'il n'a en l'an festes
10 Et autretant, ce quit, de bestes.
    Or avint il jadis issi,
Par un matin d'un vendredi
Issi Renart de sa tesnere,
Si s'eslaissa par la bruiere ;
15 Ne coroit pas si tost d'asez
Con il soloit, molt fu lassez.
« Hé las ! dist il, n'ai mes mester
De mal fere ne de pechier.
Par la fiance de mes piez
20 Ai jei fait de molt granz pechiez.
Jei soloie core si tost
Que trestuit li cheval d'un host
Ne m'ateinsissent en un jor
Por qoi voussisse fere un tor.
25 En ceste terre n'a mastin
Qui me rescossist un pocin
Por qoi jei l'oüsse engolé.
Hé Dex ! tant bon en ai enblé,
Tant capon et tante jeline ;
30 Onc n'i oi savor de cuisine
Ne vert sause ne ail ne poivre

Le Pèlerinage de Renart

Jadis, Renart vivait en paix
dans son palais de Maupertuis.
Il avait renoncé à la guerre,
il ne voulait plus continuer à vivre
5 comme il l'avait fait jusque-là.
Il s'était tant de fois emparé du bien d'autrui,
sous de mauvaises raisons, sans aucun droit,
qu'il était haï à mort
par plus de gens qu'il n'y a de fêtes dans l'année
10 et, je pense, par autant de bêtes.
Or voici qu'il arriva jadis
qu'un vendredi matin
Renart sortit de sa tanière
et s'élança à travers les bruyères.
15 Il courait beaucoup moins vite
qu'à l'ordinaire, tant sa fatigue était grande.
« Hélas ! dit-il, plus question pour moi
de faire le mal ni de pécher.
Comptant sur la rapidité de mes pattes,
20 j'ai commis de très graves péchés.
Je courais si vite d'habitude
que tous les chevaux d'une armée
n'auraient pu me rattraper en une journée,
pour peu que j'emprunte un chemin détourné.
25 Pas un mâtin de ce pays
ne m'aurait disputé un poulet,
du moment que je le tenais dans ma gueule.
Ah ! Dieu ! combien ai-je pu en voler de délicieux,
combien de chapons, combien de poules !
30 Jamais je n'eus besoin d'épices,
ni de sauce verte, ni d'ail, ni de poivre,

Ne cervoise ne vin por boivre.
Toz jors ai esté pautoniers
Et aloie molt volontiers
35 La ou je savoie hantins
De jelines et de pocins.
Il me venoient peoillier
Et entre les janbes bechier.
Quant j'en pooie une tenir,
40 O moi l'en estovoit venir.
Ne li avoit crïer mestier,
A la mort l'estovoit luitier.
Meinte en ocis en tel manere :
Une en fis je porter en biere
45 Devant dan Noble le lïon,
Que je ocis en traïson ;
Mes icele me fu tolue,
S'en dut ma gole estre pendue.
Le vaillant l'ele d'un pinçon
50 N'oi jei onc se de l'autrui non.
Ce poisse moi, or m'en repent.
Bau sire Dex omnipotent,
Aiez merci de cest chaitif !
Ce poisse moi que je tant vif. »
55   Si con Renart se dementoit,
Ez vos un vilein qui venoit
Par mi la lande tot a pié
En son caperon enbronchié.
Renart le voit tot sol venir.
60 Encontre vet, ne volt foïr.
Renart li dit : « Vilein, ça vien !
Meines tu avec toi nul chien ?
— Nenil, ne t'estuet a doter.
Renart, que as tu a plorer ?
65 — Que j'ai ? dist Renart, ne ses tu ?
Ja n'a il jone ne chenu
En ceste terre qui ne sache
C'onques ne fui en cele place
Ou je poüsse nul mal fere,
70 C'onques m'en voussisse retrere.
Mes or le veil enfin leissier,

ni de bière, ni de vin de table.
J'ai toujours été un vagabond
et je me rendais très volontiers
35 dans les lieux que je savais fréquentés
par des poules et des poulets.
Ils venaient me picorer
et becqueter entre les pattes.
Dès que je pouvais en tenir une,
40 il lui fallait venir avec moi.
Ses cris ne lui servaient à rien,
il lui fallait combattre à mort.
J'en ai tué beaucoup de cette façon.
L'une d'elles, que j'avais tuée en traître,
45 je la fis porter dans un cercueil
aux pieds de sire Noble le lion ;
mais celle-là me passa devant le nez
et faillit me faire pendre.
La moindre petite chose que j'aie jamais possédée,
50 je l'ai prise à autrui.
Comme je le regrette, comme je m'en repens !
Mon Dieu, Roi Tout-Puissant,
ayez pitié du malheureux que je suis !
Comme je regrette d'avoir vécu si longtemps ! »
55   Tandis que Renart se lamentait,
voici qu'un paysan survint,
traversant la lande à pied,
la tête dissimulée sous un capuchon.
Renart le voit venir tout seul ;
60 il va à sa rencontre au lieu de le fuir
et l'aborde : « Manant, viens par ici !
Quelque chien t'accompagne-t-il ?
— Non, tu n'as rien à craindre.
Renart, qu'as-tu à pleurer ?
65 — Ce que j'ai ? tu ne le sais pas ?
Personne, jeune ou vieux,
n'ignore dans ce pays
que jamais de l'endroit
où je pouvais faire du mal,
70 je n'ai accepté de partir.
Mais aujourd'hui je veux enfin renoncer à cette vie

Que j'oï dire en reprovier
Que par vraie confessïon,
Qui merci crie aura pardon.
75 — Renart, vous te tu confesser?
— Oïl, se poüsse trover
Qui la penitance me doigne. »
Dist li vilein : « Renart, ne hoigne !
Tu sez tant de guile et de fart ;
80 Bien sai tu me tiens por musart.
— Ne fas, dist Renart, tien ma foi
Que je n'ai mal penser vers toi.
Mes je te pri por Deu et quier
Que me meines a un mostier
85 Ou je puisse prestre trover.
Car enfin me voil confesser. »
Dist li vileins : « Ça en cest bois
En a un : vien i, car g'i vois. »
Et li vileins molt bien savoit
90 C'un bon crestïen i avoit.
        Tant ont erré par le boscage
Qu'il sont venu a l'ermitage.
Le maillet troverent pendant
A la porte par dedevant.
95 Li vileins hurte durement
Et l'ermite vint erraument ;
Le fermal oste de la roille.
Quant vit Renart, molt se merveille :
« Nomine Dame, dist li prestre,
100 Renart, que quier tu en cest estre ?
Dex le set, onc puis n'i fus tu.
A cest porpris de mieuz n'en fu.
— Ha sire, dist Renart, merci !
Que que j'aie fet, or suis ci,
105 De quanque j'ai vers vos mespris
Et vers mes autres anemis
Vos cri je merci et pardon. »
Au pié li chet a oreison.
Et l'ermites l'a redreché,
110 Puis li dit : « Renart, or te sié
Ci devant moi, si me descovre

car j'ai entendu dire, sous forme de proverbe,
que, lorsqu'on se confesse sincèrement
et qu'on implore son pardon, on l'obtient.
75 — Renart, tu veux te confesser?
— Oui, si je pouvais trouver
quelqu'un qui me donnât l'absolution.
— Renart, répliqua le vilain, ne raconte pas d'histoires!
Tu connais tant de ruses et de mensonges;
80 je le sais bien, tu me prends pour un imbécile.
— Pas du tout, dit Renart, je te donne ma parole
que je n'ai contre toi aucune mauvaise intention.
Mais je te prie et te demande par Dieu
de m'emmener dans une église
85 où je pourrais trouver un prêtre,
car je veux enfin me confesser.
— Ici, dans ce bois, reprit le vilain,
il y en a un. Viens, car moi, j'y vais. »
Le vilain savait très bien
90 qu'un saint homme s'y trouvait.
    A force de cheminer à travers le bois,
ils sont parvenus à l'ermitage.
Ils ont trouvé le marteau qui pendait
sur le devant de la porte.
95 Dès que le paysan eut frappé un grand coup,
l'ermite arriva
et tira le verrou de la gâche.
A la vue de Renart, il se montra stupéfait:
« *Nomine Dame,* dit le prêtre,
100 Renart, que viens-tu chercher ici?
Dieu le sait, il y a longtemps que tu n'es pas venu,
et cet enclos n'a jamais tiré profit de ta présence.
— Ah! pitié, seigneur! dit Renart.
Quoi que j'aie pu faire, me voici à présent ici,
105 je vous supplie de me pardonner
tout le mal que j'ai pu faire à vous
comme à mes autres ennemis. »
Il tomba à ses pieds en prières.
L'ermite l'a alors relevé
110 en lui disant: « Renart, assieds-toi donc
ici devant moi et confesse-moi

Tot de chef en chef la mal ovre.
— Sire, dist Renart, volontiers.
Qant j'ere bachelers legiers,
115 Volentiers jelines manjoie
En ces haies ou jes trovoie.
Jes tuoie par traïson,
Ses mangoie conme gloton.
A Ysengrin pris conpaignie :
120 Qant je li oi ma foi plevie
De lëaument vers lui errer,
Par amor li fis esposer
Hersent la bele ma seror ;
Mes ançois que passast tiers jor
125 Li rendi je maveis loier,
Car jel fis moigne en un moster
Et si le fis devenir prestre ;
Mais au partir n'i vousist estre
Por une teste de sengler ;
130 Car je li fis les seins soner,
Si vint li prestres de la vile
Et des vileins plus de deus mile
Qui le batirent et fusterent :
A bien petit ne le tuerent.
135 Puis li fis je en un vivier
Tote une nuit poissons pechier
Dusq'au matin que uns vileins
I vint sa maçue en ses meins.
Cil li fist maveis peliçon,
140 Qar avoc lui ot un gaignon
Qui molt li peleiça la pel :
Sachés que il m'en fu molt bel.
Et puis le refis prendre au piege
Ou il garda huit jorz le siege.
145 Au partir i laissa le pié.
Dex ! moie cope del pechié !
Puis laçai ma dame Hersent
A la coue d'une gument ;
Si la mors et fis repesner
150 Tant qu'a honte la fis livrer.
Molt ai fait autres tricheries

tous tes méfaits d'un bout à l'autre.
— Seigneur, dit Renart, volontiers.
Au temps de ma jeunesse folle,
115 je me plaisais à manger des poules
dans les haies où je les trouvais.
Je les tuais par traîtrise
et les mangeais voracement.
Je devins le compagnon d'Isengrin :
120 après lui avoir donné ma parole
que j'agirai envers lui en toute loyauté,
je lui fis par amitié épouser
la belle Hersant ma sœur ;
mais trois jours ne s'étaient pas écoulés
125 que je lui rendis un mauvais service
en le faisant devenir moine dans un monastère
et puis prêtre.
Mais quand il en repartit, il n'aurait pas voulu s'y trou-
même pour une tête de sanglier,   [ver,
130 car je fis sonner pour lui le tocsin
qui ameuta, avec le prêtre du village,
plus de deux mille paysans :
ils le battirent, ils le frappèrent,
peu s'en fallut qu'ils ne le tuent.
135 Et puis, dans un vivier, je le fis
pêcher toute une nuit
jusqu'au matin où un paysan
s'y rendit, sa massue à la main,
endommageant sa pelisse,
140 car le mâtin qui l'accompagnait
lui arracha tous les poils de la peau,
pour ma plus grande joie, je dois l'avouer.
Une autre fois je le fis tomber dans un piège
où il monta la garde pendant huit jours ;
145 en partant, il y laissa une patte.
Ah ! mon Dieu ! c'est ma très grande faute !
Puis j'attachai dame Hersant
à la queue d'une jument
que je mordis pour la faire ruer,
150 tant et si bien qu'Hersant fut couverte de honte.
J'ai commis mille autres tromperies,

De larecins, de felonies :
Bien sai qu'escomeniez sui.
Certes je ne vos auroie hui
155 Dit la moitié de mes pechiez.
Che que voudrois, si m'en chargiez,
Car je vos ai dite la some.
— Renart, aler t'estuet a Rome :
Si parleras a l'apostoile
160 Et li conteras ceste estoire
Et te feras a lui confes.
— Par foi, dist Renart, c'est grant fes. »
    Dist l'ermites : « Mal estuet trere
A qui penitance veut fere. »
165   Or voit Renart fere l'estuet.
Escrepe et bordon prent, si muet ;
Si est entrés en son chemin.
Molt resemble bien pelerin
Et bien li sist l'escrepe au col.
170 Mes de ce se tint il por fol
Qu'il est meüz sans conpaignie.
Le grant chemin n'ira il mie,
Ançois l'avoit laissié a destre.
Une sente torne a senestre.
175 Garda aval une chanpaigne,
Si a veü en une pleigne
Berbiz qui paissoient gaïn,
Et entr'eles fu dan Belin
Le moton qui se reposoit :
180 Tant avoit luit que las estoit.
« Belin, dist Renart, que fes tu ?
— Ci me repos toz recreü.
— Par foi, cist repos est maveis. »
Et dist Belins : « Jei n'en puis mes.
185 Jei serf a un vilein felon
Qui onc ne me fist se mal non.
Einz puis que soi beler ne muire,
Ne finai de ses brebis luire.
Ces bestes ai jei enjendrees
190 Que tu vois ici asenblees.
Mal ai mon serviche enploié,

des vols, des trahisons :
je sais bien que je suis excommunié.
En vérité, la journée ne suffirait pas
155 pour que je vous dise la moitié de mes péchés.
Infligez-moi la punition que vous voudrez,
car je vous ai dit l'essentiel.
— Renart, il te faut aller à Rome
où tu parleras au pape,
160 tu lui raconteras ton histoire
et tu te confesseras à lui.
— Ma foi, dit Renart, c'est une rude pénitence.
— Il faut souffrir, reprit l'ermite,
quand on veut se repentir. »
165 Renart voit bien qu'il lui faut en passer par là.
Prenant besace et bâton, il part,
et le voici en chemin.
Il a tout l'air d'un pèlerin,
sa besace en bandoulière lui va bien.
170 Mais il se reproche
d'être parti sans compagnon.
Au lieu de prendre la grand-route
qu'il a laissée à droite,
il tourne par un sentier à gauche,
175 et, regardant dans la plaine à ses pieds,
il voit des brebis
qui paissaient l'herbe d'une prairie.
Au milieu d'elles, le seigneur Belin,
le mouton, se reposait,
180 épuisé d'avoir tant couvert de brebis.
« Belin, dit Renart, que fais-tu ?
— Je me repose ici, car je suis exténué.
— Par ma foi, ce repos n'est pas bon pour toi. »
Et Belin de répondre : « Je n'en peux plus,
185 je suis au service d'un sale paysan
qui ne m'a jamais fait que du mal.
Depuis que j'ai su bêler,
je n'ai cessé de couvrir ses brebis.
Ces bêtes que tu vois ici rassemblées,
190 c'est moi qui les ai engendrées.
Mais j'ai mal employé ma peine,

Car li vileins m'a otroié
A ses seeors a lor prise,
Et si a il ma pel promise
195 A housiaux fere a un prodome
Qui les en doit porter a Rome.
— A Rome ? par Deu ! dist Renart,
Ja en la voie n'auras part.
Mieuz la t'i vaudroit il porter
200 Ta pel que toi fere tüer.
Et se iceste morz t'alasche,
Si revendra aprés la pasque
Le joësdi de rovoisons
Que jent mangüent les motons.
205 Or es a la mort, bien le voi,
Se tu n'en prens hastif conroi,
Se tu n'en tornes d'autre part.
— Por amor Deu, sire Renart,
(Pelerins estes, bien le voi)
210 Conseilliés moi en bone foi !
— Pelerins sui je voirement,
Mes tu n'en crois ores neant
Por le mal cri que j'ai oü.
Mes je m'en sui or repentu.
215 J'ai esté a un Deu feeil
Qui m'a doné molt bon conseil,
Par cui serai saus, se Dex plaist.
Dex a conmandé que l'en lest
Pere et mere, frere et seror
220 Et terre et herbe por s'amor.
Cist siecles n'est que un trespas.
Molt est or cil chaitis et las
Qui aucune foiz ne meüre.
Ja trovons nos en escriture
225 Que Dex est plus liez d'un felun,
Quant il vient a repentison,
Que de justes nonante noef.
Cist siecles ne vaut pas un oef :
A l'apostoile voil aler
230 Por conseil querre et demander
Conment je me doi meintenir.

car mon maître, pour payer ses moissonneurs,
leur a accordé ma chair
et il a, de plus, promis ma peau,
195 pour en faire des bottes, à un bourgeois
qui doit partir avec pour Rome.
— A Rome ? Par Dieu ! s'exclama Renart,
mais tu ne seras pas de la partie.
Il serait mieux pour toi d'y porter ta peau
200 en personne plutôt que de te laisser tuer.
Et, si cette fois-ci tu échappes à la mort,
elle sera de nouveau au rendez-vous après Pâques,
le jeudi des Rogations,
au temps où les gens mangent les moutons.
205 Te voici perdu, je le vois bien,
si tu ne te hâtes pas de prendre une décision
et de quitter ces lieux.
— Pour l'amour de Dieu, seigneur Renart,
vous qui êtes pèlerin, je le vois bien,
210 donnez-moi un conseil en toute bonne foi !
— Il est vrai que je suis pèlerin,
mais pour l'heure tu n'en crois rien :
j'ai si mauvaise réputation !
Mais, maintenant, je me suis repenti de mes péchés.
215 Je me suis rendu auprès d'un serviteur de Dieu
qui m'a donné un excellent conseil
grâce auquel je ferai mon salut, s'il plaît à Dieu.
Dieu a ordonné que l'on abandonne
père et mère, frère et sœur,
220 terre et herbe par amour pour lui.
Ce monde n'est qu'un lieu de passage
et celui qui ne se corrige pas
n'est qu'un pauvre malheureux.
Oui, nous trouvons dans la Sainte Écriture
225 que Dieu se réjouit plus
de la conversion d'un méchant
que de celle de quatre-vingt-dix-neuf justes.
Ce monde ne vaut pas tripette.
Je veux aller auprès du pape
230 pour lui demander conseil
sur la façon dont je dois me conduire.

S'avoc moi voloies venir,
L'en ne feroit ouan housel
Ne chaucemente de ta pel.
235 — L'en ne desdit pas pelerin :
Jei vois o toi », ce dit Belin.
      En lor chemin en sont entré.
Mes il n'orent gueres erré
Qant trovent Bernart l'archeprestre
240 En un fossé les cardons pestre.
« Bernart, dit Renart, Dex te saut ! »
Et cil leve la teste en haut.
« Dex te beneïe ! dist il.
Ies tu ce, Renart le gorpil ?
245 — Oïl, ce sui ge voirement.
   — Por le cuer bé, quex mautalant
T'a fet devenir pelerin
Entre toi et mestre Belin ?
   — Ce ne fu maltalant ne ire,
250 Ençois volons soffrir martire
Et travail por nos amender
Et por Damledeu rachater.
Mes de ce n'as tu or corache
Ne d'aler en pelerinache,
255 Einçois vous porter ouan mes
De la busce grandime fes
Et grant sachees de carbon,
Et si auras de l'ogullon
Tot le crepon desus pelé ;
260 Et quant revendra en esté
Que de moches sera grant nonbre,
Lors n'i garras neïs en l'onbre.
Fé le bien, si vien avoc nos.
Tu ne seras ja sofretos
265 De rien dont te puissons aidier,
Tu auras asés a mangier. »
Dist l'anes : « Volentiers iroie,
Se asés a mangier avoie.
   — Si auras, ce t'afi par foi. »
270 Or en vont ensemble tuit troi.

Si tu voulais venir avec moi,
l'on ne pourrait plus faire de ta peau
ni bottes ni chaussures.
235 — L'on ne contredit pas un pèlerin :
je vais donc avec toi», conclut Belin.
    Ils se sont mis en chemin.
Au bout de peu de temps,
ils tombèrent sur Bernard l'archiprêtre
240 qui broutait des chardons dans un fossé.
« Dieu sauve ton âme, Bernard ! » dit Renart.
L'autre releva la tête
et répondit : « Que Dieu te bénisse !
N'es-tu pas Renart le goupil ?
245 — Si, c'est bien moi.
    — Corbleu, quelle fâcheuse aventure
a fait de toi un pèlerin
ainsi que de maître Belin ?
    — Ce n'est pas la colère qui nous a décidés,
250 nous voulons plutôt endurer le martyre
et la souffrance pour devenir meilleurs
et nous racheter aux yeux de Dieu.
Mais toi, en ce moment, tu t'en moques,
tu ne songes pas à aller en pèlerinage,
255 tu préfères porter tout au long de l'année
une énorme charge de bûches
et de gros sacs de charbon,
et te faire labourer
la croupe de l'aiguillon,
260 si bien que, lorsqu'avec l'été
reviendra le temps des mouches,
tu ne pourras t'en protéger, même à l'ombre.
Pense à toi, viens avec nous.
Jamais tu ne manqueras de rien
265 que nous puissions te donner,
tu auras de quoi manger.
    — Je partirais volontiers, répliqua l'âne,
si j'avais de quoi manger.
    — Tu en auras, je t'en donne ma parole. »
270 Les voilà partis tous les trois ensemble.

En un grant bois en sont entré
Ou il trovent a grant plenté
De cers, de bisses et de deins;
Mes de ceus pristrent il le meins.
275 Tote jor ajornee errerent
Par la forest: onc n'i troverent
Vile ne recet ne meson.
« Seignor, dist Belin, que feron
De herbergier? car il est tart.
280 — Voirs est, ce dist sire Bernart. »
Renart respont: « Bau conpaignon,
Et nos queil ostel querrïon
Fors la bele erbe soz cest arbre?
Meus l'eim que un paleis de marbre.
285 — Par foi, dist Belins li motons,
J'aim molt a jesir en meson.
Tost se vendroient ci enbatre
Ci entre nos trois lou ou qatre,
Dont il a asés en cest bois. »
290 Dist l'archeprestres: « Ce est voirs. »
Renart lor respont sens orgoil:
« Seignor, ce que volés je voil.
Ci deles est l'ostel Primaut
Mon conpere qui ne nos faut.
295 Alons i! nos i serons ja.
Bien sai qu'il nos herbergera. »
Tant ont fet que la sont venu.
Mais il seront molt irascu,
Ainz qu'il s'en partent, se Renart
300 Ne les en jet par son barat.
Li louz ert alés en la lande
Et Hersent por querre vïande.
Li pelerin pristrent l'ostel.
Asés i trovent pain et el,
305 Char salee, formache et oes,
Et quanqu'a pelerin est oes,
Si i trovent bone cervoise.
Tant boit Belins que il s'envoise;
Si a conmencié a chanter
310 Et l'archeprestre a orguaner,

Ils entrèrent dans un grand bois
où ils trouvèrent en grand nombre
des cerfs, des biches et des daims,
mais ils firent une mauvaise chasse.
275 Durant toute la journée ils cheminèrent
à travers la forêt sans jamais découvrir
ni ferme, ni abri, ni maison.
« Seigneurs, dit Belin, où allons-nous
nous loger ? Il se fait tard.
280 — C'est vrai, approuva sire Bernard.
— Chers compagnons, répondit Renart,
pourquoi chercher ailleurs un logis
dès lors que nous avons sous cet arbre de la belle herbe ?
Je la préfère à un palais de marbre.
285 — Par ma foi, dit Belin,
j'aime mieux coucher sous un toit.
Trois ou quatre des loups
qui peuplent ce bois,
auraient tôt fait de venir fondre sur nous.
290 — C'est vrai », approuva l'archiprêtre.
Accommodant, Renart leur répondit :
« Seigneurs, tout ce que vous voulez, je le veux.
A quelques pas d'ici se trouve la maison de Primaut
mon compère : nous pouvons compter sur lui.
295 Allons-y. Nous y serons bientôt.
Je suis sûr qu'il nous donnera l'hospitalité. »
Ils s'empressent de s'y rendre,
mais ils connaîtront une violente colère
avant de quitter les lieux, si Renart
300 ne trouve, par sa ruse, le moyen de les délivrer.
Le loup était allé dans la lande
avec Hersent, à la recherche de nourriture.
Les pèlerins s'installèrent.
Ils trouvèrent là, en quantité, outre du pain,
305 de la viande salée, du fromage et des œufs,
et tout ce qui convient à un pèlerin,
ainsi que de la bonne bière.
A force de boire, Belin devint très gai
et se mit à chanter,
310 tandis que l'archiprêtre faisait la partie de basse

Et dan Renart chante en fauset[1].
Ja fussent bien fet lor foret,
Se il fussent laissié en pes.
Mes li lous vient o tot son fes
315 Qu'il aportoit dedenz sa gole,
Et Hersent ne fu pas saole,
Dunt ele estoit tote desvee.
Quant il oïrent la criee
Dedenz l'ostel, si s'aresterent
320 Un petitet, si escoterent.
Et dist li lous : « J'oi laenz gent.
— Par foi, g'i irai » dist Hersent.
Quant ele avoit mis son fes jus,
Lors esgarda par le pertuis,
325 Si vit les pelerins au feu,
Et puis s'en revint a son leu.
« Sire Ysengrin, dont ne ses tu
Con il nos est bien avenu ?
Ce est Renart, Belins et l'asne :
330 Cez avons nos en nostre lasne. »
Par grant aïr a l'uis hurté,
Mes il le trovent bien fermé.
« Ovrez, dist il, ovrez, ovrez !
— Teisiez, dist Renart, ne ganlez !
335 — Renart, n'i a mestier teisir.
Il vos estuet cest huis ovrir.
Fel traïtres, fel reneié,
Par vos ai ge perdu le pié.
Vos estes tuit livré a mort.
340 Mar arivastes a cest port,
Et vos et l'ane et le moton.
— Ha ! las, dist Belin, que feron ?
Tuit somes pris sans nul retor. »
Et dist Renart : « N'aiés poor !
345 Car bien istrois de cest touel[2],

---

1. Il s'agit d'une polyphonie à trois voix. Belin chante la mélodie de base (*teneure*), Bernard le motet (*organum*) au-dessus de Belin et Renart chante en fausset la partie supérieure (*treble*).
2. *Touel, toueil*, est un déverbal de *tooillier*, avec le sens de « brouille, embarras ».

et Renart la voix de fausset.
Vraiment, ils auraient été à leur affaire
si l'on ne les avait pas troublés.
Mais le loup rentra, son chargement
315 dans la gueule,
tandis qu'Hersant, qui n'avait pas mangé son content,
était toute furieuse.
Lorsqu'ils entendirent le tapage
qui venait de la maison, ils s'arrêtèrent
320 un instant et tendirent l'oreille.
Le loup dit : « J'entends des gens à l'intérieur.
— Par ma foi, dit Hersant, j'y vais. »
Elle déposa son fardeau
et, regardant par le trou,
325 vit les pèlerins autour du feu.
Elle s'en revint vers son compagnon.
« Seigneur Isengrin, tu ne sais pas
la chance que nous avons ?
C'est Renart, Belin et l'âne :
330 nous les tenons à notre merci. »
Le loup a frappé de grands coups
contre la porte qui tint bon.
« Ouvrez, ouvrez, ouvrez, cria-t-il.
— Silence, dit Renart, trêve de plaisanteries !
335 — Renart, inutile de vous taire.
Vous devez ouvrir cette porte,
salaud de traître, salaud de parjure,
qui m'avez fait perdre une patte.
Vous n'avez aucune chance de vous en sortir,
340 C'est pour votre malheur que vous êtes arrivés dans ce
vous, l'âne et le mouton.   [refuge,
— Hélas ! dit Belin, qu'allons-nous faire ?
Nous sommes tous pris, il n'y a plus d'espoir.
— Ne craignez rien, dit Renart,
345 car vous sortirez de ce mauvais pas

Se volez croire mon conseil.
— Si ferons nos, dist l'archeprestre.
Renart, ja es tu nostre mestre
Qui en cest leu nos amenas.
350 — Or, dan Bernart, qui fors reins as,
Va, si t'acule a cel huiset
Et si l'entrovre un petitet,
Tant que li lous i puisse entrer;
Si li lai la teste boter,
355 Puis reclo l'uis par grant vertu :
A lui jostera cest cornu. »
L'asne s'est a l'uis aculé,
Un petitet l'a esbaé.
Li lous bota la teste avant,
360 Et cil clot l'uis de meintenant :
Asez fu meuz que en prison.
Qui donques veïst le moton,
Con il ruoit les cous d'aïr
Et reculoir por meuz ferir !
365 Renart le semont et apele :
« Belin, espan li la cervele !
Garde que vis ne s'en estorde ! »
Onques oncore a nule porte
Ne veïstes si fier asaut
370 Conme Belin fet a Primaut :
Tant a feru et tant hurté
Que le lou a escervelé.
    Hersent qui par dehors estoit,
Qui aïdier ne li pooit,
375 Parmi le bois s'en vet hulant
Et les autres lous amassant.
En poi d'ore en i asambla
Plus de cent que o lui mena
A l'ostel por le lou vencher.
380 Mes cil se sont mis au frapier,
Et les lous les sevent par trache
(Hersent devant molt les manace)
Et jurent qu'il les mangeront.
Ja en cest leu nes troveront.
385 Renart qui ot les lous oller,

si vous acceptez de suivre mon conseil.
— C'est ce que nous ferons, dit l'archiprêtre.
Renart, c'est toi notre chef
puisque tu nous as conduits en ce lieu.
350 — Seigneur Bernard, toi qui as des reins puissants,
va donc t'appuyer contre cette petite porte.
Entrouvre-la légèrement
pour permettre au loup d'entrer ;
attends qu'il y passe sa tête,
355 et alors referme la porte de toutes tes forces :
notre ami le cornu joutera contre lui. »
L'âne s'est donc appuyé contre la porte
qu'il a un tout petit peu entrebâillée.
Le loup avança la tête,
360 et l'autre, aussitôt, de refermer la porte :
c'était bien mieux qu'une prison.
Ah ! si vous aviez vu le mouton
porter ses coups avec violence
et reculer pour mieux frapper !
365 Renart l'encourageait et l'excitait :
« Belin, brise-lui le crâne !
Il ne faut pas qu'il en sorte vivant ! »
Jamais encore aucune porte de ville
n'a été la scène d'un combat aussi rude
370 que le fut celui de Belin contre Primaut.
A force de cogner et de frapper,
il a écervelé le loup.
    Hersant, restée dehors,
ne pouvait lui porter secours.
375 Elle partit en hurlant à travers bois
pour ameuter les autres loups.
En peu de temps elle en eut rassemblé
plus de cent qu'elle emmena
chez elle pour venger son compagnon.
380 Mais les pèlerins avaient pris le large.
Les loups les suivaient à la trace,
Hersant, à leur tête, les couvrait de menaces,
tous juraient qu'ils les mangeraient.
Mais ils ne les trouveront pas dans la maison.
385 Renart, entendant leurs hurlements,

Ses conpaignons prist a haster :
« Segnors, dist il, venez grant oire ! »
L'archeprestres conmenche a poire,
Qui n'avoit pas apris a corre.
390 Renart voit qu'il nes puet secorre,
Ne garder se par engin non :
« Segnor, dist Renart, que feron ?
Tuit somes mort et confondu.
Montons en cest arbre ramu,
395 S'auront nostre trace perdue.
Hersent est forment irascue
Por son seignor que mort avon.
— Par foi, dist Belin le moton,
Je n'apris onques a ramper. »
400 Dist Bernarz : « Je ne sai monter.
— Seignor, besoing fait molt aprendre
Et tel chose sovent enprendre
Dunt l'en ja ne s'entremetroit
Si li besoing si grant n'estoit.
405 Fetes, seignor, montés, montés !
Se vos volez, de vos pensés ! »
Renart monta en l'arbre sus.
Quant il virent qu'il n'i a plus,
A queilque paine sus monterent,
410 Desus dous branches s'encroerent.
    Es vos poignant des esperons
Hersent o toz ses conpaignons.
Quant il sont venu en la place,
Si en orent perdu la trache.
415 Nes sevent mes ou aler querre
Et dïent qu'entré sont en terre.
Lassé furent et travellié,
Desoz l'arbre se sont cochié.
Belins, qui les lous esgarda,
420 N'est merveille s'il s'esmaia :
« Ha ! las, fet il, tant sui chaitis !
Or voussisse estre o mes berbis !
— Par foi, dist Bernarz, je me doil.
Tel ostel pas avoir ne soil.
425 Je me voil d'autre part torner. »

fit hâter ses compagnons :
« Seigneurs, dit-il, dépêchez-vous ! »
L'archiprêtre, qui ne savait pas courir,
se mit à lâcher des pets.
390 Renart voit bien que la ruse est
son dernier recours pour les protéger et les secourir.
« Seigneurs, dit-il, qu'allons-nous faire ?
Nous voici tous perdus.
Montons sur les ramures de cet arbre,
395 les autres, ainsi, perdront notre trace.
Hersant est folle de colère
que nous ayons tué son mari.
— Par ma foi, dit le mouton Belin,
je n'ai jamais appris à grimper.
400 — Je ne sais pas grimper non plus, dit Bernard.
— Seigneurs, la nécessité est un bon maître,
car souvent elle donne l'audace d'entreprendre
quelque chose que nous n'oserions faire
si nous n'étions pas pressés par le besoin.
405 Allez, messieurs, montez, montez !
Je vous en prie, pensez à sauver votre peau ! »
Renart monta en haut de l'arbre.
Lorsque ses compagnons virent que c'était la seule solu-
ils grimpèrent non sans peine   [tion,
410 et se juchèrent sur deux branches.
    Mais voici, piquant des deux,
Hersant avec tous ses compagnons.
Arrivés là,
ils ont perdu leur trace ;
415 ils ne savent plus où les chercher,
à croire qu'ils sont entrés sous terre.
Fatigués, exténués,
les loups se sont couchés au pied de l'arbre.
Belin, quand il les vit,
420 fut saisi d'une frayeur qui n'a rien de surprenant.
« Hélas ! se lamentait-il, comme je suis malheureux !
Comme je voudrais être avec mes brebis !
— Vrai de vrai, dit Bernard, je suis au supplice.
Je n'ai pas l'habitude de ce genre de logis.
425 Je veux me tourner. »

Renart le conmence a blamer :
« Vos porrés encui tel tor fere,
Qui vos tornera a contrere. »
Dist Bernarz : « Je me tornerai. »
430 Dist Belins : « Et je si ferai.
— Or tornés donc, car je vos lés. »
Cil se tornent tot a un fes,
Qu'il ne se sourent sostenir :
A terre les convint venir.
435 Bernarz esquacha qatre lous,
Et Belins en retua dous,
Et les autres lous molt s'esmaient
Por lor conpaignons que morz voient :
Fuit s'ent l'un cha et l'autre la.
440 Et Renart qui les esgarda,
Si s'escrïa : « La hart, la hart !
Tien le, Belin ! pren le, Bernart !
Tien les, Bernart l'archeprovoire ! »
Lors s'en tornent les lous grant oire,
445 Que por cinquante mars d'argent
Ne retornast mie Hersent.
     Renart qui fu en l'arbre sus,
A ses conpaignons descent jus.
« Seignor, dist il, que faites vos ?
450 Ai vos bien de la mort rescos ?
En a il nul de vos bleciés ? »
Dist Bernarz : « Je sui maenniés.
Jei ne puis mes avant aler,
Ariere m'estuet retorner. »
455 Dist Belins : « Et je si ferai.
Jamés pelerins ne serai.
— Segnor, dist Renart, par mon chef,
Cist eires est pesanz et gref.
Il a el siecle meint prodome
460 Qu'onques encor ne fu a Rome.
Tiex est revenuz de sept seins
Qui est pires qu'il ne fu eins.
Je me voil metre en mon retor,
Et si vivrai de mon labor

Renart lui adressa des réprimandes :
« Vous pourrez bien aujourd'hui faire un tour
qui se retournera contre vous.
— Je vais me tourner, dit Bernard.
430 — Moi aussi, ajouta Belin.   [rien. »
— Eh bien ! tournez-vous donc, je ne réponds plus de
Les autres se tournèrent en même temps,
si bien qu'ils perdirent l'équilibre
et ne purent s'empêcher de tomber.
435 Bernard écrasa quatre loups ;
quant à Belin, il en tua deux.
Les autres loups, effrayés
à la vue de leurs compagnons morts,
s'enfuirent dans une débandade complète.
440 Et Renart, aux aguets,
hurla : « Taïaut ! Taïaut !
Prends-le, Belin, attrape-le, Bernard !
prends-les, Bernard l'archiprêtre ! »
Alors les loups tournèrent les talons ventre à terre,
445 et même pour cinquante marcs d'argent
Hersant ne serait pas revenue sur ses pas.
    Renart, qui était resté en haut de l'arbre,
rejoignit ses compagnons en bas :
« Seigneur, dit-il, comment allez-vous ?
450 Ne vous ai-je pas bien sauvés de la mort ?
Quelqu'un de vous est-il blessé ?
— Je suis mal en point, dit Bernard,
incapable de continuer ma route ;
il faut que je rentre.
455 — Moi aussi, dit Belin.
Je ne serai jamais pèlerin.
— Seigneurs, dit Renart,
ce voyage est vraiment pénible et difficile.
Il existe dans le monde bien des gens vertueux
460 qui ne sont jamais allés à Rome.
En revanche, tel ou tel, de sept pèlerinages,
est revenu pire qu'il n'avait jamais été.
Je veux prendre le chemin du retour,
vivre du fruit de mon travail,

465 Et gaaignerai leelment,
    Si ferai bien a povre gent. »
    Lors ont crié : « Outree, outree ! »
    Si ont fete la retornee.

465 gagner honnêtement ma vie
et faire du bien aux pauvres gens. »
Aux cris de « En avant, en avant! »
ils s'en sont retournés.

Un prestre de la Croiz en Brie,
Qui Damledex doint bone vie
Et ce que plus li atalente,
A mis sun estuide et s'entente
5 A fere une novele branche
De Renart qui tant sout de ganche.
L'estoire temoinne a vraie
Uns bons conteres, c'est la vraie,
(Celui oï conter le conte)
10 Qui tos les conteors sormonte
Qui soient de ci jusqu'en Puille;
Si set molt de force de guille.
Cil temoingne l'estoire a voire,
Et por ce la devoms meus croire.
15 Il avint ancïenement,
Se l'aventure ne nos ment
Qui aferme le conte a voir,
C'uns vileins qui molt ot d'avoir,
Tenanz, esparnàbles et chiches,
20 Plus que Constanz des Noes riches
Que l'en tient a ferm et a plein,
En son novel essart bien mein
Pres d'un grant bois ses bos lïa.
Por le grant gaagn qu'il i a,
25 Li est avis qu'il est trop tart
Venu atant a son essart.
Si ert encore bel le jor.
Mais repos, eise ne sejor
Ne duist a vilein ne ne plest.
30 N'a talent qu'en son lit arest,
Puis qu'un poi voit le jor paroir;
Que vileins ne deit ese avoir,

Renart et le vilain Liétard

Un prêtre de la Croix-en-Brie,
— puisse le seigneur Dieu lui accorder une sainte vie
et combler ses plus chers désirs ! —
a mis toute son application
5 à composer un nouvel épisode des aventures
de Renart, le trompeur aux mille tours.
Un conteur de talent, c'est la vérité,
affirme que cette histoire est vraie.
C'est lui qui me l'a racontée.
10 Pas un conteur d'ici jusqu'en Pouille
n'arrive à sa hauteur.
Oui, Renart est de première force en tromperies.
Notre auteur dit que l'histoire est vraie :
c'est une raison supplémentaire d'y ajouter foi.
15 Il arriva jadis,
si nous ne sommes trompés
par celui qui garantit que cette histoire est vraie,
qu'un riche paysan,
pingre, avare et chiche,
20 bien mieux nanti que Constant des Noues
réputé pour sa fortune solide et considérable,
attela ses bœufs de bon matin,
dans son nouvel essart proche d'un grand bois.
Devant l'énorme tâche qui l'attend
25 il pense qu'il est arrivé bien trop tard
dans son essart
quoique le soleil soit bien haut dans le ciel.
Mais un paysan ne sait pas goûter
les agréments de la détente et du délassement.
30 Pas question pour lui de rester au lit,
dès que le jour commence à poindre.
Plutôt que de prendre un peu de bon temps

Ainz ireit en autre ovre fere,
Car molt par puet vilein mal trere.
35   Cil vilein dont je vos conmanz
A conter merveillos romans,
Huit bos a sa carue avoit.
En la contree en ne savoit
Meillors bues qu'estoient li suen.
40 Mais sor toz en i ot un buen
Qui estoit apelés Rogeus.
Mais tant l'avoit par les fors leus
A son fiens trere demené
Et totes les saisons pené,
45 Que lentement aloit le pas,
Por ce que feibles ert et las
De grant travail, et auques megres.
Li vilein qui fu fel et egres,
Por ce que trop le seut a lent,
50 Le point et dit par mautalent :
« Rogel, trop estes alentis.
Por vos ai sovent desmentiz
Toz les vileins qui me disoient,
Por mes buez que il mesprisoient,
55 Que je n'auroie pas de vos,
Tant fusse d'argent sofreitoz,
Vint et deus sols de dant Durant.
Et je lor disoie en jurant,
Por verité que ge ne mente,
60 Que je n'en prendroie pas trente,
Non pas trente et deus au marché.
Or avez plus le col chargié
Del lïen que n'a nus des set,
Si n'avés encor gaires trait,
65 Trop matin estes ja lassés.
Ainz que cist jors seit trespassés,
Vos puissent mal ors devorer ;
Que trop me faites demorer
A arer un sellon de terre.
70 En liu de vos me covient querre
Un bof a la feire de mai.
Se Dex me desfende d'esmai,

un paysan entreprendra une nouvelle tâche :
c'est vraiment un bourreau de travail !

35   Notre paysan, dont je commençais à vous raconter
l'incroyable aventure,
avait un attelage de huit bœufs.
Dans la contrée, on n'en connaissait pas
de meilleurs.

40 Il y en avait un qui surpassait tous les autres,
il s'appelait Rogel,
mais le paysan l'avait tant épuisé
à charrier du fumier dans des endroits difficiles,
il l'avait tant surmené en toutes saisons

45 qu'il se traînait
faible, exténué
par les durs travaux et amaigri.
Le paysan, qui était méchant et emporté,
excédé par sa lenteur à le suivre,

50 le pique et dit, sous le coup de la colère :
« Rogel, vous traînez trop,
c'est à cause de vous que j'ai souvent contredit
tous les paysans qui,
pleins de mépris pour mes bœufs,

55 soutenaient que, même au comble du dénuement,
je ne retirerais pas de vous
plus de vingt-deux sous à Maître Durand.
Moi, je jurais mes grands dieux
que jamais, au grand jamais,

60 je ne vous céderais pour trente sous,
ni même pour trente-deux, à la foire.
Or maintenant le joug vous pèse
plus qu'à aucun des sept autres :
pourtant, vous n'avez guère encore tiré la charrue.

65 Vous êtes déjà épuisé, et bien trop tôt !
Qu'avant la fin du jour,
des ours cruels viennent vous dévorer
car vous me faites perdre trop de temps
pour labourer un malheureux sillon !

70 Il me faut, pour vous remplacer,
acheter un bœuf à la foire de mai.
Aussi vrai que je prie Dieu de me préserver de la peur,

Je voudroie que lous ou ors
Vos oüst osté a rebors
75 Ce peliçon sans demorance,
Que poi pris mais vostre puissance.
Trop portés basse cele chere.
Mal ors hui cest jor vos requere! »
    Ce que dist li vileins engrés
80 Brun li ors qui el bois fu prés,
A tot oï et escoté.
En un bosson avoit boté
Le col et les pates devant.
N'avoit mie poor de vent,
85 Que nul chen nel pot iloc prendre.
Por meus escoter et entendre
S'estoit prés el bosson repox :
Ne voussist pas por quinze sous
Que n'oüst le vilein oï.
90 Molt l'a la premesse esgoï.
A soi meismes dit tot coiz :
« Bien m'est avenuz ceste foiz.
Or aurai ge, Deu merci, proie
Sanz nule faille ceste voie.
95 Ne m'irai or pas delaiant
En aventure por neent.
Or sa je bien ou chargerai
La proie que g'enporterai.
Un buef aurai sol a ma part,
100 Rogel qui fu seignor Leotart.
Mes ançois qu'il fust primes sien
Sovent m'a fait sevre a son chen
Et fait descirer sor mon pois
Mon peliçon deus fois ou trois.
105 Encui li vaudrai molt cher vendre.
De la char Rogel crasse et tendre
Ferai encui mes gernons bruire,
Qui qu'il doive plere ne nuire.
Ce puet bien li vilein savoir
110 Que je voudrai mon bof avoir,
Car je tieng promesse a chatal.

je voudrais qu'un loup ou un ours
vous ait dépouillé sans délai
75 de votre pelisse de cuir,
car je ne donne pas cher désormais de votre force!
Vous tenez la tête bien trop basse.
Qu'aujourd'hui même un ours cruel vienne vous récla-
    Du discours du paysan en colère,   [mer! »
80 Brun l'ours qui était dans le bois tout près
n'a pas perdu un seul mot.
Il avait enfoncé dans un buisson
sa tête et ses pattes de devant.
Il ne craignait pas que le vent révélât sa présence
85 car il n'y avait pas de chien qui pût le prendre.
Pour mieux écouter et entendre,
il s'était tapi à proximité, dans le buisson.
Même pour quinze sous,
il n'aurait pas voulu manquer cela!
90 Cette promesse l'a rempli de joie.
Il murmure en son for intérieur:
« Cette fois-ci, j'ai eu de la chance
— Dieu en soit loué! Voilà que j'hérite d'une proie —
sans aucun doute pour le coup.
95 Maintenant, je ne vais pas risquer de la perdre
par des atermoiements.
Oui vraiment, je sais bien où je transporterai
la proie que je vais emporter.
J'aurai, pour moi tout seul, un bœuf,
100 ce Rogel qui fut au seigneur Liétard.
Mais autrefois, avant que ce bœuf ne lui appartînt,
il m'a fait souvent poursuivre par son chien
qui, contre mon gré, a déchiré ma pelisse
à deux ou trois reprises.
105 C'est le moment de le lui faire payer.
La chair tendre et grasse de Rogel
craquera dès aujourd'hui sous mes mâchoires,
que cela plaise ou non.
Ce paysan peut être sûr
110 que je tiens à mon bœuf,
je prends sa promesse au sérieux.

N'en ferai mes autre jornal,
G'ain meus sa char que il ne pense.
Et s'il i veut metre desfense
115 Ne arest, savoir puet sans faille
Empris aura aspre bataille.
James n'aura envers moi pes
Ne trives li vileins punés,
Ainz le gerroierai tot tans,
120 Se consivre le puis as chans
Ou en bois par son mal oür,
O je serai plus asoür,
A ce que dessirrer ai grant.
Se Rogel le buef me desfent,
125 Tel cop li donrai de ma pate
Que j'ai fort et charnue et plate,
En col ou en pis ou en face,
Que je l'abatrai en la place.
Mais c'est folie que je di,
130 Car je sai bien trestot de fi
Que il n'i metra ja arest
Que Rogel mon buef ne me lest
Si con il le m'a en covent.
Je l'ai oï loer sovent.
135 Et afermer por veritable,
Bien ferai sa parole estable.
Nului tolir ne le me puet,
Grant chosse a en fere l'estuet.
Voille o ne voille je l'aurai,
140 Ja espoir gré ne l'en saurai. »
        Ensi parole a soi tot sous
Brun li ors qui ert anguissous
De fein, dont molt est amortez;
Mais auques est reconfortez
145 Por ce qu'il ert en esperance
De Rogel avoir sans dotance.
Lors est del boisson sailli fors,
Molt ferement aquet son cors
Et jeta un haut brait de goie.
150 N'a mie poor que l'en l'oie,
Que n'avoit pres de nule part

Je ne remettrai pas ce travail au lendemain,
car je suis friand de sa chair plus qu'il ne pense.
Et s'il s'avise de faire obstacle
115 ou opposition, il peut être certain
qu'il aura à soutenir une rude bataille :
jamais je n'accorderai paix
ni trêve à ce paysan puant,
mais je lui livrerai une guerre impitoyable
120 jusque dans les champs si je le peux
ou, pour son malheur, dans le bois
où je me sens encore plus sûr de moi,
tellement j'ai envie de son bœuf.
S'il me refuse Rogel,
125 je lui assènerai un tel coup de ma patte,
de ma patte puissante, musclée, bien plate,
sur le cou, la poitrine ou le visage
que je l'étendrai raide…
Mais je perds la tête,
130 car je suis tout à fait convaincu
qu'il ne fera aucune difficulté
pour me laisser Rogel, mon bœuf,
comme il s'y est engagé.
J'ai souvent entendu dire
135 et répéter que c'était un homme de parole ;
je l'obligerai à tenir sa promesse.
Personne ne peut me reprendre mon bien,
il y aurait fort à faire.
Qu'il le veuille ou non je l'aurai,
140 et peut-être même que je ne lui en saurai aucun gré. »
     Tels sont les propos que se tient à lui-même
l'ours Brun que la faim
tourmente et exténue,
mais il est tout ragaillardi
145 par le ferme espoir
d'obtenir Rogel.
Alors, il s'élance hors du buisson,
accélère fièrement l'allure,
pousse un grand cri de joie :
150 il ne craint pas qu'on l'entende
car il n'y avait dans les parages

Nului fors solement Leotart
Et un gars qui avoc lui fu
Qui les bues chace de vertu,
155 Qu'il ot alué la seson.
Atant del garçon nos taison,
Et si parleron de Brun l'ors
Qui vers le vilein vint le corz.
Il sout bien sa proie espier,
160 Ja voudra Rogel deslier.
Quant il fu pres de la charue,
A haute vois Lietart salue :
« Et Dex te saut, Lietart amis !
Ta premesse en cest mein m'a mis
165 En grant esperance de bien.
Ge tieng Rogel ton bof a mien
Et bien le doi a mien tenir,
Que ça m'a fait si mein venir
La premesse que me feïs
170 Que tu par maltalent deïs
Que max ors le poüst manger.
Ne pues ta parole changer,
Tu es trop tart au repentir.
Je li ferai les dens sentir.
175 Desliés le moi sans dangier,
Il n'est or pas tens de songier.
Desliés le moi sanz demeure,
Qu'il n'est or pas ne tens ne eure
Que prodon face chere morne,
180 Ainz doit sitost con il ajorne,
Si con tu fez, conmencer ovre,
Par ta richesse, et lors recovre [1].
Faz me tu chere felenesse ?
Paie, que je voil ma premesse.
185 Ne fai ja por ce laide chere !
Je voudroie meus estre en bere
Que ma premesse n'enportasse.
Rogeus est une beste lasse,

1. Sur ce point, nous suivons G. Tilander, *Notes...*, p. 680 : « Par le
juron *Par ta richesce*, Brun en appelle pour ainsi dire à la propre
expérience de Liétard : c'est ainsi que tu es devenu riche ! »

personne d'autre que Liétard
et un valet
qui poussait les bœufs avec vigueur
155 et qu'il avait embauché pour la saison.
Mais laissons là ce valet
et revenons-en à notre Brun
qui arrive au pas de course vers le paysan.
Il eut vite fait de repérer sa proie
160 qu'il voudra délier à l'instant.
Arrivé près de la charrue
il salue Liétard à haute voix :
« Dieu sauve ton âme, ami Liétard !
Ta promesse de ce matin
165 m'a donné de grandes raisons d'espérer.
Je considère ton bœuf Rogel comme mien,
et c'est à juste titre ;
car ce qui m'amène ici de si grand matin,
c'est la promesse que tu m'as faite
170 quand tu as souhaité, sous le coup de la colère,
qu'un ours cruel puisse le manger.
Tu ne peux pas revenir sur ta parole,
il est trop tard pour te repentir.
Je vais lui faire sentir mes dents,
175 détache-le-moi sans faire d'histoires.
Ce n'est plus le moment de rêvasser.
Détache-le-moi sans plus attendre
car ce n'est ni le temps ni l'heure
pour un homme sage de se laisser abattre :
180 il doit au contraire, dès le point du jour,
se mettre à l'ouvrage comme tu le fais,
et alors, par ta richesse, tout va bien.
Tu veux faire le méchant ?
Paie : je veux ce qui m'est promis.
185 Ne fais pas cette tête-là !
Je préférerais être allongé en bière
plutôt que de renoncer…
Rogel est à bout de force,

Caitive et feble et mal traians :
190 De son trere est il mais noiens.
Ja nel ferai lier ne traire
Ne nul autre besoingne fere,
Einz en enplirai ja ma pance.
N'en fai ja laide contenance.
195 Que tu n'i pues rien conquester.
Se tu nel me vous arester
Et delier le buef sans noise,
J'ai en pensé que je te voise
Doner de ma pate tel flat
200 Qu'a terre t'abatrai tot plat,
Et lors serunt, si con moi sanble,
A mon voloir li buef ensanble.
Por ce le te di que meus t'ert
Que Rogol que viellece aquiert,
205 Soit mien seus que ensenble tuit :
N'i aureis joie ne deduit
Se toz le avoiez perduz. »
Lors est li vileins esperdus
De ce que Brun l'ors oï dire.
210 De mautalant tressue et d'ire,
Molt dolanz est et esbahi,
Car par sa premesse est traï.
Si li poisse de la parole
Qu'il dist, et si la tint a fole.
215 En meinte guisse se porpense,
Bien set n'i a mester desfense
Vers Brun qui est et grans et fors.
N'i a mester nul reconforz,
Qu'en poi d'ore estranglé aura
220 Les buez que ja nus nel saura,
Et lui mort ainz que l'en le sache.
Meus li vient soufrir le damage
D'un sol buef que de toz a tire,
Que bien set, se a lui s'aïre,
225 Lui meïsmes estranglera :
Ne ja mes n'en eschapera.
Bien set n'i a tencier mestier :
Meuz puet par proiere esploitier

misérable, faible, incapable de tirer.
190 Il ne vaut plus rien à la charrue.
Avec moi, il n'aura plus à subir le joug, ni à tirer,
ni à accomplir aucune autre besogne :
je m'en remplirai simplement la panse.
Ne prends pas cet air revêche
195 car tu n'as rien à y gagner.
Si tu t'obstines
et si tu ne délies pas le bœuf sans faire d'histoires,
j'ai dans l'idée
que je vais te donner une telle claque avec ma patte
200 que je t'abattrai raide,
et alors il me semble bien
que j'aurai tous les bœufs à ma disposition.
C'est pourquoi, je te le dis, tu as intérêt
à me donner seulement Rogel atteint par la vieillesse
205 plutôt que l'ensemble de tes bœufs.
Tu ne connaîtrais plus ni joie ni bonheur
si tu perdais l'attelage au complet. »
Le paysan est alors désespéré
par les paroles de Brun l'ours.
210 La colère et le chagrin lui donnent des sueurs.
Il est désespéré, abasourdi
d'avoir été trahi pas sa promesse.
Il se repent des propos
qu'il a tenus ! Fallait-il être fou !
215 Il retourne la question dans tous les sens,
il sait bien qu'il ne peut résister
à Brun qui est grand et fort.
Inutile de se cacher
qu'en quelques instants l'ours aura étranglé
220 les bœufs — ni vu, ni connu —
et l'aura tué lui-même avant qu'on ne le sache.
Mieux vaut accepter de perdre
un seul bœuf plutôt que tous, l'un après l'autre.
Il sait bien que si l'ours se met en colère contre lui,
225 il ira jusqu'à l'étrangler,
sans lui laisser aucune chance d'en réchapper.
Il le sait bien, toute discussion est inutile :
Mieux vaut le fléchir par des prières

Que par tençon ne par melee.
230 Ses bues aresta en l'aree,
    Vers Brun l'ors forment s'umelie,
    En plorant li dist, s'il deslie
    Rogel si mein, que sa jornee
    Iert tote a noient atornee,
235 Que nul esploit ne porra fere,
    Que li set buef ne poent traire,
    Que trop est fors la terre et dure ;
    Et sovent li aferme et jure
    Que granz merciz li devra rendre,
240 Se de Rogol li veut atendre
    Jusq'a lendemein solement.
    « Molt volenters et bonement
    Le vos rendrai le matinet,
    Foi que doi mon fil Martinet
245 Et ma bele fille Costance,
    N'en soiez vos ja en dotance !
    Vostre merci prestés le moi
    Jusqu'a le matin par ma foi,
    Que Dex bone joie vos doint ! »
250 — Letart, fait il, n'en auras point.
    Ne me tenez mie a estruit.
    Qui aise atent, eise li fuit :
    De Renart qui guillier ne fine
    Tien ge cest sen, molt vaut saisine.
255 Se je rent ce dont sui saisis,
    Molt sereie malvaiz failliz.
    Certes molt en seroie fol,
    Se ce que je tieng a mon col
    Rendoie por bele parole
260 Trop est cil fox que fol afole.
    Je metroie tot a demein
    Ce que je tieng ore en ma mein.
    Donc m'auroies tu bien trové
    Apertement a fol prové,
265 S'en aventure me metoie
    De la chose qui ore est moie.
    Bien seroie fol atrapez,
    Se de mes meins ere eschapez.

plutôt que de se disputer ou de se battre.
230 Il arrêta ses bœufs dans le champ labouré
et se prosterna humblement devant l'ours,
lui disant, avec des larmes, que s'il détache
Rogel de si bon matin, sa journée
entière sera perdue.
235 Il sera condamné au repos forcé,
sept bœufs ne peuvent tirer la charrue,
tant la terre est grasse et dure.
Il lui jure ses grands dieux
qu'il lui devra une reconnaissance infinie
240 s'il consent à patienter, seulement jusqu'au lendemain,
pour emporter Rogel.
« Je vous le remettrai très volontiers
et de bonne grâce à la pointe du jour,
je vous le jure sur la tête de mon petit Martin,
245 et sur celle de ma fille Constance,
n'ayez aucune crainte !
Je vous en supplie, prêtez-le moi
jusqu'à demain matin, parole d'honneur,
afin que Dieu vous garde le cœur en joie !
250 — Liétard, répond l'ours, il n'en est pas question.
N'essaie pas de me berner.
« Un plaisir remis, c'est un plaisir évanoui » :
C'est de Renart, l'éternel trompeur,
que je tiens cette maxime ; mieux vaut tenir que courir.
255 Si je redonne ce qui m'appartient,
je serai vraiment un moins que rien.
Oui, vraiment, il faudrait avoir perdu la raison
pour rendre, contre de belles paroles,
ce que j'ai là, à portée de main !
260 Il est bien fou celui qu'un autre fou rend fou.
Quoi ? Je remettrais au lendemain
ce que je tiens aujourd'hui dans ma main ?
Pour le coup, tu aurais trouvé en moi
un véritable fou, c'est clair comme le jour,
265 si je risquais
un bien qui à présent m'appartient.
Ce serait pure folie
que de le laisser échapper de mes mains.

Je cuit et croi par seint Johan,
270 Ne te verroie mes ouan.
A ton pooir te garderoies
De toi metre mes en mes voies.
Einsi m'auroies tu tost fait,
Que l'en dit, de bienfet col fret,
275 Mal por bien a l'en por service.
Se ta foi en avoie prisse,
Tost en mentiroies ta foi,
Se Dex me saut, et bien le croi
Por un vilein dont me sovient,
280 (L'en dit escaudé eve crent)
Qui ouan sa foi me menti,
Ne onques ne s'en repenti,
Ne respit ne m'en demanda,
Ne vers moi ne s'en amenda.
285 Ce fu auan devant vendenges
Que il jura Dex et ses angles,
Et se Dex li donast santé,
Il me donroit a grant plenté
De ses rees et de son miel
290 Que je ain plus que rien sos ciel,
Se ses deus chaiaus li rendoie
Qu'au soir a manger atendoie.
J'en pris sa foi, ne fui pas sages,
Car c'est ore li pires gages
295 Qui soit en l'ostel au vilain.
Je ne sui mie cil qui l'ein
Ne n'amerai jor de ma vie,
Que de foi n'a ge nule envie,
Ne prodom ne le doit prisier,
300 Qu'en ne puet mie justicier
Vilein, ne avoir en destroit.
Bien li semble qu'eschapé soit,
Con en le vout par sa foi croire.
Ja puis ne venra un sol oirre
305 Por querre de sa foi respit :
Trop a vilein foi en despit,
Ne l'aime ne crient ne ne prise.
Fox est qui par foi le justise,

Par saint Jean, je suis tout à fait persuadé
270 que je ne te reverrais plus de l'année :
tu ferais tout ton possible
pour m'éviter.
Ainsi, tu m'aurais rendu,
comme l'on dit, le mal pour le bien
275 tant il est vrai qu'un bienfait est toujours perdu.
A peine aurais-je accepté ton serment
que tu t'empresserais de le trahir,   [convaincu
aussi vrai que je prie Dieu de me sauver, et j'en suis
parce qu'un paysan dont je me souviens
280 (chat échaudé, dit-on, craint l'eau froide)
cette année, a manqué à sa parole envers moi
sans jamais s'en repentir,
sans me demander pardon,
ni faire amende honorable.
285 C'était avant les dernières vendanges
qu'il jura, par Dieu et ses anges,
pour autant que Dieu lui donnerait la santé,
de me donner à satiété
de ses rayons et de son miel
290 — mon régal ! —
si je lui rendais ses deux chiots
que je comptais manger le soir.
Je le crus, pauvre insensé que j'étais,
car c'est, de nos jours, le pire des gages
295 qu'on puisse trouver dans la demeure des paysans.
On ne peut pas dire que je les aime,
et je n'en démordrai pas :
je ne veux pas, aussi, entendre parler de serment,
aucun honnête homme ne doit les estimer.
300 Il est impossible de les soumettre à la justice,
ni de leur faire rendre gorge.
De fait, ils se croient tirés d'affaire
dès qu'on accepte leur parole.
Jamais, par la suite, on ne les verra faire un pas
305 pour réclamer un délai.
Le paysan n'a que mépris pour la parole donnée,
il ne l'aime pas, il ne la craint pas, il ne l'estime pas.
Il faut être fou pour accepter sa parole quand on le juge,

    S'il le puet en autre manere
310 Justicher que il ait plus chere.
    Ne lo a nul seingnor de terre,
    Se sun vilein pren et ensere
    Por son forfait ne por sa taille,
    Que li vileins quite s'en aille
315 Por sa fiance solement :
    Poi i a d'asoürement.
    Ce dirai que j'ai essaié :
    Ne sont pas vilein esmaié
    Puis que vient a foi afier.
320 Nus prodom ne s'i doit fier.
    Je ne sai conment tant te croie
    Que Rogel ton buef te recroie,
    Car je dot molt, se gel te croi,
    La tricherie et la non foi
325 Que j'ai en meint autre trovee.
    — Sire Brun, vertés est provee »,
    Ce dit Lietars et molt fort plore.
    « Bien le sai, se Dex me sequere,
    De meinte guise a jent el monde.
330 Que li un sunt de peché monde,
    E molt en i a d'entechez
    De toz les criminax pechez :
    Et desloiaus en i a meins,
    A grennor plenté que de seins,
335 Qui ne se vont pas esmaiant
    De mentir lor foi por noiant,
    Et de plussors n'est mie fable,
    Qui sont prodome et veritable
    Et ont a Damledeu bon cuer,
340 Qui ne voudroient a nul fuer
    Por nule rien lor foi mentir.
    Ja Dex ne me lait consentir
    Que ma foi mente a ome né !
    Trop m'auroit peché sormené
345 Et Dex mis en grant oblïance,
    Se je mentoie ma fiance.
    Por Deu, Rogel me recreés !
    Ja demein ne vos ert veés.

alors que l'on dispose d'autres moyens
310 qu'il respecterait davantage.
　　Je ne conseille à aucun seigneur foncier,
s'il a arrêté et emprisonné un de ses paysans
pour un crime ou une fraude,
de le libérer
315 sur sa seule parole.
　　Rien n'est moins sûr.
J'en parle par expérience.
Les paysans perdent toute crainte
dès que l'on prête serment.
320 Aucun honnête homme ne doit leur faire confiance.
Je ne vois donc pas comment je pourrais te croire
assez pour te donner un délai,
car je crains fort, si je le fais,
d'être payé en retour par la tromperie et la traîtrise,
325 fréquentes chez tes semblables.
　　— Sire Brun, on ne peut nier,
répond Liétard en pleurant à chaudes larmes
et je le sais fort bien — que Dieu vienne à mon aide ! —
qu'il y a toutes sortes d'hommes.
330 Certains sont innocents
mais beaucoup sont souillés
par tous les péchés mortels.
Les parjures, infiniment plus nombreux
que les êtres irréprochables,
335 n'ont aucun scrupule
à trahir leur serment pour un rien.
Mais il existe — je n'invente rien —
un nombre appréciable de gens honnêtes et sincères
qui aiment Dieu de tout leur cœur
340 et ne voudraient à aucun prix,
pour aucune raison, manquer à leur parole.
Que Dieu ne permette jamais que je trahisse un serment
que j'aurais fait à un homme !
Il faudrait que je sois entièrement corrompu
345 et que Dieu m'ait abandonné
pour que je manque à ma parole.
Au nom de Dieu, prêtez-moi Rogel
et demain, c'est sûr, je vous le rendrai !

Par la foi que doi Brunmatin
350 Ma moller, demein au matin
Ci meïsmes le ramenrai,
Que ja vers vos n'en mentirai. »
    Brun li ors respont : « Or l'enmeine,
Si li done fein et aveine !
355 Je voudroie que plus fust cras,
Mes ce ne puet ore estre pas,
Que sojor i covenroit grant.
De lui me cuidai meintenant
Orandroit ma fein estancher,
360 Et ge le raurai autant cher
Demein con orendroit auroie.
Je rirai tandis querre proie. »
    Atant prent la foi du vilein,
Si se mist meintenant du plein
365 El bois : en une espesse lande
Entra par querre sa vïande.
Entre ces choses le vilein
Qui d'angoisse et d'ire ert plein,
Deslïa les set bues por pestre.
370 Ne pot a ese son cuer estre.
Por ce les deslïa sitost,
Que l'ire et l'angoisse li tost
De gaanner tot le talant.
A Rogel se prist en alant
375 A haute voiz a dementer,
N'a or pas talant de chanter.
« Haï, Rogel, bau bof et grant,
Por vos doi molt estre dolant.
Si sui je si con estre doi,
380 Quant je vos ai tolu a moi.
Ma parole fole et mavaisse
Vos metra demein a malaise.
[Tot c'a ge fet, amis Rogel,
Certes si en ai molt grant doil.]
385 En males meins vos ai jeté,
A Brun l'ors qui est sans pité :
Demein de vos se dinera,
Ce disner molt me costera.

Sur la tête de Brunmatin,
350 mon épouse, je jure que demain matin
je le ramènerai ici même
car jamais je ne vous mentirai. »
    Brun l'ours répond : « Emmène-le donc
et donne-lui du foin et de l'avoine.
355 Je l'aurais aimé plus gras
mais ce n'est pas possible,
il lui faudrait beaucoup de repos.
Je pensais, grâce à lui,
assouvir ma faim sur-le-champ,
360 mais je l'apprécierai autant
demain qu'aujourd'hui.
Dans l'intervalle, je vais de mon côté poursuivre ma
    Alors, il fait prêter serment au paysan   [chasse. »
et quitte aussitôt la plaine
365 pour le bois, s'enfonçant dans d'épais fourrés
en quête de nourriture.
Pendant ce temps, le paysan,
en proie à la colère et au chagrin,
détacha ses sept bœufs pour les laisser paître.
370 Il n'arrivait pas à retrouver son calme :
voilà pourquoi il les a déliés si tôt.
La colère et le chagrin lui ont fait perdre
toute ardeur au travail.
S'adressant à Rogel,
375 il commença à se lamenter à haute voix.
Il n'avait alors aucune envie de chanter.
« Oh ! Rogel, mon grand et beau bœuf,
je souffre beaucoup à cause de vous,
et j'ai le sort que je mérite
380 puisque je suis responsable de votre perte.
Mes paroles irréfléchies et cruelles
vous mettront demain dans une situation dramatique.
Tout cela est de ma faute, mon ami,
mais croyez bien que j'en suis désespéré.
385 Je vous ai précipité dans des mains cruelles,
dans celles de Brun, l'ours impitoyable.
Vous serez demain son dîner,
et ce repas me reviendra très cher.

Voirement dist voir qui ce dist:
390 Tant grate chevre que mal gist
J'estoie trop aise hui mein,
Quant je metoie en autrui mein
Par promesse la moie chosse.
S'or me blame forment et chose
395 De ma folie et de ma perte
Brunmatin la bele, l'aperte,
Ne m'en doi mie mervellier.
Je qui soloie conseillier
Mes voisins trestos les plus sages,
400 Ai quis mon dol et mon damage.
Las! or m'a Deu trop enhaï,
Quant je meïsmes me trahi.
Dahait ait hui la moie geule!
Qui avient une, n'avient seule:
405 C'est ce que plus cren et redot,
Que je ne perde le mien tot,
Que si sovent ne me meschee
Que mes avoirs a noient chee,
Que donee m'est male estreine
410 Au premier jor de la semeine.
Or ne serai mes marcheant.
J'estoie de si grant noiant
Venu en auques en dis ans
Que deners avoie gisans
415 Bien entor cent livres ou plus
Sans autre chose le sorplus.
Terres et vignes, bues et vaches,
Forment et vin, lait et formaches
Avoie plus, la Deu merci,
420 Que vilein qui fust prest de ci.
Or dot que tot a nient aille,
Et cuit et croi, sans nule faille
Entrés sui de perdre en la voie.
Hui matin m'ert avis c'avoie
425 Trop de huit bos en ma carue.
Tel porte burel et maçue
Grant et pesant desor son col
Qu'en devroit tenir a meins fol

Comme on a raison de dire :
390 « A force de gratter, la chèvre est mal couchée ! »
Je ne connaissais pas mon bonheur, ce matin
quand je remettais mon propre bien,
par une promesse, en des mains étrangères !
Si maintenant la belle, l'intelligente Brunmatin
395 me blâme et me réprimande
pour ma folie et pour cette perte,
je ne devrai pas m'en étonner.
Moi qui, par mes conseils, ne manquais pas d'éclairer
mes voisins, même les plus sages,
400 j'ai provoqué ma propre ruine et mon propre malheur !
Hélas ! il faut que je sois victime de la haine divine
pour me perdre ainsi moi-même.
Ah ! maudite bouche !
Comme un malheur n'arrive jamais seul,
405 je tremble maintenant
de perdre la totalité de mes biens,
de voir la malchance s'acharner sur moi
et mes richesses s'envoler en fumée,
car la semaine
410 a mal commencé pour moi.
Je me retire des affaires.
Parti de rien, j'étais arrivé,
en dix ans, à une honnête aisance
si bien que j'avais amassé un petit magot,
415 environ cent livres ou plus,
sans compter le reste :
des terres, des vignes, des bœufs et des vaches,
du froment, du vin, du lait, des fromages,
j'en avais plus, grâce à Dieu,
420 qu'aucun paysan du pays.
Je redoute maintenant de voir tout cela réduit à néant.
Je pense et je crois, sans me tromper,
m'être engagé dans la voie de la faillite.
Dire que ce matin j'estimais avoir
425 trop de huit bœufs à mon attelage !
Certains portent un capuchon et une massue
lourde et pesante à leur cou,
eh ! bien, on devrait, à tous égards,

En tos endrois que je ne sui.
430 Il est bien raison que l'anui
Que je ai porchacé reçoive.
Drois est que ma folie boive.
Certes jamais om qui riens sache
Ne me pleindra de mon damage
435 Que ge ai quis et porchacé,
Si l'ai conme je l'ai traché,
Il est bien raison que je l'aie. »
Issi se demente et esmaie
A soi meïsme dan Lietarz.
440 Entre ces cosses dant Renarz
Proie porchace cel matin
En un bois aprés del chemin,
Quant il oï l'abai des chens
Qui molt li estoient procheins
445 Et molt prés l'aloient sivant,
Et un vilein aprés huiant
Aprés les chens par la forest.
N'a ore talent qu'il s'arest,
Ainz cort a garison molt tost.
450 El crues d'un chainne se repost
Tant que li chen soient passé
Qui molt l'avoient ja lassé.
N'a talant d'issir del crues mes
Tant con les chens sache si prés,
455 Einz se repose et estendelle
El crues et un petit somelle.
Tandis que se repose el crues,
Le vilein qui fu a ses bues,
Qui ploure et se demente en haut,
460 Entroï et hors del crues saut.
Vis li est aler s'en puet bien,
Quant il n'i ot abai de chen.
Del bois ist, a l'essart va droit
La ou le vilein ester voit
465 Qui se dementoit en plorant.
Vers le vilein en vint corant
Et prés de lui vint le grant saut,
Si li dit : « Vilein, Dex te saut !

les tenir pour moins fous que je ne suis.
430 Il est juste que je reçoive
le malheur que j'ai moi-même cherché.
Il est légitime que je boive jusqu'à la lie le calice de ma
En vérité, jamais aucun homme sensé [folie.
ne me plaindra de mon infortune :
435 je l'ai bel et bien cherchée.
J'ai tout fait pour la gagner,
il est bien juste que je l'aie. »
Et c'est ainsi qu'en son for intérieur
maître Liétard se désole et se lamente.
440 Pendant de temps, maître Renart,
chassait ce matin-là
dans le bois, au-delà du chemin,
quand il entendit les aboiements des chiens
qui se rapprochaient
445 et le talonnaient,
tandis que derrière eux un paysan
les excitait de ses cris à travers la forêt.
Renart n'a nulle envie de s'arrêter,
il court plutôt se mettre en sûreté, et vite.
450 Le voici donc tapi dans le creux d'un chêne,
attendant que les chiens qui l'avaient épuisé
l'aient dépassé.
Comme il n'a nulle envie de sortir
tant qu'il les sait tout près de lui,
455 il fait une halte, s'allonge
dans le creux et fait un petit somme.
Tandis qu'il se repose là,
le paysan est toujours auprès de ses bœufs
à pleurer et à se lamenter bruyamment.
460 Renart l'entend, saute hors du trou :
il peut bien sortir, pense-t-il,
puisqu'il n'entend plus aucun aboiement.
Quittant le bois, il fila directement
à l'essart où il vit le paysan, debout,
465 qui gémissait et pleurait.
Il se précipita vers lui
par bonds rapides
et lui dit : « Manant, que Dieu te garde !

Que as tu ? por quoi fez tel doil ?
470 — Sire, nel saurois ja mon voil,
Que, se gel vos avoie dit,
S'i conquerroie molt petit.
Se mon grant dol vos descovroie,
Ja par vostre conseil n'auroie
475 Ne nul confort ne nule aïe.
— Foux vileins, que Dex te maudie !
Tant par es fous, je le sai bien,
Que tu ne me conois de rien.
Certes, se tu me coneüsses,
480 Ja si desconseilliés ne fusses
Ne de nule riem esmaiés,
Que tost ne fusses apaiés,
Por quoi ge te voussise aider.
Je sui bon mestre de plaider,
485 Foi que doi seint Panpalïon :
En la cort Noble le lïon
Ai ge meü meint aspre plet
Et meintes fois de droit tort fet,
Et molt sovent de tort le droit :
490 Ensi covient sovent que soit.
Meint plaideor tient l'en a saje
Qui sovent rendent le musage.
A meint ai fait brisier la teste,
(De moi ne se puet garder beste)
495 L'autre le col, l'autre la cuisse.
Tu ne seis pas que fere puisse
Tant mal tant bien, con fere puis.
Je fis ja avaler el puis
Dan Ysengrin mon cher compere ;
500 Si feïsse je lors mon pere.
Nel doit om tenir a merveille :
Jel fis entrer en une selle
El puis ou avoit seals deus
(Ce fu bone gile et bon jeus)
505 En une abaie a blanc moines.
D'iloc escapai a grant poines.
Ou mors o retenus i fusse,
Se Isengrin trové n'oüsse

Qu'as-tu? Pourquoi te désoler ainsi?
470 — Seigneur, je ne veux pas vous le dire
car si je me livrais à vous,
je ne serais guère plus avancé.
Si je vous confiais mon désespoir,
vous seriez incapable, par vos conseils
475 de me réconforter ou de m'aider.
— Crétin de paysan, Dieu te maudisse!
Tu es si stupide, je le sais bien,
que tu n'as jamais entendu parler de moi.
En vérité, si tu me connaissais,
480 tu saurais que je peux te tirer facilement
du désespoir
et du plus profond découragement
pour peu que je veuille m'en donner la peine.
Je suis passé maître dans l'art de plaider
485 par le grand saint Pampalion:
à la cour de Noble le lion,
j'ai eu à soutenir bien des causes difficiles,
j'ai souvent converti le droit en tort
et plus souvent encore le tort en droit:
490 c'est là une pratique courante.
On admire beaucoup d'avocats
qui ne font qu'amuser la galerie.
J'ai fait briser bien des têtes,
(aucune bête n'est à l'abri de mes coups)
495 à l'un le cou, à l'autre la cuisse.
Tu ignores ma puissance
dans le mal comme dans le bien.
Un jour, je fis descendre dans le puits
Isengrin mon cher compère;
500 Je l'aurais, alors, aussi bien fait à mon père.
Ce ne fut pas bien difficile:
je le fis mettre
dans l'un des deux seaux d'un puits
— ah! la bonne farce, ah! le bon tour! —
505 lequel se trouvait dans une abbaye de moines blancs.
J'eus toutes les peines du monde à en sortir.
Je risquais la mort ou la capture,
si je n'y avais rencontré Isengrin

Qui ert apoiés a l'encastre
510 Del puis qui ert vouté de plastre.
De pité li fis le cuer tendre,
Que je li fis croire et entendre
Que g'ere en paradis terrestre,
Et il dist qu'il i voudroit estre,
515 Et ses voloirs li fist doloir,
En l'eve l'apris a chaoir.
Lui meïmes devant Noël,
Conme l'en met bacons en sel,
Fis ge pescher en un estan
520 Par mon barat et par mon sen;
Car ençois i fu saelee
La coe en la glace et gelee
Que il s'aperçut de ma guille.
Maint bon pesson et meinte anguille
525 Oi jo, qui molt en fui joiant,
En la carete au marcheant,
Que mort me fis enmi la voie
Por ce que trop grant fain avoie.
En la charete fui jetez,
530 Des pessons fui bien saolés.
D'anguilles fresces et salees
Enporta ge deus hardelees,
Dont je fis puis molt delecher
Ysengrin mon conpere chier.
535 Aprés moi vint a mon manoir,
Si senti les poissons oloir.
Simplement, a vois coie et basse,
Me pria que jel herbergasse.
Et je li dis ce ert noiens,
540 Que entrer ne pooit çaiens
Nus hom qui ne soit de nostre ordre.
Por alecher et por amordre
Li donai d'anguille un tronçon
Dont il delecha son gernon;
545 Dist qu'il voloit corone avoir
Et ge li fis large por voir.
Onques n'i ot rasoir ne force :
Les pous li esrachai par force

qui s'était appuyé au treuil
510 du puits, protégé par un toit maçonné.
Je réussis, par des propos pieux, à attendrir son cœur,
lui faisant croire et comprendre
que je me trouvais au Paradis.
Il répliqua qu'il aimerait bien y être
515 et il eut à souffrir de ce souhait,
car je lui appris à tomber dans l'eau.
C'est le même Isengrin qu'avant Noël,
au temps où l'on sale les jambons,
j'ai fait pêcher dans un étang,
520 à force d'ingéniosité et d'habileté.
La queue était déjà
scellée dans la glace et gelée
qu'il ne s'était pas encore aperçu de ma ruse.
J'ai pris, à ma grande joie,
525 des quantités d'anguilles et de poissons
dans la charrette du marchand,
en faisant le mort au milieu du chemin,
poussé par une faim terrible,
et on me jeta dans la charrette
530 où je pus me rassasier de poissons.
J'emportai deux colliers
d'anguilles fraîches et salées
que j'utilisai ensuite pour allécher
Isengrin, mon cher compère.
535 Après mon retour, il me suivit chez moi
où il sentit l'odeur du poisson.
Humble, d'une voix douce et basse,
il me supplia de lui accorder l'hospitalité.
Je refusai tout net :
540 personne ne pouvait entrer
s'il n'était membre de notre communauté.
Pour l'allécher et pour l'appâter
je lui donnai un morceau d'anguilles
dont il se pourlécha les babines.
545 Il demanda à recevoir la tonsure
et je lui en fis une immense, c'est vrai,
sans utiliser ni rasoir ni ciseaux.
Je lui arrachai brutalement le poil

A pleine ole d'eve boillie.
550 La corone fu si faitie
Que cuir et poil en devala
Par iloc ou l'eve avala,
Et teste et vis ot escorché,
Que il sambla chat escorcié.
555 A Ysengrin mui ceste sause :
Ce ne fu pas parole fause,
Ainz est de meint home soü.
Meint prodome a ge deceü
Et meint sage abriconé,
560 Si ai meint bon conseil doné [1] :
Par mon droit non ai non Renart.
— Par les sains Deu, ce dit Lietart,
Estes vos ce Renart, bau sire ?
J'ai sovent de vos oï dire
565 Et bien et mal a meint prodome.
Il n'a, ce cuit, de ci a Rome
Plus requit de vos ne plus sage,
Que vos eüstes le fromage
Par vostre sen de Tiecelin
570 Le corbeil, le filz Chanteclin.
Bien le soüstes enchanter,
Car tant le feïstes chanter
Que le formache li chaï.
Meint prodome avés esbaï,
575 Molt par avés de sens le los.
Je cuit qu'il n'a ome si os
Qui de cuer conseil vos rovast
Qui senpres en vos nel trovast.
Sire, por Deu moi conseilliez,
580 Vos qui a meins desconseilliés
Avés meint bon conseil doné.
Le chef ai vuit et estoné
De dol et d'ire et del pens
Dont tot est desvoiez mon sens.
585 — Or di, vilein ! conseil auras
De ce que dire me sauras.

1. *Renart* vient de *Reginhart*, « conseiller ».

avec un grand seau d'eau bouillante.
550 Quelle belle tonsure ce fut là !
Cuir et poil, tout fut entraîné
par l'eau qui ruisselait.
Avec sa tête et son visage à vif,
on aurait dit un chat écorché.
555 J'ai accommodé Isengrin à cette sauce-là,
je ne mens pas,
c'est de notoriété publique.
J'ai trompé plus d'un habile homme,
j'ai embobeliné plus d'un sage
560 et j'ai distribué plus d'un bon conseil :
je mérite bien mon nom de Renart.
— Par les saints de Dieu, dit Liétard,
vous êtes vraiment ce fameux Renart, cher seigneur ?
Souvent, j'ai entendu des gens sérieux
565 parler de vous en bien et en mal.
Personne jusqu'à Rome n'est, je crois,
plus malin ni plus habile que vous.
Grâce à votre intelligence, vous vous êtes emparé
du fromage de Tiécelin
570 le corbeau, le fils de Chanteclin.
Vous avez su si bien l'ensorceler
qu'il se mit à chanter,
laissant tomber le fromage.
Vous avez émerveillé bien des sages.
575 Votre réputation d'habileté est extraordinaire.
Je crois que personne n'a osé
solliciter votre aide, sans arrière-pensée,
sans être aussitôt exaucé.
Par Dieu, seigneur, conseillez-moi,
580 vous qui n'avez pas ménagé vos avis
à plus d'un homme découragé.
J'ai la tête vide, abasourdie
par le chagrin, la colère, les soucis
qui m'empêchent de réfléchir.
585 — Parle, manant, je te conseillerai
selon ce que tu sauras m'expliquer.

Tost t'en porras apercevoir,
Mais que del tot me dies voir.
— Certes, sire, si fera ge.
590 Bien m'avoit hui mein asejé
Maufes, et mis en ses lïens,
Quant ge qui bien sui ancïens,
Si fole parole disoie ;
Mais sages hom sovent foloie.
595 Por ma terre qui trop est dure,
Hui matin, par mesaventure,
Dis a Rogel, com hom iriés,
Qui trop fu de traire enpiriés,
Que maus ors manger le poüst
600 O los qui sore lui corust.
Brun li ors en obli nel mist,
Avoir le vout sans contredit
Car il fu voir qu'avoir le dut.
Jusqu'a demein le me recrut.
605 Le matin quant se levera,
A perdre le me convendra.
Meis ço por coi je sui dolans,
Que li damages en est grans :
Jamais nul si bon buef n'aurai,
610 N'en nul liu ne le troverai. »
     Renart en rïant li a dit
Por ce que il destroit le vit :
« Vilein, fait il, or ne te chaut !
Un jor de respit cent sols vaut,
615 Gar que plus dementer ne t'oie,
Aprés le doil vient la grant joie.
Par ma guile et par mon savoir
Te ferai tost grant joie avoir.
J'ai en talant que je te die
620 Une merveillose voidie,
Que Rogel quiter te ferai
Et l'ors meïsme te rendrai.
Lores seroies tu bien quites,
Mes j'auroie povres merites
625 De toi si con je croi et pens.
Vilein ment volenters tot tens

Tu vas vite t'en rendre compte
à condition de ne rien me cacher.
— D'acord, seigneur, j'y consens.
590 Ce matin, je devais avoir été assiégé
et ligoté par le Malin
pour me mettre, à mon âge,
à débiter des sornettes.
Mais il n'est pas rare qu'un sage perde la tête.
595 Comme ma terre est très difficile à travailler,
ce matin, pour mon malheur,
je dis à Rogel, sous le coup de la colère,
parce qu'il était incapable de tirer,
qu'un méchant ours pourrait venir le manger
600 ou un loup qui se jetterait sur lui.
Brun l'ours n'en perdit pas un mot
et le réclama sans discussion
et il est vrai qu'il en avait le droit.
Il me l'a laissé jusqu'à demain
605 mais, au petit matin,
il me faudra le perdre.
Ma douleur est immense
car c'est une énorme perte.
Jamais je ne retrouverai un bœuf de cette valeur,
610 nulle part je n'en trouverai un. »
    Riant de son désespoir,
Renart lui dit :
« Manant, ne t'en fais plus !
Un jour de répit vaut bien une fortune.
615 Ne me fatigue plus les oreilles de tes plaintes :
après la pluie, le beau temps.
Ma ruse et ma science
vont, très vite, te transporter de joie.
Je brûle de te révéler
620 un stratagème extraordinaire
grâce auquel non seulement tu récupéreras Rogel
mais encore tu t'empareras de l'ours.
Tu serais alors bien tiré d'affaire
alors que, je le présume, le bénéfice
625 que j'en retirerais serait bien maigre.
Un paysan aime à enfiler mensonge sur mensonge

Et trop est de mal apensez.
— Sire, fait il, ja n'i pensés !
Ja li haus rois si ne me hee
630 Que ja cose vos soit veee.
Se Roguel me poïez rendre,
Ce que ge ai porrïez prendre
Con la vostre cose demeine.
— Dont en entrerai je en peine
635 Et tost en serai en la voie,
Se ton blanc coc Blancart avoie
Que je vi er en ton plaissier.
— Sire, jel vos irai bailler
Le coc demein bien matinet
640 Et o tot dix cras pocinet
Seront tuit en vostre plaisir.
Demain vos en ferai saisir,
N'en soiés ja en nule dote. »
Renart le vilein bien escote.
645 Au vilain dist : « Entent a moi !
Je te conseillerai en foi,
Que tu Rogel ton buef rauras
Por Blancart que tu pramis m'as.
Un bon conseil te diré ja
650 Meillor que je ne fis piece a.
Brun li ors vendra ci demein,
Rogel vodra avoir en plain :
Le matinet devant la messe
Avoir cuidera sa premesse.
655 Demein matin quant tu vendras,
Sos ta cape en ta mein tendraz
Tot coiement une cunnie
Qui soit trenchant et agusie
Tot de novel en un fort mance,
660 Et un cotel qui bien fort trenche
Con ce fust cotel a bocher.
Et ge qui sai ben cor tocher,
L'espïerai sans atendue,
Et, quant je saurai sa venue,
665 Ferai ci pres tel cornerie
Et tel cri et tel huerie

et ne pense qu'à faire le mal.
— Seigneur, dit Liétard, ne croyez pas cela !
Que jamais le Tout-Puissant ne me haïsse
630 assez pour que je vous refuse quoi que ce soit.
Si vous parveniez à me rendre Rogel,
vous pourriez prendre ce que je possède
et le considérer comme votre propre bien.
— Je vais donc me mettre au travail
635 et tu me verras vite à l'œuvre
si tu me donnes ton coq blanc, Blanchard,
que j'ai vu hier dans ton enclos.
— Seigneur, je vous donnerai
le coq demain à l'aube,
640 avec dix poulets dodus,
vous pourrez en disposer à votre gré.
Vous en serez le maître demain,
n'ayez aucune crainte. »
Renart a écouté le paysan avec attention
645 et lui dit : « Suis-moi bien.
Je vais te donner un conseil d'ami,
si bien que tu vas récupérer Rogel
en échange de Blanchard que tu m'as promis.
Je vais te donner un bon conseil,
650 le meilleur que j'aie donné depuis longtemps.
Brun l'ours va venir ici demain,
pour réclamer Rogel en toute propriété.
Au point du jour, avant la messe,
il comptera avoir ce que tu lui as promis.
655 Demain matin, quand tu arriveras,
tu tiendras dans ta main,
soigneusement cachée sous ton manteau, une cognée
qui devra être tranchante, bien aiguisée,
solidement emmanchée à neuf,
660 ainsi qu'un couteau, aussi tranchant
que celui d'un boucher.
De mon côté, moi qui sais bien jouer du cor,
je le guetterai sans répit
et, quand je m'apercevrai qu'il arrive,
665 je me mettrai tout près d'ici à sonner du cor,
à pousser des cris et des huées

Que tot entor moi sans mentir
Ferai plein et bois retentir.
Brun li ors te demandera,
670 Por ce qu'il se mervellera,
Que ce est qui tel noise fet.
Et tu li dies entresait
(N'aies mie de mentir honte)
Que c'est la maisnie le conte
675 Qui cel bois est et cele terre,
Que venus sont venoison querre,
Meint a cheval et meint a pié :
N'i a nul qui ne tienge espié
O bon levier o arc o hache :
680 Encui vouront fere damage
Tuit a meinte savage beste,
Que li quens vout contre la feste
De Pantecoste sa maison
Molt bien garnir de venison.
685 Quant cest barat dit li auras
Molt bien au meus que tu sauras,
Ce saches qu'il aura molt cher
Que tu l'aïdes a cocher
Et a covrir dedenz ta reie,
690 Et tu le fas, s'il le te proie,
Si fera il, ce sa ge bien.
Ta connie pres de toi tien :
Quant bien le verras estendu
Et un poi auras atendu,
695 Ne sembler mie coart ome,
De la coignie tost l'asome !
Fier et refier, done et redone
Tant qu'il ait vermeile corone ;
Et le cotel de bone fourje
700 Li bote par desos la gorge !
Lors le fai durement seigner,
Meus vaudra la char a manger.
De nuit l'en menras au repost,
Que damage i auroies tost
705 Se li cuens le pooit savoir.
Il te toudroit tot ton avoir,

si bien que, sans mentir,
les bois et les plaines alentour en retentiront.
Brun l'ours, étonné,
670 te demandera
la cause d'un tel tapage.
Réplique-lui sans hésiter
(n'aie aucun scrupule à mentir)
que les gens du comte,
675 propriétaire de ce bois et de ces terres,
sont venus s'approvisionner en gros gibier,
les uns à cheval, les autres à pied.
Pas un qui ne soit muni d'un épieu
ou d'un bon lévrier, ou d'un arc ou d'une hache.
680 Aujourd'hui, tous sont décidés à mettre à mal
un grand nombre de bêtes sauvages
car le comte veut, en prévision de la fête
de Pentecôte, approvisionner abondamment
sa maison en gibier.
685 Lorsque tu lui auras débité ce mensonge
du mieux que tu pourras,
tu peux être sûr qu'il n'aura qu'une envie,
c'est que tu l'aides à se coucher
et à se cacher dans ton sillon.
690 Fais-le, s'il te le demande.
C'est ainsi qu'il réagira, je le sais bien.
Tiens ta cognée à portée de la main.
Quand tu seras bien sûr qu'il est étendu,
attends quelques instants
695 et alors, ne faiblis pas :
assomme-le vite avec ta cognée !
Frappe, frappe encore un coup, cogne-le, une fois, deux
jusqu'à ce qu'il ait une tonsure rouge !   [fois
C'est alors que tu lui enfonceras dans la gorge
700 le couteau de bonne qualité !
Laisse-le saigner abondamment :
sa chair n'en sera que meilleure.
Tu iras le cacher de nuit,
car tu courrais de grands risques
705 si le comte venait à l'apprendre :
il te confisquerait tous tes biens,

Il te feroit espoir desfaire.
Bones pieches en porras fere,
En ton lardier le saleras
710 Et de la pel fere porras
Molt bones capes a flaax [1].
Mes garde que soies loiaux
De rendre moi mon gerredon,
Qar tu auras molt greignor don
715 De moi que de toi ne prendrai,
Car Rogel quite te rendrai,
Et par moi auras l'ors en sel
Tot coiement en ton ostel.
Lors auras tu bien esploité. »
720 Bien a fait le vilein haitié
La gile que Renart a dite.
Au reconter molt se delite :
Onques si bone n'out oïe ;
Plus de cinc cent fois l'en mercie :
725 « Sire Renart, a grant plenté
Auroiz a vostre volenté
Chapons et gelines et cos.
A Deu vos conmant, je m'en vois. »
A Deu le conmande et il lui,
730 Issi departent ambedui.
    Li vileins a l'ostel s'en vet,
Et Renars vers le bois se tret
Que il amoit plus que le plein.
Molt a esbaudi le vilein
735 La gile que Renart a fete.
De noient mes ne se dehete,
Ainz est molt liés et molt joianz,
Si s'en vait a l'ostel chantant,
Que il cuide bien sanz tarder
740 Avoir char d'ors en son larder.
Tantost conme l'aube creva
Li vileins molt liés se leva,

---

1. Une *cape à fléau* est « un morceau de cuir placé entre le manche
du fléau et la verge, qui les enveloppe tous les deux, comme une
chape » (E. et A. Duméril, *Dictionnaire du patois normand*, Caen,
1849).

peut-être même te tuerait-il.
Tu pourras en tirer de bons morceaux
que tu conserveras dans ton saloir.
710 Avec la peau, tu pourras faire
d'excellentes attaches à fléaux.
Mais fais bien attention
à me dédommager de mes services
car le don que je te fais
715 dépasse largement la commission que je demande.
Non seulement je te rendrai Rogel sain et sauf
mais encore, grâce à moi, tu auras sans te fatiguer
de la viande d'ours dans ton saloir!
Alors, tu auras fait une bonne affaire. »
720 Le paysan est tout ragaillardi
par la ruse que Renart a inventée.
Il se divertit fort à l'entendre :
jamais il n'en a entendu d'aussi bonne.
Il se répand en remerciements :
725 « Seigneur Renart, vous aurez, en abondance,
des poules, des chapons et des poulets,
autant que vous en voudrez.
Je vous recommande à Dieu, et je vous laisse. »
Il le recommande à Dieu, Renart lui rend la politesse
730 et ils se séparent.
    Le paysan s'en retourne chez lui
tandis que Renart gagne le bois
où il se sent mieux que dans les champs.
La ruse imaginée par Renart
735 a mis notre homme en joie.
Envolés les soucis!
L'heure est à la gaieté, à la joie
et il s'en retourne au logis, une chanson aux lèvres,
car il s'imagine qu'il aura, sans tarder,
740 de la viande d'ours dans son lardier.
Dès le point du jour
le paysan se leva, tout content,

Un bon cotel mist soz sa cape.
Se Brun li ors vis en escape,
745 Il ne s'eime rien ne ne prise.
Une trancant coingnie a prise
Qu'il mist sos sa cape a celé.
Un garconnet a apelé.
Avis li est que trop demore,
750 Il ne cuide ja veoir l'ore
Qu'il ait a son trenchant cotel
A Brun l'ors reverse la pel.
Ses bues chace plus que il pot,
En son essart s'en vient le trot,
755 Et le cotel et la coingnie
Ot de soz sa chape muchie.

Tandis qu'il antent a arer,
Brun l'ors ne se pot esgarer
Qui del bois sout tos les trespas,
760 Vint a l'essart plus que le pas
Des pates derer regibant;
Mais il ne set c'a l'oil li pent.
Bien cuide que Rogel suen soit.
Vers la carue vient tot droit,
765 A haute vois Letart escrie:
« Deslie, va, le buef deslie!
Por quoi l'as tu soz le jou mis?
Tu nel m'avoies pas premis,
Desloiau vilein deputaire,
770 Que tu feïsses les bos traire.
Tu as or fait ce que te plot. »
Letart qui molt bien fere sot
D'ome coart chere et samblant,
Li respont basset en tranblant:
775 « Sire, or ne soies pas iriez!
Rogel n'est gerres enpiriés;
C'orendroit le vos ramenroie,
Se g'estoie au chef de la roie.
Ma roie me laissiez parfere. »
780 Renart qui tot ot cel afere
Veü de pres et espié,
Un lonc cor qu'il avoit lïé

il cacha un bon couteau sous son manteau.
Si Brun l'ours en réchappe,
745 il faudra qu'il soit un incapable.
Il a pris une cognée tranchante
qu'il a dissimulée sous son manteau.
Il appelle un valet.
Plein d'impatience,
750 il croit qu'il n'arrivera jamais
ce moment où, de son couteau tranchant,
il aura retourné la peau de Brun.
Il force l'allure de ses bœufs
et arrive en courant à son essart,
755 le couteau et la cognée
cachés sous son manteau.
    Alors qu'il est tout à son labour,
Brun l'ours qui, en familier des bois,
ne pouvait se perdre,
760 se pressait d'arriver à l'essart,
en gambadant.
Mais il ne sait pas ce qui lui pend au nez.
S'imaginant que Rogel est à lui,
il se dirige directement vers l'attelage
765 et hurle, à l'adresse de Liétard :
« Allons, détache le bœuf, allons !
Pourquoi l'as-tu mis sous le joug ?
Ce n'était pas ce qui était convenu,
faux-jeton, canaille,
770 que tu mettrais les bœufs au travail !
Tu n'en as fait qu'à ta tête. »
Liétard qui savait très bien
jouer les peureux,
lui répond tout bas, en tremblant :
775 « Seigneur, ne vous fâchez pas !
Rogel n'en est pas abîmé pour si peu.
Je vous le remettrais à l'instant même
si j'étais au bout du sillon.
Laissez-moi le terminer ! »
780 Renart, aux aguets,
avait assisté à la scène.
Il porta à sa bouche un long cor

A son col, a mis a sa boce;
Si fort et si tres bien le toce
785 Et conmenche a corner si haut,
Que retentir en fait le gaut.
Et quant li corners li anuie,
Si escrie forment et hue
Ausi con veneres qui chace,
790 Qui ses chens envoie a la trace.
Molt fu granz la noise et li bruiz,
Que molt en fu Renart bien duiz
Et del corner et del huer.
Et Brun l'ors conmence a muer.
795 Le bruit et la noisse qu'il ot
De rien ne li sit ne li plot :
Ne la voussist or pas oïr,
Qu'il en cuidast molt mal joïr.
Molt s'esmaie et molt se merveille,
800 Asés escote et oreille :
Conme plus oreille et escote
De tant se crent il plus et dote.
Molt crent que levrer ne l'asaille
Et que venere aus mainz nel baille.
805 De poor tremble, a Letart vient.
De Rogel mes ne li sovient,
N'a or talant qu'il le deslit.
Simplement et bas li a dit :
« Or me di, Letart, ne t'anuit,
810 Qui a ceste noisse et cest bruit
Conmencié en ceste forest ?
Por Deu di le moi, s'il te plest,
Par teil convent que meuz t'en seit. »
Letart qui taindis s'apensoit
815 De respondre Brun par savoir
Teil cose qui resanblast voir,
Li dit a loi d'ome recuit :
« Je t'en dirai ce que j'en cuit.
J'ai oï dire a un ribaut
820 C'est la gent au conte Tebaut
Par qui la terre est meintenue.
En ceste forés est venue

qu'il tenait en bandoulière
et en sortit un son si fort, si parfait,
785 d'une telle puissance
que toute la forêt en retentit.
Et lorsqu'il fut las de jouer du cor,
il poussa des cris et des huées
à la manière d'un veneur à la chasse
790 lorsqu'il lance ses chiens sur une piste.
Quel vacarme! Quel tapage!
Comme Renart savait bien
jouer du cor, pousser des huées!
Brun l'ours n'est plus le même:
795 ce bruit, ce tapage
ne lui disent rien qui vaille:
il s'en serait volontiers passé
car il pressent de funestes conséquences.
Effrayé, stupéfait,
800 il tend l'oreille
mais plus il écoute
et plus sa peur redouble.
Il redoute d'être attaqué par un lévrier
et de tomber aux mains d'un veneur.
805 Tremblant de peur, il s'approche de Liétard.
Il a tout à fait oublié Rogel
et son désir de le voir détaché.
Humblement, il lui demande tout bas:
« Dis-moi, Liétard, si cela ne t'ennuie pas,
810 qui fait ce bruit et ce tapage
dans cette forêt?
Par Dieu, dis-le-moi, je t'en conjure,
et je saurai t'en récompenser, tu n'auras pas perdu ton
Liétard qui, pendant ce temps, réfléchissait   [temps. »
815 pour trouver une réponse plausible
à donner à Brun,
sut lui répondre avec astuce:
« Je vais te dire ce qu'il m'en semble.
J'ai entendu dire à un valet
820 qu'il s'agit de la suite du comte Thibaud,
le seigneur de cette terre.
Elle est venue dans cette forêt

Qui est au conte tote quite
Et a tote gent contredite
825 Fors sol au conte et a sa gent.
S'en i trovoit autre chaçant,
Li cuens le fereit errant pendre
Que ja ne l'en porroit defendre
Force d'amis ne gentillece,
830 Avoir, proiere ne proece.
C'est, ce cuit, sa mesnie tote
Qu'il amena une grant rote.
Venu sunt si matin chacer.
Li un portent espié d'acher,
835 Li autre arc et sajetes tienent.
Par les bestes traiant s'en vienent
Et lor donent meins mortels cox.
Li autre ont cors a lor cox
Qu'il cornent et li autre huent.
840 Les bestes par le bois s'en fuient.
E ceus qui tenent les levrers,
Molt meillors que chens a chevrers,
Corent par le bois a eslés,
Et li cuens meïsmes aprés
845 Sor un chaceor qui tost cort,
Que de venoison vout sa cort
Garnir a ceste Pantecoste
Qui chascun an cent mars li coste
Et ouan plus li costera;
850 Que je cuit que li cuens fera
Novaus chevaliers dusq'a vint,
Qui pieça si grant cort ne tint
Con il voudra auan tenir,
Que a sa cort fera venir
855 Le meuz de la chevalerie
Qui soit desus sa seignorie :
Por c'est si mein la chose enprise. »
Si grant poor est a Brun prisse
Qu'il ne se pot sor piés tenir,
860 A tere le convint venir.
« Letart, fait il, par ta merite,
Que je te clein Rogol tot quite

où le comte a tous les droits :
personne n'y peut chasser,
825 si ce n'est le comte et ses gens.
Si l'on y trouvait quelqu'un d'autre,
le comte le ferait pendre sur-le-champ.
Rien ne pourrait changer sa décision :
ni l'intervention d'amis, ni la noblesse du coupable,
830 ni argent, ni prières, ni exploits.
C'est, me semble-t-il, toute sa suite,
une troupe fort nombreuse,
venue avec lui pour chasser de très bon matin.
Les uns, armés d'épieux de fer,
835 les autres d'arcs et de flèches,
poursuivent les bêtes de leurs flèches
et leur infligent de nombreuses blessures mortelles.
D'autres encore, un cor au cou,
en jouent, tandis que d'autres lancent des huées.
840 Les bêtes s'enfuient à travers la forêt.
Et ceux qui tiennent les lévriers en laisse
— rien à voir avec des chiens de bergers —
filent à travers bois,
tandis que le comte en personne les suit
845 sur une monture rapide,
car il veut approvisionner sa cour
en gibier pour la prochaine Pentecôte
qui lui coûte cent marcs d'habitude,
mais qui lui en coûtera beaucoup plus cette année.
850 Je crois savoir, en effet, qu'il armera
de nouveaux chevaliers — on parle de vingt.
Il y a bien longtemps qu'il n'a réuni
pareille cour que cette année :
il y invitera
855 la fleur de la chevalerie
qui vit sur son domaine seigneurial.
Voilà pourquoi les choses ont commencé d'aussi bon
La frayeur de Brun est si grande   [matin. »
que ses jambes refusent de le soutenir
860 et qu'il doit se coucher.
« Liétard, dit-il, pour me remercier
de t'abandonner Rogel sans réserve,

E que tes verais amis soie,
Laisse me chocer en ta roie
865 Et de la terre bien me covre :
Por Deu te pri, ne me decuvre
A ces veneors, ne enseinne,
Que s'il avient que l'en me preine,
Escorcher me fera li cuens.
870 — Dan Brun, dit Letart, toz vo buens
Sui toz aparelliez a fere,
Mais jo vos loeroie a tere
C'aucuns veneres ne vos oie ;
Que li cuens en auroit grant joie,
875 S'avoir vos poüst a sa feste. »
Enmi une raie s'areste
Brun li ors qui se dote tant.
Iloc se coce et estent,
Si li semble qu'escapés ert
880 Des veneors, mais sa mort quiert ;
Et quide estre de la mort loing,
Mais ele li est pres du groing.
Et tiel quide alonner sa mort
Qui l'aproche et aprisme fort :
885 Escapé quide estre por voir,
Et il s'aïde a descevoir.
Lietart qui la noisse bien plest
Que Renart fet par la forest,
De ses deus meins sa face tient,
890 Et de rire a peine se tient,
Que molt tres grant joie a oü
De Rogel qu'il li a rendu.
Si l'acoilli lors a covrir
De la terre par grant aïr.
895 Que qu'il le covre de la terre,
Sa coingnie pres de lui sere
Et son cotel pres de lui met.
De lui covrir bien s'entremet.
Con il fu auques bien coverz,
900 Les euz que il tenoit overs
Li conmande que il les cloe,
Cil fait issi con cil li loe,

et de me dire ton véritable ami,
laisse-moi me coucher dans ton sillon
865 et recouvre-moi bien de terre.
Par Dieu, je t'en supplie, ne me dénonce pas
à ces veneurs, ne leur montre pas où je suis
car, si jamais j'étais pris,
le comte me ferait écorcher.
870 — Maître Brun, dit Liétard, je suis tout prêt
à satisfaire vos désirs
mais, croyez-moi, taisez-vous :
aucun veneur ne doit vous entendre,
le comte serait trop content
875 de vous avoir à sa fête ! »
Mort de peur,
Brun l'ours s'arrête au milieu d'un sillon,
où il se couche et s'allonge.
Il croit avoir échappé
880 aux veneurs alors qu'il court au-devant de sa mort.
Il s'imagine en être bien loin
alors qu'elle lui pend au nez.
Certains croient reculer l'échéance fatale,
ils ne font que la rapprocher ou la précipiter ;
885 ils s'imaginent l'avoir semée,
et travaillent à leur perte.
Liétard, tout réjoui par le vacarme
de Renart dans la forêt,
se tient la tête à deux mains,
890 gardant son sérieux à grand-peine :
il est si heureux que l'ours
lui ait rendu Rogel !
Avec une terrible ardeur, il se met alors
à le recouvrir de terre.
895 Tout en accomplissant cette besogne,
il serre sa cognée contre lui,
et met son couteau à portée de main.
Il s'applique à bien le recouvrir.
Il avait presque terminé
900 lorsqu'il lui demanda de fermer les yeux
que l'autre gardait encore ouverts.
L'ours obéit

Que de nul agait ne se garde.
Letard de rien plus ne se tarde,
905 A dous meins hauce la coignie.
De soi l'a forment esloingnie,
Bien la hauce por meuz ferir.
Au premer le voudra merir
Le grant orgoil et le danger
910 Qu'il li mena de son buef ier.
Quant longement out avisé
Son coup a loi d'ome sené
Que de faillir se dote trop,
Sor la teste jete le coup.
915 Fiert et refiert de tel aïr
Que jus en fet le sanc venir.
Tel coup li done de rechef
Que tot li a brisié le chef.
Ne le crient mes ne ne le dote.
920 Par desuz la gorge li bote
Le bon cotel qui souef trenche.
Meintenant del orgoil se venge
Qu'il li fist, ne l'espairgne point.
Del cotel jusqu'al cuer li point
925 Si que le sanc en cort et raie
De tot le cors parmi la plaie.
Bien et forment seigner le fet.
Un poi en suz del sanc le trait
A peine, que molt ert pesant.
930 N'an fera gaire de present,
Par lui nel saura nus qui soit,
Que por nule rien ne vodroit
Que nus de ses voisins soüst
Qu'en son larder car d'ors oüst.
935 As meins le covre au meus qu'il puet,
Ses bues sache a l'ostel et muet.
Il fu liez et fet bele chere.
Sa mollier que il ot molt chere
Apele sol sans conpaingnie,
940 Si li a dit : « Ma douce amie
Qui aprés Deu me faites vivre,
Voirement dit voir a delivre

sans flairer le moindre piège.
Sans perdre un instant,
905 Liétard élève la cognée à deux mains,
bien haut,
bien haut afin de mieux frapper.
Il tient d'abord à lui faire payer
son impertinence et son chantage
910 à propos de son bœuf, hier.
Après avoir longuement préparé
son coup, en homme avisé,
car il a une peur bleue de le manquer,
il le frappe à la tête.
915 Il frappe une fois, deux fois si fort
que le sang gicle.
Un autre coup,
et le crâne est fracassé.
Désormais, il n'a plus du tout peur de lui.
920 Il lui enfonce dans la gorge
le bon couteau qui coupe si bien.
A présent, il lui fait payer son outrecuidance
et ne l'épargne pas.
De son couteau, il le perce jusqu'au cœur
925 si bien que le sang s'échappe de la blessure
et ruisselle sur tout le corps.
Il le laisse saigner abondamment
puis, avec bien des difficultés (l'ours était très lourd),
il le traîne un peu au-delà de la mare de sang.
930 Il n'en fera cadeau à personne,
il taira cette aventure,
car pour rien au monde il ne voudrait
que l'un de ses voisins sût
qu'il avait de la viande d'ours dans son lardier.
935 Avec les mains, il le recouvre du mieux qu'il peut,
presse ses bœufs et rentre au logis.
Le visage rayonnant
il appelle son épouse qu'il aimait tendrement
pour l'entretenir sans témoin.
940 « Ma douce amie, lui dit-il,
vous qui, après Dieu, me donnez la vie,
en vérité, le vilain a raison

Li vileins qui par tot bien dit,
Qu'il n'est si grans max qui n'aït,
945 Ne bien qui ne nuisse par eures.
Se Dex me doinst plenté de meures
En mon plaissié por moré fere
Tel qui puisse a riche ome plere,
Je puis bien afermer de voir
950 Que je l'essaiai bien ersoir,
Par la grant foi que je vos doi,
Et si vos dirai bien por quoi.
Bien cuidai avoir mon mal quis,
Quant er matin a Rogel dis,
955 Por ce qu'il traioit lentement,
Que maus ors sanz prolaingnement
Le mangast et le me tousist.
Trestot meintenant Brun s'asist
Joste moi et si le vint querre.
960 Sa felonie et sa guerre
De moi et del mien comperasse,
Se a lui ne m'umelïasse.
Il m'avoit pris a manecher,
Et je le soi bien enlacher
965 De blanches paroles et pestre;
Que j'en ai esté a bon mestre.
De bien lober buen mestre sui.
Respit me dona jusqu'a hui.
Mes a quoi feroie lonc conte?
970 Renart qui de bien faire a honte,
Tel gile et tel barat m'aprist
Par quoi dan Brun orendroit gist
Mort et covert dedenz la roie.
Mes or me conseille et avoie
975 Conment il ne fust ja soü,
Que s'il estoit aperceü
O del conte o de sa gent,
Ne nos garroit or ni argent
Que nos ne fusson afolé. »
980 Molt doucement l'a acolé
Cele qui tant savoit de lobe:

comme toujours lorsqu'il dit
qu'un malheur — même très grand — peut aider
945 et qu'un bonheur peut parfois vous nuire.
Aussi vrai que je demande à Dieu de faire pousser beau-
[coup de mûres
sur ma haie pour que je fasse une liqueur
qui plaise aux plus exigeants,
je puis certifier vraiment,
950 par la grande foi que je vous dois,
que j'en ai fait l'expérience hier soir
et je vais vous dire pourquoi.
Je croyais bien avoir causé mon propre malheur
lorsque, hier matin, je dis à Rogel
955 qui paressait à la tâche
qu'un méchant ours devrait sur-le-champ
venir le manger et m'en débarrasser.
Immédiatement, Brun vint s'asseoir
à mes côtés et me le réclama.
960 Sa félonie et son hostilité
auraient eu raison de ma vie et de mon bien
si je ne m'étais pas humilié devant lui.
Il s'était mis à me menacer
mais je sus très bien l'emberlificoter
965 et le payer de mots,
car j'ai été à bonne école,
je suis passé maître en l'art de tromper :
il m'accorda donc un répit jusqu'à aujourd'hui.
Mais à quoi bon me perdre dans les détails ?
970 Renart, qui rougit de faire le bien,
m'a appris une si bonne ruse
que sire Brun, à l'heure qu'il est, gît
mort, et enterré, dans un sillon.
Maintenant, conseille-moi, guide-moi
975 afin que l'affaire demeure secrète
car si le comte ou ses gens
venaient à le découvrir,
ni l'or ni l'argent ne sauraient
nous préserver de la mort. »
980 La fine mouche
l'a serré tendrement dans ses bras.

Meulz valoit que tote la robe
Au vilein solement sa guimple,
Que trové l'avoit fol et simple :
985 Ne li osot dire ne fere
Chosse qui li doüst desplere,
Et desus le vilein est dame,
Por ce qu'ele ert gentil feme.
Respondu li a en rïant :
990 « Certes tot a mon escïent
Vos donrai je conseil, baus sire,
De ce que vos ai oï dire.
Anquenuit devant l'ajornee
Soit une charete atornee ;
995 Et entre moi et Costancete
Si le metron en la carete ;
Et nostre garçon Tribulez
Sera o nos, se vos volez.
Issi porron nos esploiter,
1000 Nus ne vos venra agaiter. »
Con ele a ce dit, si le bese.
Or esteit li vileins aesse
De ce que sa feme dit ot,
Et du conseil de li s'esgot.
1005 N'a talant qu'autre conseil pregne,
Si li a dit : « Bele conpaigne,
Nos le feron a vostre los.
Tribulez n'est mie si os
Que de ce conseil nos decovre.
1010 Ja ne li celerun cele ovre,
Bien aurom mestier de s'ahie.
Se Deu plaist et seinte Marie,
Entre nos quatre leverons
Brun, que ja grevé n'en serons. »
1015 La parole laissent atant.
Jusqu'a la minuit atant
Sa charete a apareller.
N'avoit cure de someller,
Il ne dort mie ne someille.
1020 A mienuit sa feme esveille
Et Costancete et son garçon,

Sa seule guimpe valait plus cher
que tout le costume du paysan.
Elle avait trouvé là un mari crédule et simplet.
985 Il n'osait rien dire ni faire
qui pût lui déplaire,
et c'était elle qui commandait,
car elle sortait d'une noble famille.
Elle lui répondit en souriant :
990 « En vérité, c'est bien volontiers que j'accepte
de vous conseiller, mon cher époux,
dans cette affaire.
Que cette nuit même, avant le lever du jour,
une charrette soit tenue prête ;
995 Constancette et moi,
nous y chargerons l'ours.
Notre valet Triboulet
nous accompagnera si vous le voulez.
Si nous agissons de la sorte
1000 personne ne viendra vous surprendre. »
Un baiser clôt l'entretien.
Voilà le paysan tout content
de la proposition de sa femme ;
son conseil le comble d'aise
1005 et le satisfait pleinement :
« Chère compagne, lui dit-il,
nous suivrons votre conseil.
Triboulet n'osera pas
nous dénoncer.
1010 Nous ne lui cacherons pas cette équipée
car nous aurons bien besoin de lui.
S'il plaît à Dieu et à sainte Marie,
à quatre, nous transporterons
Brun sans que cela nous pèse. »
1015 Et ils en restent là.
Liétard attend minuit
pour préparer sa charrette.
Il a nulle envie de dormir
et ne ferme pas l'œil de la nuit.
1020 A minuit, il éveille sa femme,
la petite Constance et son valet,

S'a pris en sa mein un arçon
Et deus fleces a sa ceinture,
Que bien sout trere par nature.
1025   Letart aprés point ne sejorne,
La carete afete et atorne
Sans noisse fere a plus que pot.
Li chevaus ne va pas le trot :
Aler le feit le petit pas ;
1030 Et la charete ne bret pas,
Que de seu l'avoit il bien ointe.
Sa moillier et sa fille acointe
Que eles ne dient un mot,
Et lor defent plus que il pot,
1035 Que de l'agait grant poor ont.
Quant de la vile eslonnié sont
Entor cinc archies ou sis,
Li vileins qui estoit asis
En la sele sor le cheval,
1040 Le fet troter contre un val.
Tant est alé les troz menuz
En sun essart en est venuz
Ou il avoit covert Brun l'ors.
De la terre l'avoient sors,
1045 El caretil l'ont mis a paine.
Litart a son ostel l'enmeine
A son cotel bien le depiece.
En son ostel chascune piece
Fesoit lever en l'eve clere
1050 Entre Costancete et sa mere.
Le tenoil ou les piecez sont
En une huce le repont.
Litart qui plus celer ne velt,
Ne s'atarde que il n'apelt
1055 Le garçon que il dote et crient
Por ce que ne li apartient ;
Et belement a bele chere
Si li prie, con il a chere
L'amor et la vie de lui,
1060 Que ne le die a nullui.
Li garçon li jure et afie :

puis il prend un arc à la main
et deux flèches à sa ceinture :
c'était un tireur-né.
1025 Ensuite, sans perdre de temps,
il prépare et arrange sa charrette
en faisant le moins de bruit possible.
Il ne fait pas trotter son cheval,
il le fait avancer au pas.
1030 Sa charrette ne grince pas
car il a pris soin de la graisser avec du suif.
Il recommande à sa femme et à sa fille
de ne pas ouvrir la bouche,
il leur interdit même de parler
1035 de peur des mouchards.
Quand ils furent à cinq ou six portées d'arc
du village,
le paysan, qui était assis
sur la selle du cheval,
1040 le fit trotter en descendant un vallon,
et c'est ainsi qu'au petit trot,
il est arrivé dans l'essart
où Brun l'ours était recouvert de terre.
Ils l'ont déterré
1045 et l'ont chargé, non sans mal, dans la charrette.
Liétard l'emporte chez lui
et le découpe avec soin au couteau.
Là, il fait laver à l'eau claire
chaque morceau
1050 par Constancette et sa mère.
Enfin, le lardier contenant les morceaux
est dissimulé dans un grand coffre.
Liétard, qui n'a plus rien à cacher,
appelle sans tarder
1055 son valet qu'il craint beaucoup
car il n'a pas de droits sur lui.
Aimable et avenant,
il le prie de lui manifester
son affection et son attachement
1060 en ne révélant ce secret à personne.
Le valet le lui jure :

« Sire, fait il, n'en dotés mie,
Que ja par moi n'iert decoverte
Chose dont il vos veigne perte. »
1065   Sitost con li jors escleira,
Renart qui ja bien ne fera,
De Malpertus son fort plaissié
S'en est issu lë col baissié.
A itant del aler estuide,
1070 Que il bien de verité cuide
Avoir les jelines Litart
Et avoques le coc Blanchart.
Il ne sera, ce dit, plus vis.
Il quide et si li est avis
1075 Que de trestot sire estre doie
Et de Litart et de la proie
Por Rogel que sauvé lui a.
De loing le vilein espïa
Qui delez son plessié estoit :
1080 Une viez soif i redreçoit.
Vers la haie Renart s'eslesse
Conme celui que fein apresse :
Bien cuide avoir sanz contredit
Ce que li vilains li ot dit ;
1085 Mes autrement est que ne pense.
Litart l'a veü, si s'apense
De la premesse que li fist.
Sa sarpe et sa coingnie prist
Dont aguisié avoit ses peus ;
1090 Pres de la haie ert li osteux
Qui de la haie estoit aceins.
Damnedeu jura et ses seins
Entre ses denz, ainz que s'en tort,
Que Renart ert a povre cort,
1095 S'il atent a li aconter.
« Renart me quide plus coster
Que ne me costera des mois.
Il quide ore avoir demanois
Ce que je li ai en convent ;
1100 Mes issi con il a sovent
Convent fausé et tant de fois,

« Maître, dit-il, ne craignez rien.
Je n'irai jamais rien raconter
qui puisse entraîner votre perte. »
1065 Dès les premières lueurs du jour,
Renart, qui se moquera toujours de la morale,
est sorti, le cou baissé,
de Maupertuis, sa demeure fortifiée.
S'il s'empresse alors de se mettre en route
1070 c'est qu'il s'imagine en vérité
avoir les poules de Liétard
et aussi le coq Blanchard
qui, se dit-il, n'a plus longtemps à vivre.
Il croit, il estime même
1075 que, puisqu'il a sauvé la vie à Rogel,
tout doit lui appartenir,
aussi bien Liétard que la proie.
De loin, il surveilla le paysan
qui se tenait près de sa haie,
1080 occupé à redresser une vieille palissade.
Renart s'élance de ce côté
comme quelqu'un que la faim aiguillonne.
Il s'imagine avoir sans difficulté
tout ce que le paysan lui a annoncé,
1085 mais il en va tout autrement.
En le voyant, Liétard se souvient
de la promesse qu'il lui a faite.
Il reprit la serpe et la cognée
qui lui servaient à apointer ses pieux.
1090 Sa maison se trouvait à deux pas
de la haie qui l'entourait.
En marmonnant entre ses dents, il jure
par le seigneur Dieu et ses saints qu'avant de s'en retour-
Renart sera bien mal reçu,   [ner
1095 s'il s'attend à récolter son dû.
« Renart s'imagine que je vais dépenser pour lui
plus que je ne débourse en plusieurs mois.
Le voici qui croit recevoir sur-le-champ
ce que je lui ai promis,
1100 mais dans la mesure où il a trahi ses engagements
tant et tant de fois,

Si est il et raison et drois
Del engingneür qu'en l'engint. »
Issi parlant a l'ostel vint
1105 Ou trova filant Brunmatin.
« Trop laissiés ovre par matin,
Sire malvés vilein », fait ele.
Et il li a dit : « Demoiselle,
Por Deu, or ne vos corociés
1110 Ne a moi ne vos aïrés,
Que ne sui pas encor si fous
Que le matin mete a repos ;
Einz venoie ici savoir
Conment poïsse decevoir
1115 Renart qui ci iloques vient.
Les jelines a soes tient
Et les pocins, si quide et croit,
Et que Blancars li cos sien soit.
Por ce i vient il abrevé.
1120 Et a ahan iert arivé,
Se bon conseil i puez trover.
Or i pues ton sen esprover,
Se tu ses barat ni engin,
Que por autre rien ça ne vin,
1125 Et je ne sai, se Dex me saut,
Ame fors toi qui me consalt,
Ne qui si conseiller me doie,
Que je sui tiens et tu es moie.
Et devez dire nostre bon,
1130 Que li consaus est ausi tuen
Con il est mien en un endroit.
Pens i de bon cuer orendroit
Conment nos puisson estranger
Renart qui bien quide mangier
1135 Nos jelines et nos capons.
Certes se de lui escapons
Par toi sans cost et sans despens,
Bons est tis baras et tis sens,
Et si t'aura Dex apensee. »
1140 Cele qui estoit apensee,
Li a respundu sans demore :

ce n'est que justice
que le trompeur soit trompé. »
Parlant ainsi, il arriva au logis
1105 où il trouva Brunmatin en train de filer.
« Vous délaissez votre ouvrage de bien bon matin
monsieur le mauvais paysan », dit-elle.
Et l'autre de répondre : « Par Dieu,
Madame, ne vous fâchez donc pas,
1110 ne vous mettez pas en colère contre moi.
Je ne suis pas encore assez fou
pour me reposer le matin :
je venais seulement vous demander
comment je pourrais tromper
1115 Renart qui arrive tout droit chez nous.
Les poules, il considère qu'elles sont à lui
tout comme les poulets, et il s'imagine fermement
que Blanchard le coq lui appartient.
Voilà pourquoi il se hâte.
1120 Mais il tombera sur un bec
si vous pouvez trouver une bonne idée.
Le moment est venu de déployer toute votre ingéniosité :
ne connaissez-vous pas quelque stratagème ?
C'est la seule raison qui m'amène ici
1125 et je ne connais personne — que Dieu ait mon âme ! —
à part vous, qui puisse me conseiller
et qui y soit tenu comme vous l'êtes
car je suis à vous comme vous êtes à moi.
Aussi devez-vous dire où est notre intérêt
1130 car cette affaire, d'une certaine façon,
vous concerne autant que moi.
A présent, réfléchissez sérieusement
au moyen de nous débarrasser
de Renart qui a bien dans l'idée de manger
1135 nos poules et nos chapons.
En vérité, si nous nous tirons d'embarras
grâce à vous sans bourse délier,
il faudra reconnaître que vous êtes très intelligente
et que Dieu vous aura inspirée. »
1140 Et elle, en femme réfléchie,
lui a répondu sans attendre :

« Trové ai, se Dex me socore,
Un bon barat qui molt vaudra,
Par quoi Renart atant faudra
1145 A ce que premis li avés,
Se por ce fere le savez
Qoiement sanz aparcevance.
Trois mastins des mellors de France
(Li pires des trois ne le dote)
1150 Qui sont laienz en cele crote,
Amenez conme veiziez.
En vostre granche les lïez,
Et gardés que bons lïenz aient.
Del pain lor donés qu'il n'abaient,
1155 Que tost porroent esmaier
Dan Renart par lor abaier,
Si s'en fuiroit a sun recet.
Issi n'aureon nos rien fait
Et seroit a reconmencher.
1160 Or le laissiez bien avancher
Et tot asoür ça venir,
Les mastins faites detenir
A vostre garçonet tot trois
A l'uis de la grange detrois.
1165 Quant Renart sera aprociés,
Les chiens maintenant li huiés,
Et cil les laist aler aprés :
S'il le poent tenir de prés,
Il li depeceront la pel
1170 Et li ferunt roge capel.
Molt vos vaudra, si con je cuit,
Bien sa gorge set sols ou huit,
A ce que ele est de seison.
Issi con le di, le faison,
1175 Que ja ne porreem meulz fere.
Et vos por plus Renart atrere
Qui ja est si pres avalés,
A nostre haie vos alez
Et vostre ovre reconmenciez,
1180 A Renart de rien ne tenciez :
Se il dist Blanchart li donez,

« J'ai trouvé — que Dieu me garde ! —
un bon stratagème qui nous sera très utile
pour priver Renart
1145 de ce que vous lui avez promis
si vous savez l'exécuter
avec doigté et discrétion.
Trois mâtins, parmi les meilleurs de France,
dont le moins bon ne craint pas Renart,
1150 sont enfermés dans le chenil là-bas.
Amenez-les avec adresse
et attachez-les dans votre grange,
veillez à la solidité de leurs liens.
Donnez-leur du pain pour les empêcher d'aboyer,
1155 car leurs aboiements auraient tôt fait
d'effrayer maître Renart
qui s'enfuirait dans son repaire :
notre plan aurait alors échoué
et tout serait à recommencer.
1160 Laissez-le donc bien s'approcher
et s'avancer sans crainte.
Faites retenir les mâtins,
les trois, par votre valet,
d'une poigne ferme, à la porte de la grange.
1165 Aussitôt que Renart se sera approché,
excitez vos chiens par des cris,
et que votre valet les lâche à sa poursuite :
s'ils peuvent le serrer de près,
ils lui déchireront la peau
1170 et lui feront un bonnet rouge.
Sa gorge, à mon avis,
vous rapportera bien sept ou huit sous,
car c'est la bonne saison pour la prendre.
Suivons donc ce plan
1175 car il n'en est pas de meilleur.
Et vous, pour attirer Renart encore davantage,
il est déjà tout près,
retournez à notre haie,
remettez-vous à l'ouvrage,
1180 en vous gardant bien de lui chercher querelle.
Et s'il vous réclame Blanchard

Et vos par bel li responés
A po de parole brefment :
« Renart, sachés veraement,
1185 Ja ne devreés avoir cure
De Blancart, qui a la car dure
Et ne manjue que ren vaille
Fors ice que prent en la paille,
Et que il ne seroit pas cuit
1190 En un jor et en une nuit,
Qui le metreït quire orendroit.
Tendre chose vos convendroit
A vostre manger : jelinetes,
Chapons et oisons et poletes.
1195 Et se vos nel volés laissier,
Je le vos ferai engracier
Quinze jors, si ert vostre prou
Que il n'est ore a manger prou. »
Issi le porron losenger
1200 Le traïtor, le losenger.
Itex paroles, itex dit
Si vaudrunt bien un escondit ;
Quant ces paroles li diroiz,
Asés plus bel l'escondiroiz
1205 Que se vos tenceez a lui.
De lui nos vengeront encui
Claviax et Corbel et Tison,
Qui l'en amenront a meson.
Cil troi sel poent acoper,
1210 Jamais n'iert a nos a soper,
Et ja ne querra rien du nostre.
— Foi que doi saint Pierre l'apostre,
Bele suer, bons est li consauz,
Ja si n'en ira or les sauz
1215 Renart que nos ne le preignons
A l'aïde des troi gaignons
Qui li ferunt une envaïe.
Si en aura mester d'aïe,
Se il le pooient abatre.
1220 Je m'en vois a la soif esbatre,
Que il ne face aucune ganche.

répondez-lui poliment
en très peu de mots :
« Renart, croyez-moi,
1185 oubliez Blanchard à jamais :
sa chair est dure,
il ne mange que des saletés
si ce n'est ce qu'il trouve dans la paille,
et si on le mettait à cuire à l'instant,
1190 un jour et une nuit entiers
ne suffiraient pas à le cuire.
Il vous faudrait pour votre repas
quelque chose de tendre : de jeunes poules,
des chapons, des oisons et des poulettes.
1195 Mais si vous ne voulez pas renoncer à lui,
je vais vous le faire engraisser
pendant quinze jours, vous y gagnerez
car il n'est pas, pour l'instant, bon à manger. »
Voilà comment nous pourrons abuser
1200 ce traître, ce fourbe.
Des propos et des paroles de ce genre
seront bien aussi nettes qu'un refus pur et simple.
Par ces paroles
vous l'éconduirez mille fois mieux
1205 qu'en vous disputant avec lui.
Aujourd'hui, Clavel, Corbel et Tison
nous vengeront de lui
en le raccompagnant chez lui.
Si ces trois-là peuvent tomber sur lui,
1210 jamais plus il ne viendra troubler nos repas,
jamais plus il ne convoitera notre bien.
— Par l'apôtre saint Pierre,
ce conseil est précieux, ma chère sœur.
Jamais Renart n'aura le temps de se sauver
1215 avant que nous ne l'attrapions
grâce aux trois mâtins
qui l'attaqueront,
et il aura bien besoin de secours
s'ils parviennent à le terrasser.
1220 Je m'en vais faire semblant de travailler près de la haie
afin qu'il ne nous échappe pas.

Li garçons tienne en la granche
Les chiens si con vos l'avés dit :
Quant je huerai, sis deslit. »
1225   Atant va arere a la haie.
Renart que fein grieve et esmaie,
S'en va a la haie le trot
La ou li vileins sa soif clot
Et aguise les pex et fice.
1230 Entre ses denz jure et afice
Que cher li vendra cele voie.
Por ce que Renart ne le voie,
Enbronce sa chere et abaisse.
Renart vers le vilein s'eslaisse,
1235 Et li dit : « Dex te saut, Litart !
Va moi querre le coc Blancart !
Je le doi avoir par raison :
N'oüsses pas en ta meson
Brun l'ors, se ne t'oüsse apris
1240 L'engin par quoi l'as mort et pris.
Je en doi estre bien a cort. »
Litart a fait semblant de sort
Ausi conme s'il n'oïst gote.
Renart en la haie se bote
1245 En la manere de fureit,
Et s'apense qu'il li direit,
Et li a hucé de rechef.
Li vileins a hauché son chef
Et l'a en travers regardé :
1250 « Sire, fet il, de la part Dé,
Estes vos por le coc venuz ?
Il est et megres et menuz,
Qu'il ne manjue nule riens
Fors ce que il trove el fiens.
1255 Trop est chaitis, n'a que les os,
Et la plume le fait si gros.
Se la demore ne vos tarde,
Encore n'aura li cos garde :
Huit jors ou quinze le laissiés
1260 Tant que soit un po engrasiés,
Et si vaudra il asés meuls.

Que le valet retienne les chiens
dans la grange comme vous l'avez dit.
A mon signal, qu'il les lâche ! »
1225   Alors il retourne à sa haie.
Renart, tenaillé par une faim cruelle,
s'approche en trottinant
de l'endroit où le paysan répare sa palissade
avec des pieux qu'il taille et plante
1230 tout en jurant entre ses dents
que cette visite coûtera cher à Renart.
Pour que le goupil ne le voie pas,
il baisse la tête.
Renart de s'élancer vers lui
1235 et de dire : « Dieu te sauve, Liétard,
va donc me chercher le coq Blanchard !
Il est juste que je l'aie :
tu n'aurais pas chez toi
Brun l'ours, si je ne t'avais donné
1240 le moyen de le tuer et de l'emporter.
Je dois bien être dans tes bonnes grâces. »
Liétard fait la sourde oreille,
on croirait qu'il n'a rien entendu.
Renart, comme un furet,
1245 s'enfonce dans la haie.
Il réfléchit à ce qu'il va lui dire
et l'interpelle à nouveau.
Le paysan a redressé la tête
et l'a regardé de travers :
1250 « Seigneur, dit-il, parbleu,
êtes-vous donc venu chercher le coq ?
Il est maigre, chétif ;
sa seule nourriture, il la trouve
dans le fumier.
1255 Squelettique, il n'a que la peau sur les os,
même si ses plumes font illusion.
Si vous n'êtes pas trop pressé,
il n'y a rien à craindre du côté du coq,
laissez-le une semaine ou deux,
1260 le temps de grossir un peu
et il sera devenu bien meilleur.

Ensorquetot il est trop vels.
Bien a passez trois anz ou quatre.
N'i porriez la dent embatre
1265 Et vos briserés les denz,
Se Jhesu Criz me soit garanz.
Et je seroie fort iriés,
Se vos esteés enpiriez
Par chosse qui de moi moüst.
1270 Mes qui jounes pocins oüst,
O un oisonet gros et tendre,
Bien vos i porreez entendre.
Je n'ai capon, oison ne polle
Molt l'amasse a vostre gole,
1275 Se l'oüsse de quoi soigner,
Que ja hom ne doit esloigner
Son ami qui se met en soi.
Certes que volenters vos voi
Conme bon ami, et lié fusse
1280 S'aucune bone rien oüsse
Dont je vos poüsse somondre,
Ne soüsse a vos respondre
Nule riem qui vos doüst plere. »
Or ne se pot Renart plus tere,
1285 Avis li est que trop se test,
Que il li anuie et desplest
La mençoigne que il entent.
« Fol vilein, trop as dit atant,
Or me represte le frestel !
1290 Tu me quides et bien et bel
Avoir escondit de Blancart,
Et je sai tant engin et art
Asés et plus que tu ne fes.
Je t'ai d'un molt anoiax fes
1295 Et delivré et descargé,
Que je t'ai Rogel atargé
Et t'ai Brun par mon sen doné.
Tu m'avoies abandoné
Blancart le coc par ta parole ;
1300 Or as esté a autre escole.
Desloiax vileins, faus et sers.

Le pire, c'est son grand âge :
il a bien trois ans révolus, si ce n'est quatre.
Vous ne parviendriez pas à y planter les dents
1265 sans les casser,
Jésus-Christ m'en soit témoin.
Comme je serais chagriné
s'il vous arrivait des ennuis
par ma faute !
1270 Mais si l'on avait de jeunes poulets,
ou une petite oie grasse et tendre,
cela pourrait vous intéresser.
Je n'ai ni chapon, ni oison, ni poule
que j'aurais préférés pour votre gueule
1275 si j'avais pu vous en procurer,
car on ne doit jamais repousser un ami
qui s'en remet à vous.
Croyez bien que je vous considère
comme un ami cher et que j'aurais été heureux
1280 si j'avais eu quelque chose de bon
à pouvoir vous offrir,
et si j'avais pu répondre à votre demande
par quelque chose que vous aimiez. »
Renart, alors, ne peut plus se contenir,
1285 il a déjà été, pense-t-il, bien trop patient
alors que le discours mensonger qu'il entend
le remplit de révolte et d'indignation.
« Espèce de sale cinglé, tu en as trop dit.
A mon tour d'être un moulin à paroles !
1290 Tu t'imagines avoir réussi
à m'extorquer Blanchard,
mais je suis mille fois plus fort que toi
en ruses et en tromperies.
Je t'ai délivré, je t'ai déchargé
1295 d'un terrible souci
en te permettant de ne pas remettre Rogel à l'heure dite,
et d'avoir en plus Brun grâce à mon habileté.
Tu avais juré sur parole
de me donner le coq Blanchard,
1300 mais tu tiens maintenant un tout autre discours.
Paysan déloyal, saleté de serf,

De beles paroles me sers.
Je sai bien conoistre tes bordes
Et tes lobes et tes falordes;
1305 Et tu m'as premis sans doner.
Mes par celui qui fet toner,
Damage auras ainz quinseine,
En ta premesse qui est veine.
Tu entens ore a flater,
1310 Mes de dol te ferai grater.
Par bordes quides escaper?
Je te ferai encor fraper,
Desloiaus esconmuniez.
Or ai bien esté merciez
1315 Par toi qui bel m'as aceilli,
Et bele chere m'as fait hui.
Puant vilein, con estes leres,
Esteez devenu guileres?
Je vos vendrai chier vostre guile.
1320 Hui est li jors que trop avile
Lecherie et bole empire.
Quant tu me cuides desconfire.
Damage i auras, je t'afi.
Des ore en avant te defi,
1325 Des ore te serai nuisant. »
     Litart qui fu a mal pensant
Et qui es trois mastins se fie,
A respundu par felonnie:
« Renart, pou voi nuli qui face
1330 Grant hardement qi si manace.
Ton pooir fé sanz manacer:
Ja ne ti verras enbracer,
Ne prier por pes ne por trives.
Ne pris pas deus foilles de cives
1335 Ton manecer ne ton vanter.
Sui je chaz a espoenter?
Je ai meinte manace oïe:
Ja por ce n'ert moins esjoïe
Ma mesnie por ceste cose,
1340 Ne nostre porte plus tost close.
Je sui cil qui poi cren et dote

tu me payes de mots !
Je vois clair dans tes balivernes,
dans tes boniments et tes bobards :
1305 tu m'as fait une promesse que tu refuses de tenir.
Mais, par le maître du tonnerre,
cette vaine promesse, avant la fin de l'autre semaine,
te portera malheur.
A présent, tu t'amuses à flatter
1310 mais je te ferai connaître les démangeaisons de la dou-
crois-tu t'en tirer par des plaisanteries ?   [leur ;
Je m'arrangerai pour te punir,
salaud de mécréant.
Vraiment, me voilà bien remercié
1315 par ton accueil aimable
et par tes politesses.
Sale péquenot, non content d'être voleur,
tu es donc devenu trompeur ?
Je te ferai payer cher cette tromperie.
1320 Il faut qu'à notre époque la ruse dégénère
et la tricherie se dégrade
pour que tu t'imagines me posséder.
Tu ne l'emporteras pas en paradis, je te le jure !
Je te lance mon défi :
1325 je ferai tout, désormais, pour te nuire. »
     Liétard, son mauvais coup en tête
et plein de confiance en ses trois mâtins,
lui répondit avec rudesse :
« Renart, les gens vraiment courageux
1330 ne se perdent pas en menaces.
Montre donc, sans menacer, de quoi tu es capable.
Jamais tu ne me verras me jeter à ton cou
ni te supplier pour obtenir une paix ou une trêve.
Tes menaces, tes vantardises
1335 ne me font ni chaud ni froid.
Me prends-tu pour un chat, facile à épouvanter ?
Ce n'est pas la première menace que j'entends.
Ma maisonnée n'en sera pas
moins heureuse pour autant,
1340 ni ma porte fermée plus tôt le soir.
Tu as devant toi quelqu'un qui craint et redoute peu

Ton pooir et ta force tote.
N'ai poor ne garde te toi.
Po de tex maneceors voi
1345 Qui parolent si egrement,
Qui aient geres hardement,
Quant vienent a un po d'efors.
Tu es asés sages et fors :
En toz mes nuisemenz te met
1350 Et de moi nuire t'entremet
Et en apert et a celé !
Tu m'as ici serf apelé
Et traïtor et desloial,
Mes je te puis plus fere mal
1355 Que tu ne porroies moi fere.
Je ne te qier mais a retraire
De moi fere mal et anui.
Je te conmencerai ancui
A nuire et a contralïer.
1360 Robelet, va tost deslïer
Les trois mastins et si les hue ! »
Li gars sa chape a terre rue,
Les chens hua et aprés cort.
Li mastin saillent de la cort,
1365 Aprés lui corent abaiant.
Del atendre est il noient,
Ne li feront pas ses aviax.
Pres de lui s'areste Claviax
Et l'aert as dens par l'oreille
1370 Qui en pou d'ore fu vermeille.
Ne li est mie li jox baus,
Qu'aprés celui veneit Corbax.
Les denz en la coe li bote
Que il li a ronpue tote,
1375 Et par dejoste le crepon
N'i remeist que le boteron.
Par ces ne fust pas retenus,
S'aprés ne fust Tison venus
Qui l'a mors et li depelice
1380 Par desus le dos la pelice
Que il avoit et grande et lee.

toute ta force et ta puissance.
Tu ne m'inspires ni peur ni méfiance.
De grandes gueules
1345 comme toi,
j'en connais peu qui ont du courage
quand survient quelque difficulté.
Toi qui es très sage, très fort,
cherche donc à me nuire par tous les moyens,
1350 occupe-toi de me porter préjudice
à découvert ou en cachette !
Tu m'as, ici même, traité de serf,
de félon et de fourbe ;
mais je peux te causer plus de mal
1355 que tu ne pourrais m'en faire.
Je ne te demande plus de renoncer
à me faire du mal ou à me tourmenter,
c'est moi qui vais commencer dès aujourd'hui
à te nuire, à te faire du tort.
1360 Robelet, dépêche-toi de détacher
les trois mâtins et excite-les ! »
Le valet jette son manteau à terre,
excite les chiens et court derrière eux.
Les mâtins bondissent hors de la ferme
1365 et poursuivent Renart en aboyant.
Pas question pour lui d'attendre
car ils ne combleront pas ses vœux.
Clavel s'arrête à sa hauteur
et lui plante les crocs dans l'oreille
1370 qui ne tarde guère à rougir.
Renart ne s'amuse guère à ce jeu,
d'autant qu'après lui vient Corbeau
qui lui enfonce les dents dans la queue,
la lui arrachant complètement
1375 si bien que sur son arrière-train
il n'en reste qu'un petit bout.
Ces deux-là n'auraient pas réussi à l'attraper
si Tison n'était arrivé,
qui le mord et lui déchire le dos,
1380 le dessus de sa fourrure
qu'il avait ample et large.

Iloc li a tote pelee,
Jusqu'en la vive car l'a mors.
A peines est de la estors
1385 Renart qi estoit deplaiés
Et de seinier afebloiés,
Sivre le poüssiés par trace ;
Si est pensis, ne set que face.
Bien set n'i a mester peresce,
1390 Se en son cuer n'atret proece,
Que vers les chens n'a nule force.
De son cors aieser s'eforce.
A Malpertuis en vint les sauz
Ou gaires ne crent lor asaus.
1395 Con il entra en Malpertuis,
Si ferma sa porte et son huis.
Il se pleint molt et se dehaite.
Ses plaies li lie et afaite
Hermeline qui est sa feme.
1400 Renart li a dit : « Douce dame,
Ou monde a une merveille,
Que cil qui a mal fere veille,
Cil qui mordrist et cil qui emble
Et qui autrui avoir asemble
1405 O par faus plet o par usure
Et qui de loiauté n'a cure,
A celi ja mal ne carra
Ne ja ne li mesavendra.
Plus meschet il et mesavient
1410 A celui qui a bien se tient.
Je di ce que je sai de voir :
Je qui soloie decevoir,
N'avoie de cose disete
Qui por aisse d'ome fust faite ;
1415 Et por ce que je voil bien fere,
Qui onques mes ne me pot plere
Et que je ai pou meintenu,
Por ce m'est il mesavenu.
Jamés nul jor bien ne ferai
1420 Ne ja verité ne dirai,
Reson ne loiauté ne drois.

A cet endroit, il la lui a toute arrachée
et lui a mis la chair à vif.
C'est au prix de mille difficultés que Renart leur a
1385 couvert de plaies,   [échappé,
affaibli à force de saigner :
vous auriez pu le suivre à la trace.
Il est soucieux, irrésolu.
Il sait fort bien que ce n'est pas le moment de paresser
1390 s'il ne se donne du cœur au ventre
car il n'est pas de taille à lutter contre les chiens.
Il s'empresse de se mettre à l'abri.
En sautant, il regagne Maupertuis
où il ne craint plus leurs attaques.
1395 Dès qu'il fut à l'intérieur,
il ferma toutes les portes.
Il se plaint beaucoup, il gémit.
Hermeline, sa femme,
soigne et panse ses plaies.
1400 Renart lui dit : « Ma douce dame,
voyez quelle étrange chose !
Si, dans le monde, quelqu'un s'avise de mal faire,
tuant, volant,
accaparant les biens d'autrui
1405 par faux témoignage ou par usure,
sans se soucier de la morale,
il ne lui arrivera jamais malheur,
il ne connaîtra jamais l'infortune.
Le malheur et l'infortune guettent
1410 celui qui se tient dans le droit chemin.
Je parle en connaissance de cause.
Durant tout le temps où j'ai trompé les gens
je ne manquais d'aucun des plaisirs
qui rendent la vie agréable.
1415 Mais pour avoir voulu faire le bien,
qui m'avait rebuté jusque-là
et que j'avais peu pratiqué,
il m'est arrivé malheur.
Jamais, au grand jamais, je ne ferai plus de bien,
1420 jamais plus je ne suivrai la vérité,
la raison, la loyauté ni la justice.

Por ce que oan une fois
Avoie a bien fere entendu,
M'ierent li dïable rendu.
1425 Certes jamais bien ne ferai.
Ne jamais ne le meintenrai.
Plus ai oü et honte et let
Por un sol bien que je ai fet,
Que por mal que je feïsse onques.
1430 — Sire, fet ele, dites donques
Qui ce vos a fet et conment,
Fet ele, je le vos conmant.
Molt par estes depeliscés,
La verité en delicés,
1435 Con vos estes si descirés. »
Renart qui estoit fort irés
A respundu en sospirant :
« Or me va force enpirant,
Hermeline, ma douce amie ;
1440 Et por ce ne lera ge mie
Por dolor ne per febleté
Que vos n'oés la verité
Conment ai esté asalis
Et conment ai esté bailliz,
1445 Conment ai mal por bien trové.
Je qui sovent ai esprové
Mon sen, ma proece en tos lex,
M'en aloie toz famellex.
      Un poi devant none l'autrier
1450 En aloie par un sentier
Qui bien estoit pres del essart
A un vilein punés Litart
Qui m'a ceste sausse meüe.
Molt grant poor avoie oüe
1455 De deus mastins qui me sivoient
Et bien pres de moi abitoient.
Un pou genci hors de la voie
Por ce que sans dote savoie,
Se il retenir me poüssent,
1460 Qu'en petit d'ore mort m'oüssent,
Et si fusse trop mal mené,

Parce qu'une fois dans l'année
je me suis préoccupé de bien faire,
c'est des démons que j'ai reçu ma récompense.
1425 En vérité, jamais plus je ne ferai le bien,
jamais plus je ne le défendrai.
J'ai retiré d'une seule bonne action
plus de honte et d'humiliation
que de tout le mal que j'aie jamais fait.
1430 — Seigneur, dit Hermeline, dites-moi donc
qui vous a arrangé de la sorte et comment :
parlez, je vous en supplie.
Votre pelisse est en lambeaux,
racontez-moi exactement
1435 comment on a pu vous déchirer ainsi. »
Renart, qui était fort affligé,
lui a répondu en soupirant :
« Mes forces déclinent,
Hermeline, ma douce amie ;
1440 mais ni ma douleur, ni ma faiblesse
ne m'empêcheront
de vous apprendre la vérité,
comment j'ai été attaqué,
comment j'ai été traité,
1445 comment j'ai été payé d'ingratitude.
Moi qui ai si souvent à travers le monde
fait éclater mon intelligence et ma valeur,
je cheminais tout affamé.
   L'autre jour, dans l'après-midi
1450 je m'en allais par un sentier
tout proche de l'essart
d'un sale péquenot, de Liétard
— c'est lui qui m'a préparé ce plat de sa façon.
Je me remettais d'une grande peur
1455 que m'avaient causée deux mâtins à me suivre
et à me serrer de près.
J'avais légèrement obliqué hors du chemin,
sûr et certain
que, s'ils m'avaient attrapé,
1460 ils m'auraient tué en peu de temps,
et m'auraient rudement malmené.

Quant trovai un chesne chevé,
Que molt estoie ja lassé.
En pou d'ore fui repassé,
1465 En nul liu n'avoie esté mors.
Puis que des mastins fui estors
Sanz plaie avoir par ma proesce,
Petit prisai cele lasece.
Tandis que je me reposoie
1470 Ou cros qui ert delez la voie
Qui ert del essart Litart prés,
Si oï le vilein engrés
Qui a son buef se dementoit,
Et ne hoiloit ne ne chantoit.
1475 Il ploroit, si n'avoit pas tort,
Que par ire et par desconfort
A dan Brun l'ors premis l'avoit,
Ne de lui conseil ne savoit.
Con il me conta son afere,
1480 Lors conmença je bien a fere,
Je qui onques mes bien ne fiz :
La quit je que je me mesfiz
Quant je fis bien a mal oür.
Le vilein fis lié et seür ;
1485 Por le vilein devin venerres,
Tant fis que li vilein mentierres
Brun l'ors ocist, si l'en mena.
Tel gerredon rendu m'en a :
Aprés moi a ses chens hués.
1490 Bien ai esté despelicez
Si con il est aparissant.
Ausi m'est avis que je sant
Lor denz ez oreillez, ez naches.
Ma coe ont retenue en gages
1495 Lez troi mastins a lor sacher.
Mes Litart le conperra cher,
Se do tot mon sen ne decline.
— Lessiez ester, dist Hermeline,
Ne soiez pas si ezmaiez !
1500 Ja n'estes vos gaires plaez :
Or vos doüssiés deporter

Au moment où je trouvai un chêne creux,
j'étais à bout de forces
mais peu de temps suffit à me remettre,
1465 car je n'avais pas été mordu.
Comme par un tour de force j'avais échappé aux mâtins
sans aucune blessure,
cette fatigue comptait peu à mes yeux.
Tandis que je me reposais
1470 dans le creux, à côté du chemin
situé tout près de l'essart de Liétard,
j'entendis le paysan hors de lui
se lamenter auprès de son bœuf :
ah ! il ne lançait pas des cris de joie, il ne chantait pas...
1475 Il pleurait : ce n'était pas sans raison
puisque, dans un mouvement de colère et de décourage-
il avait promis son bœuf à sire Brun l'ours   [ment,
et ne savait plus quoi faire.
Lorsqu'il me raconta l'affaire
1480 je me mis, pour la première fois de ma vie,
à faire le bien.
Ce fut là, je pense, une lourde erreur
que de bien faire, et je la payai.
Le paysan retrouva sa bonne humeur et son assurance.
1485 Pour l'aider, je devins veneur
et fis si bien que ce paysan déloyal
tua Brun l'ours et l'emporta.
Et voici quelle fut ma récompense :
il a lancé ses chiens à mes trousses,
1490 et je fus tout dépenaillé
comme on peut le voir.
Il me semble encore sentir
leurs crocs dans mes oreilles, dans ma croupe.
Les trois mâtins, à force de tirer,
1495 ont gardé ma queue en gage.
Mais Liétard me le paiera cher,
si j'ai encore quelque astuce !
— Calmez-vous, dit Hermeline,
ne vous tourmentez pas ainsi !
1500 Vos blessures sont sans gravité
et vous devriez maintenant oublier

De cest mal et reconforter,
Que vos estes en esperance
De prendre hastive venjance,
1505 S'un po vos voleez pener.
La charrue en poroiz mener,
Depecher et el bois repondre.
Le vilein porrois si confondre
Petit et petit totes voiez.
1510 O vos li enblez ses coroiez :
Issi le porriez grever
Que de dol le ferez crever,
Le vilein felon deputere.
Ja ne doüssiez tel dol fere.
1515 Ce vos doüst tot dedoloir
Que vos solonc vostre voloir
En esclairerés vostre cuer.
— Bele conpaigne, doce sor,
Dit il, bien ert faite la chose. »
1520 Huit jors tos pleners se repose
Que il en avoit grant mester.
Ses plaies a fait afaiter
A Hermeline bien sovent,
Et ele de cuer i entent.
1525   Renars de sa plaie se delt.
Por ce que il recovrer velt
Sa force que avoit perdue,
Rien ne fet ne ne se remue
De Malpertus sa maison fort.
1530 Ce li done grant reconfort
Que il set que bien grevera
Litart, con il s'en penera.
Huit jors tos pleners i sojorne.
A mienuit un main s'atorne,
1535 Por le vilein contralïer
Qui ses bues a pris a lïer.
Et tandis con il les asamble,
Renars ses coroies li emble,
Que bons mestres estoit d'enbler.
1540 Or puet li vilein asambler
Ses bues et amener en toit.

ce malheur, reprendre courage,
car vous pouvez espérer
vous venger rapidement,
1505 pour peu que vous vous en donniez la peine.
Vous pourriez prendre sa charrue,
la mettre en pièces, en cacher les morceaux dans le bois.
Ce serait une façon de le réduire à la misère
lentement mais sûrement.
1510 Vous pourriez aussi lui voler ses courroies,
ce serait une autre façon de l'atteindre :
il en crèverait de douleur,
cet enfant de salaud !
Inutile de continuer à vous lamenter :
1515 comment ne pas être consolé à la pensée
que vous pourrez, à votre gré,
soulager votre cœur ?
— Chère compagne, ma tendre sœur,
dit-il, ce sera fait, et bien fait. »
1520 Il se repose pendant une semaine entière :
il en avait bien besoin.
Il demande très souvent à Hermeline
de soigner ses plaies,
ce qu'elle fait de bon cœur.
1525 Ses blessures le font souffrir.
Désireux de recouvrer
ses forces,
il ne fait rien, ne quitte pas
Maupertuis, sa demeure fortifiée.
1530 Ce qui lui remonte le moral,
c'est la conviction de nuire à Liétard
dès qu'il s'en donnera la peine.
Il reste là une semaine entière.
Un jour, de fort bonne heure, il se met en route,
1535 décidé à s'en prendre au paysan
qui a commencé à attacher ses bœufs sous le joug.
Pendant ce temps,
Renart lui vole ses courroies :
il était passé maître dans l'art de voler.
1540 A présent, le paysan peut bien réunir
ses bœufs et les ramener à la maison.

Il crioit en haut et chantoit
Con hom qui d'agait ne se garde.
Et plus n'i demore n'atarde.
1545 Vers le boisson en ala droit,
Et les coroies pas ne voit.
Quiert les et requiert par la terre,
En encor les poïst il querre,
C'on dit, qui ne trove, ne prent.
1550 Et li vileins tot d'ire esprent,
Jure et rejure, si s'espert
Por ce que sa jornee pert.
Il est dolanz et trespensez,
Et de Renart s'est apensés
1555 Que par ire le defïa.
« Alas ! fait il, il m'espïa,
Renart li leres, li traïtres,
Car le tenist la mort sobitez !
Le gerredon m'a pris a rendre
1560 Por ce que je ne li voil rendre
Blanchart que devoit estre suens.
Li gerredons n'en est pas boens.
Je ne puis a lui forçoier,
Il me porroit ja peçoier
1565 La teste que ja nel verroie.
Volenters m'en repentiroie,
Se rien i valoit repentance.
Mal i fis onques desfïance
A Renart qui si me puet nuire.
1570 Et a s'entente a moi destruire,
Que ce emble don ai besoing.
Il seit que li marchez est loing,
J'auroie ainçois maint pas marchié
Que fusse venu au marché,
1575 Si en sereit li aler grés
Que la voie n'est mie briés,
A ce que tort sui de deus hances.
Or puis oan mes en amances ¹

1. G. Tilander a compris : « Est-ce que je peux, dans le trouble où je
suis maintenant, envoyer labourer mes bœufs dans les champs ?
(*Notes...*, p. 682). *Amances, amanches* aurait le sens d'« émoi ».

Il criait à tue-tête, il chantait,
à mille lieues de soupçonner un piège.
Pas question de traîner, de perdre une minute.
1545 Il se dirigea droit vers les buissons
et là, pas de courroies !
Il cherche à droite, à gauche :
il aurait pu chercher longtemps car,
comme on dit, celui qui ne trouve pas ne risque pas de
1550 Alors le paysan entre dans une colère noire,   [prendre.
avec force jurons il se désespère
de perdre sa journée.
Triste, soucieux,
il pense soudain à Renart
1555 qu'il a défié sous le coup de la colère :
« Hélas ! dit-il, il m'a espionné,
ce voleur, ce traître de Renart.
Ah ! s'il pouvait tomber raide mort !
Il a commencé à me rendre la monnaie de ma pièce
1560 parce que je lui ai refusé Blanchard
qui devait lui revenir.
C'est un mauvais salaire.
Je ne suis pas de force à lutter avec lui
car il est capable de me rompre
1565 la tête avant même que je m'en aperçoive.
Je lui ferais bien volontiers des excuses
si cela pouvait servir.
Comme j'ai eu tort de défier
Renart qui peut ainsi me nuire
1570 et s'attache à me ruiner,
en me volant ce qui m'est indispensable !
Il sait que le marché est loin d'ici,
qu'il me faudra faire des pas et des pas
avant d'y arriver,
1575 et que je souffrirai en chemin
car la route est longue,
d'autant que je boite des deux jambes.
Je n'ai plus désormais qu'à laisser partir

Les bues par ces chans envoier.
1580 Bien me fet Renart desvoier
De mon besoing et destorber.
Mal gré mien m'estuet sejorner.
N'oüsse mester de sojor
Ne de repos ne nuit ne jor.
1585 Toz jorz me croist ovre et entente. »
Tandis que Litart se demente,
Timer li asnes Espanois
Qui ne crent jelee ne nois,
Oï dementer son seignor.
1590 A li est venu sans demor.
Or saura il qu'il a, s'il puet.
« Sire, fet il, il vos estuet
Bon conseil prendre et demander,
Qu'en ne poroit pas amender
1595 Einsi vostre avoir ne acrestre.
Le vaillant d'un povre cevestre
Renart, s'il puet, ne vos laira,
Que envers vos felon cuer a.
S'entente est a vos essiller.
1600 Et bien vos saurai conseiller
Conment Renart iert abetez,
Se loiaument me prometez
A doner une mine d'orge.
— Timer, dit Litart, par seint Jorge,
1605 Se par vos estoit enginniez
Li reprovés, li rechigniez,
Je vos donrai tant cherdon tendre !
Et qui est qui le porroit prendre ?
Jenz engigne, oisiax et bestes,
1610 Qui sovent fet croisir les testes.
Je ne sai ore ome si sage,
Ne oisel ne beste sauvage,
Qui Renart poïst decevoir,
Por qoi jel poïsse savoir,
1615 Que je ne l'alasse requerre
La outre la mer d'Engleterre
Que trop set Renart renardie,

mes bœufs à l'aventure, à travers champs.
1580 Renart a bien réussi à contrarier
mes projets et à me gêner dans mon travail.
Il m'impose un repos forcé
à moi qui n'aurais dû m'arrêter
ni la nuit ni le jour,
1585 tant ma besogne et mes affaires s'accumulent. »
Pendant que Liétard se désole,
Timer, l'âne espagnol,
qui ne craint les gelées, ni la neige,
entend les lamentations de son maître.
1590 Il l'a rejoint sans tarder
et va tenter alors de savoir ce qu'il a :
« Maître, dit-il, il vous faut demander
un bon conseil et le suivre,
car ce n'est pas ainsi que vos biens
1595 prospéreront et fructifieront.
Renart, s'il le peut, ne vous laissera pas
la queue d'un radis,
c'est votre ennemi juré
et il ne pense qu'à votre ruine.
1600 Je peux vous fournir un bon moyen
pour duper Renart
si vous me promettez en toute loyauté
de me donner en échange une mesure d'orge.
— Timer, dit Liétard, par saint Georges,
1605 si vous réussissiez à tromper
ce maudit, ce grincheux,
combien de tendres chardons ne vous donnerais-je pas !
Mais qui pourrait l'attraper ?
Il berne les hommes, les oiseaux et les bêtes,
1610 on ne compte plus les têtes qu'il a broyées.
Je ne connais pas pour l'instant d'homme assez habile,
d'oiseau ou de bête sauvage
capables de tromper Renart ;
si je savais qu'il en existe
1615 je n'hésiterais pas à aller le chercher
au-delà de la mer d'Angleterre.
Renart connaît toutes les astuces,

Nule beste n'est si hardie. »
Timer respont : « En dit, ce quit,
1620 Encontre veizié requit.
.Quidiez Renart ait tel eür
Que il soit adés aseür ?
Renart le larron o sa feme
Vos rendrai par col o par jame
1625 Forment lié a vos coroiez.
— Et conment fere le porroiez ?
— G'i ai bon barat porveü
Par quoi il seront deceü,
Dont il ert mort et ele morte.
1630 Mort me ferai devant la porte
A Malpertuiz le suen repere.
Bien saurai sanblant de mort fere.
Sitost con il me troveront,
A mes membres se lieront
1635 De vos coroiez conme fol.
Et je sosleverai le col,
Fuiant les en amenerai.
— Timer, loiauté vos tenrai.
De mon orge aurez vostre part. »
1640 Atant d'ilecques se depart,
Et s'en ala grant aleüre,
Et le grant trot et l'embleüre
Tant que il vint a Malpertuis.
Tout estendu se couche a l'uis,
1645 De terre a le musel couvert.
Hermeline a son huis ouvert,
La famme Renart, si le voit.
« Sire Renart, se Diex m'avoit,
A planté de la char avons.
1650 Ja tant despendre n'en saurons
Deus mois de l'an conme est ici,
Devant cest huis, la Dieu merci.
Je voi ester ici selonc
Un asne qui est gros et lonc.
1655 Il est mors ore devant nonne.
Les couroies Lietart me donne,
Que je les voudrai atachier

aucune bête n'a son audace.
— L'on dit, je crois, répond Timer,
1620 à malin, malin et demi.
Croyez-vous que la chance sourie à Renart
au point de l'assurer toujours de la victoire ?
Ce voleur de Renart et sa femme,
je vous les livrerai solidement attachés, avec vos cour-
1625 par le cou ou par la patte.   [roies,
— Et comment y arriverez-vous ?
— J'ai en tête un bon stratagème
qui les abusera l'un et l'autre
et provoquera leur mort à tous deux.
1630 Je ferai le mort devant la porte,
à Maupertuis, sa demeure.
Je saurai bien jouer le mort.
Dès qu'ils me trouveront,
ils s'attacheront sans réfléchir à mes membres
1635 avec vos courroies.
Alors, je relèverai la tête
et je les ramènerai à toute vitesse.
— Timer, je tiendrai parole.
Vous aurez votre portion de mon orge. »
1640 Alors l'âne de quitter ces lieux
et de se rendre à vive allure,
au trot, au galop,
à Maupertuis.
Il s'étend de tout son long devant la porte
1645 et recouvre son museau de terre.
Hermeline, la femme de Renart,
ouvrant la porte, le voit :
« Seigneur Renart — que Dieu me guide ! —
nous avons de la viande en quantité.
1650 Nous ne viendrons jamais à bout
en deux mois de ce qu'il y a ici,
devant cette porte, grâce à Dieu.
Je vois, étendu ici de tout son long
un âne, gros et grand.
1655 Il est mort dans l'après-midi.
Donne-moi les courroies de Liétard,
je vais les attacher, à lui d'un côté,

A lui et a moi pour sachier
Et pour atraire le ceens.
1660 — Fole, dist Renart, c'est neens.
Se tu veuls, si i tire et sache,
Je n'i trairai hui que je sache.
Ja Diex ne m'aït ne li saint,
Se je ne cuit que il se faint.
1665 Pour fol me velt espoir tenir.
Tost t'en pourra mesavenir,
Se tu aus courroies t'ataches.
Mors le dont tout avant es naches,
El pis, en la teste et es flans
1670 Si forment qu'en saille li sans,
Et se par ce ne se remue,
Si l'en pourras mener en mue,
Puis que pour voir le sauras mort. »
Atant court celle, si le mort,
1675 Par devers la nache l'assaut
Durement que li sans en saut
Ou pis, es flans et en la teste.
Mais Timer, qui ert dure beste
Et qui trop mal endurer puet,
1680 Ne se remue ne ne muet.
« Renart, fait elle, or es mauvais
Qant pour les courroies ne vais :
Il est mors, jel te di sanz faille.
As tu paour qu'il ne t'assaille ?
1685 Tu crienz pour fin noient et doutes,
Aporte les courroies toutes
Que tu getas derrier la porte. »
Renart les courroies aporte
Qui doute encor qu'il ne se faigne.
1690 Mais elle li monstre et enseigne
Conment il feront, et li neue
La plus fort courroie a la queue.
« Renart, fait elle, ci treras,
Et de tirer chargié seras.
1695 Il poise pour ce qu'il est mors ;
Et tu qui es assez plus fors
Que je de totes ovres faire,

et à moi de l'autre, pour le tirer
et le transporter à l'intérieur.
1660 — Folle que tu es, dit Renart, ton idée ne vaut rien.
Tire et traîne si le cœur t'en dit,
moi, je me garderai bien de m'en mêler.
Que jamais Dieu et les saints ne m'assistent
si je ne suis sûr qu'il nous joue la comédie!
1665 Il me prend peut-être pour un imbécile.
Tu t'en repentiras bien vite
si tu t'attaches aux courroies.
Commence donc par le mordre aux fesses,
au poitrail, sur la tête et les flancs;
1670 mords-le jusqu'au sang;
et, si malgré cela il ne bouge pas,
alors tu pourras le mettre à l'abri,
car tu seras sûre qu'il est bien mort. »
Alors celle-ci se précipite, le mord,
1675 l'attaque aux fesses
avec une telle violence que l'âne saigne,
elle le mord au poitrail, aux flancs et à la tête.
Mais Timer, qui est un animal résistant
et dur au mal,
1680 ne fait pas le moindre mouvement.
« Renart, dit-elle, quel lâche tu fais
en refusant d'aller chercher les courroies!
Il est mort, je t'assure.
Crains-tu qu'il ne t'attaque?
1685 Ta méfiance et tes craintes sont sans aucun fondement.
Apporte toutes les courroies
que tu as jetées derrière la porte! »
Renart le fait,
bien qu'il flaire encore un piège.
1690 Mais elle lui montre et lui explique
comment ils vont s'y prendre et elle noue
la plus grosse courroie à sa queue.
« Renart, fait-elle, tu tireras ici,
ce sera ton travail.
1695 Il pèse car il est mort.
Toi, qui, pour n'importe quoi,
as beaucoup plus de forces que moi,

Dois devers le plus pesant traire,
Et je trairai selonc ma force,
1700 Mais que tu de traire t'efforce ! »
     Plus ne demourent ne ne dïent,
Aus courroies forment se lïent.
Comme il se furent atachié.
Tant ont et tiré et sachié
1705 Que traïné l'ont sor le sueil.
Tymers li asnes ouvri l'ueil
Et a levé la teste en haut.
En talent a que il s'en aut
Mes que bïen les voie liez.
1710 Et Renars conme veziez
Li vit la teste remuer.
Bien set que il les veult grever,
Et si est en peril de mort,
Se par guile ne li estort.
1715 Il se doute, sa famme apelle :
« Hermeline m'amie belle,
Acour ça tost, si me deslie !
La parole m'empire et lie
De la puor de l'ort pertuis
1720 Qui me vient au nés : plus ne puis
Puor souffrir ne endurer
Ne puis ci longuement ester.
Acourez ça, se Diex vous saut,
A pou que li cuers ne me faut.
1725 Ceste puour orde et punaise
Plus que n'est pertuis de privaise,
M'a ja le corps affebloié
Et de traire tout desvoié.
Se m'en plaing, ne m'en dois blamer,
1730 A pou que ne me fait pasmer
Celle puour qui ou corps m'entre.
Doloir me fait le cuer du ventre
Li ors vens du pertuis punais.
Miex vousisse estre sur une ais
1735 De privee ou me geüsse
Que pres du pertuis du cul fusse
Qui ici me fait mal au cuer,

tu dois tirer du côté le plus lourd.
Moi, je ferai ce que je pourrai.
1700 Mais surtout mets-y toutes tes forces ! »
    Sans perdre une minute ni ajouter un mot,
ils s'attachent solidement aux courroies.
Cela fait,
ils ont tiré tant et si bien
1705 qu'ils ont traîné l'âne sur le seuil.
Timer ouvre un œil,
soulève la tête.
Il a bien envie de partir,
mais pas avant que les deux autres ne soient bien liés.
1710 Renart, très malin,
a vu bouger sa tête.
Il sait que l'âne cherche à leur nuire
et qu'il est en danger de mort,
s'il ne trouve une ruse pour lui échapper.
1715 Inquiet, il appelle sa femme :
« Hermeline, ma chère amie,
accours vite ici et détache-moi !
Je bafouille, je bredouille
à cause de la puanteur qui sort de ce sale trou
1720 et m'arrive aux narines. Je ne peux plus
supporter cette infection
ni rester ici un instant de plus.
Viens vite — que Dieu te sauve ! —
Je suis sur le point de m'évanouir.
1725 Cette odeur fétide et répugnante,
pire que celle d'une fosse d'aisance,
m'a déjà ôté toutes mes forces
et m'empêche de tirer.
Si je me plains ne me le reproche pas :
1730 cette puanteur qui m'envahit
me fait presque perdre connaissance.
Le vent dégoûtant de ce trou nauséabond
me barbouille le cœur.
Je préférerais mille fois
1735 être couché sur un siège de cabinet
plutôt que d'être près de ce trou du cul
qui me soulève le cœur.

Certes ja morrai, belle suer,
Il me sert de trop aigre vent.
1740 S'or estoie lïez devant,
Je sai bien que sanz nul secours
Le trairoie je le grant cours :
Ja ne t'i convendra a traire.
Ne me puez ore secours faire
1745 Ici endroit qui si me plaise,
Se tu m'ostes de tel messaise.
Tout sui ja couvert de suor
De l'angoisse et de la puor
Qui si me fet le cuer doloir.
1750 Si t'aïst Diex, ça vien oloir !
La puour dont je suis destroiz
Puez sentir, se tu ne me croiz.
Et vien ça, deslie moi tost !
Cele puour le cuer me tost.
1755 A pou que ne m'a mort geté. »
Hermeline en a grant pitié,
Si cuida que voir li deïst,
Et doutoit, s'elle nel feïst
Sanz delai son conmandement,
1760 Il i morroit soudainement.
Plus tost que pot le deslïa.
Renars tantost li escrïa,
Qant il se senti deslié :
« A poi ne somes conch'ié
1765 Par ton conseil, folle chetive !
Ne fusses pas enquenuit vive
Se tost ne fusse desliez.
Bien nos a Timer espiez
Qui mener nos voloit en vile
1770 Par tel barat et par tel gile,
Qui mort se fet et il est vis.
Onques ne me pot estre avis
Qu'il fust mors si con tu disoies.
Ies tu fole que le quidoies ?
1775 Quidier ! Mes il est fox qui quide.
Chascun met tote son estuide
En barat qu'en ne set qui croire.

Vraiment, je vais mourir, ma chère sœur,
car il m'envoie un vent trop fétide.
1740 Ah! si j'étais attaché du côté de la tête,
je suis bien sûr que, sans l'aide de personne,
je le traînerais au pas de course,
tu n'aurais même pas besoin de tirer.
Pour l'heure, le meilleur service
1745 que tu puisses me rendre,
c'est de me soustraire à ce supplice.
Me voici déjà tout couvert de sueur,
le cœur étreint et chaviré
par la puanteur.
1750 Par Dieu, viens donc ici sentir!
Cette puanteur qui m'asphyxie,
tu peux venir la sentir si tu ne me crois pas!
Viens ici, détache-moi tout de suite.
Je défaille...
1755 Je suis presque mort... »
Hermeline, apitoyée,
croyait qu'il disait vrai,
craignant, si elle n'obéissait pas
sans délai à ses ordres,
1760 de le voir tomber raide mort.
Elle s'empressa de le délier au plus vite.
Aussitôt qu'il se sentit libre,
Renart lui hurla :
« Nous avons frôlé la catastrophe
1765 à cause de ton idée, pauvre folle!
Tu n'en aurais plus pour longtemps à vivre
si je n'avais pas été détaché rapidement.
Timer nous a tendu un beau piège,
lui qui voulait nous ramener
1770 par ruse à la ferme
en faisant le mort, alors qu'il est bien vivant.
Je ne parvenais pas à croire
qu'il était mort, comme tu l'affirmais.
Es-tu folle pour avoir confiance en lui?
1775 Avoir confiance! Il faut avoir perdu la raison!
Chacun s'efforce de tromper son prochain
si bien que l'on ne sait plus qui croire.

Ja nos en menast a grant eire
Timer ches le vilein Litart
1780 Se je parlasse un po a tart.
Mes li vileins le conperra.
— Renart, fet ele, or i paira
Con tu li feras conparer :
Tu en sez plus que bues d'arer.
1785 Mais onques danz Coars li levres,
Qui de poor prennent les fevres,
Ne fu si de poor destroiz
Con tu ies ore a ceste foiz
Qui dotes une morte beste.
1790 — Je li vi or lever la teste,
Pute fole, et ovrir les euz.
Quides tu que je croie meuz
Tun dit que ce que je verrai ?
— Ja, fet ele, ne te crerai,
1795 Que par poor l'as contrové.
Or ai ton corage esprové
Au besoing et ta mavaisté,
Qui si t'a semons et hasté
De laissier ce dont tu dois vivre.
1800 Bien puis dire tot a delivre
Que de grant mavaiste t'avient.
Se ça par aventure vient
Ysengrins et Hersens la love,
Povre en iert ma part et la toe,
1805 Que bruire en feront lor grenons.
Quant a nostre oes char ne pernons,
A peine le iras loin querre.
Covre ton chief et bien le serre,
S'esparne ton cors et repose,
1810 Que tu n'as mester d'autre chosse.
Trop par es ore acoardis.
— Dame, fet il, ainz sui hardiz,
Qant je voi m'anor et mon prou ;
Mes ne m'i troverés hui prou
1815 Por vos metre en peril de mort.
— Renart, fet ele, tu as tort
Qui si me mens apertement.

Déjà, Timer nous aurait conduits à bride abattue
chez le paysan Liétard
1780 si j'avais trop tardé à parler.
Mais le paysan va me le payer !
— Renart, fait-elle, on va bien voir maintenant
comment tu le lui feras payer.
Ah ! oui, tu t'y connais plus qu'un bœuf en matière de
1785 Mais jamais maître Couart le lièvre,   [labour.
à qui la peur donne de la fièvre,
n'a été aussi terrorisé
que toi, à cette heure,
qui tremble devant un cadavre.
1790 — Je lui ai vu soulever la tête,
maudite garce, et ouvrir les yeux.
T'imagines-tu que je vais me fier plus
à tes paroles qu'à mes propres yeux ?
— Jamais je ne te croirai, dit-elle :
1795 c'est la peur qui t'abuse.
Maintenant, je sais ce qu'il y a au fond de ton cœur,
je sais par expérience que la lâcheté
t'a poussé
à négliger des vivres.
1800 Je te le dis tout net :
c'est la faute à ta grande lâcheté !
Si, par hasard, Isengrin et Hersant la louve
viennent par ici,
ils nous laisseront une toute petite part,
1805 bien contents d'en faire craquer leurs mâchoires.
Puisque nous ne profitons pas de cette viande,
tu devras aller en chercher au loin, à grand-peine.
Couvre ta tête d'une coiffe, serre-la bien,
ménage-toi, repose-toi,
1810 c'est tout ce que tu demandes.
Tu n'es plus qu'un froussard !
— Madame, dit-il, j'ai du courage bien au contraire
quand il y va de mon honneur et de mon profit ;
mais vous ne me verrez pas exercer mon audace
1815 pour mettre vos jours en danger.
— Renart, réplique-t-elle, tu as tort
de me mentir avec un tel aplomb.

Or saches bien veraiement,
Se as coroies ne te lies,
1820 Certes ja por riens que tu dies
Ne m'i porras tant esmaer
Que je ne m'i voisse essaier
Orendroit si c'on le verra.
— Et je sui cil qui soffera
1825 Ceste aventure a qui qu'il tort.
Voirs est, qui ne peche, s'encort.
Ne m'en blamer, se maus t'en vient ! »
Cele qui ne prisse ne crient
La parole de son sengnor,
1830 La fort coroie, la grennor
Qu'ele avoit loie a la coe,
A la quisse deriers la noue.
Forment la lie et atache,
Por meuz tenir la tire et sache.
1835 Son col i lie et puis sa quisse
Por ce que meus tenir i puisse.
Tandis que tirot et sachot,
Timers li annes qui bien sot
Que Renart ne pot enginner,
1840 Forment se prist a aïrer.
Durement recinne et se leve.
Molt annuie Renart et greve,
Quant mener en voit Hermeline.
« Trop par as esté feme fine,
1845 Fet il, mais tu as esté fole,
Quant mon conseil et ma parole
As du tot mis a nonchaloir.
Ne te puis ore rien valoir;
Mes grant mester t'oüst oü
1850 Mon los, se l'oüsses creü.
De toi aider n'ai nul pooir.
Ton grant orgoil et ton voloir
Conparras oncor hui trop cher.
Timers me quida acrocher
1855 Por metre es meins o tu carras.
Une autre fois si me creras,
Se vive t'en puez revenir.

Sois tout à fait persuadé que
si tu ne t'attaches pas aux courroies,
1820 je ne me laisserai effrayer
par aucune de tes paroles
et rien n'empêchera que je m'y essaie
à l'instant même, comme on va le voir.
— Et c'est moi qui souffrirai
1825 de cette aventure, quel que soit son dénouement,
tant il est vrai qu'on est puni sans avoir péché.
Mais ne viens pas me faire de reproches s'il t'arrive
L'autre, ne tenant aucun compte   [malheur ! »
des paroles de son mari,
1830 noue la courroie la plus solide et la plus longue
qui était liée à sa queue,
à la cuisse arrière de l'âne.
Elle fait un nœud solide
et serre fort pour qu'il tienne mieux.
1835 Elle s'attache au cou puis à la cuisse
pour avoir une meilleure prise.
Tandis qu'elle tirait et serrait,
Timer constatant
qu'il n'avait pas réussi à attraper Renart,
1840 entra dans une violente colère.
Grinçant des dents, il se relève.
Quelle peine, quel chagrin pour Renart
quand il voit emmener Hermeline !
« Tu étais une femme parfaite
1845 dit-il, mais tu as été bien folle
de ne tenir aucun compte
de mes conseils et de mes propos.
Je ne peux plus rien pour toi
mais mon avis t'aurait été très utile,
1850 si tu l'avais cru.
Il m'est impossible de te porter secours.
Tu vas aujourd'hui payer très cher
ton fol orgueil et ton obstination.
Timer s'imaginait m'accrocher
1855 pour me remettre dans les mains où tu vas tomber.
Une autre fois, tu me croiras,
si du moins tu en reviens vivante.

Mes ce ne puet mes avenir,
Perdue es : a Deu te conmant.
1860 Commant, fet Renars, et comment
Irai ge au vilein plaider
Savoir se te porroie aider ?
Ge ne quit que jamais me voies. »
Timers s'en corroit totevoies,
1865 Onques de corre ne se tint
Tant qu'a la porte Letart vint.
   A grant merveille s'esjoï
Lietart quant son asne ot oï,
Et puis qu'Hermeline a veüe
1870 Qui molt estoit et mate et mue,
Traïnant la cuisse a la terre.
S'espee ala meintenant querre
Qui ert enruillie et frete.
A peine l'a del fore trete
1875 Que il quide que Renars soit.
S'espee traite va la droit,
Bien se cuide de li vencher.
A un coup li quida trencher
La teste, mais il a failli.
1880 Hermeline si haut sailli,
Qui n'iert mie trop entestee,
Que le coup ne l'a adesee.
Hermeline a peor eüe :
Mes la colee a receüe
1885 Timer que la quisse a trenchie.
Lietart meïsmes l'a venchie
Tost de son enemi mortel.
Traïnant en porte a l'ostel
La quisse a grant joie fesant.
1890 Renart trova mu e taisant.
Quant il l'a veüe venir,
De rire ne se pot tenir,
Quant la quisse vit traïnant.
« Renart, dont ne su je vaillant ?
1895 Or se puet Timers esventer
(De ce me puis je bien vanter)
Que la quisse en avom de ça.

Mais c'est impossible,
tu es perdue : je te recommande à Dieu.
1860 Oui, je te recommande à Dieu, dit Renart, car comment
pourrai-je plaider ta cause auprès de ce paysan,
pour essayer de te tirer d'affaire ?
Je crois que tu ne me reverras jamais. »
Et, pendant ce temps, Timer de courir
1865 sans ralentir l'allure
avant d'arriver à la porte de Liétard.
    Celui-ci nage dans la joie
lorsqu'il entend son âne
et qu'il voit Hermeline
1870 prostrée, muette,
traînée sur le sol par la cuisse.
Aussitôt, il va chercher son épée,
une épée rouillée et ébréchée,
qu'il sort avec beaucoup de mal de son fourreau,
1875 persuadé d'avoir affaire à Renart.
    L'épée tirée, il marche droit vers elle,
il croit bien tenir sa vengeance.
Il pense lui trancher
la tête mais il rate son coup.
1880 Hermeline, qui n'était pas trop mal en point,
a sauté si haut
qu'elle n'a pas été touchée.
Elle en est quitte pour la peur
mais le coup, c'est Timer qui l'a reçu :
1885 il lui a tranché la cuisse.
Liétard en personne a eu tôt fait
de la venger de son ennemi mortel.
Folle de joie, elle retourne chez elle,
emportant à sa suite la cuisse de l'âne.
1890 Elle trouva Renart plongé dans un profond mutisme
mais, quand il la vit arriver
il ne put s'empêcher de rire
au spectacle de la cuisse qu'elle traînait :
« Alors, Renart, que penses-tu de ma vaillance ?
1895 A présent, Timer peut se vanter
(et moi, je peux m'en attribuer le mérite)
que sa cuisse se trouve par ici.

James Timers fens ne menra.
Bien me quida Litart tuer,
1900 Mes ge me soi bien remuer
Et gandiller et tressaillir
Tant que gel fis a moi faillir,
Ne m'a blecie ne tenue.
— Tel aventure est avenue,
1905 Fet Renart, que nus ne quidoit.
Ne oisel ne beste ne deit
Conme tu fez tel guerredon
Damledeu ne si large don,
De ce qu'il t'a si garandie.
1910 Lietart li pognés foi mentie
Quide estre de moi quite a tant;
Mes bien atent qui par atant.
Ge atendrai molt bien lonc tens,
Que jel ferai, si com je pens,
1915 Plus corocié qu'il ne fu onques.
— Maveiz coart, qu'aten tu donques?
Ge dot molt que cuer ne te faille.
— Quides tu, fole, que jel aille
Dedenz sa meson asaillir?
1920 Tost porroie a mon cors faillir
S'il me huoit ses trois gainnons:
J'auroie en els maus conpaignons.
Mes encore un pou soferai
Tant qu'el bois suel le troverai
1925 Ou n'aura ja de chen aïe.
Lors li ferai tel envaïe
Par paroles et par manace
Que jamais n'iert teuls qu'il me face
Chose qui anuier me doie.
1930 — Renart, fet ele, jel voldroie,
Mes ja en vilein ne te fie,
Por ce s'il te jure et afie,
Ne por nul aseürement:
Par sa foi, par son serement,
1935 Prent en vilein de male escole. »
    Atant laisserent la parole.
Mes Renart pas ne s'oblïa.

Jamais plus il ne charriera du fumier.
Liétard pensait bien me tuer
1900 mais je sus bouger,
me démener, sauter
tant et si bien que je lui fis manquer son coup.
Il ne m'a ni blessée ni capturée.
— Voilà un dénouement tout à fait inattendu,
1905 dit Renart.
Aucune bête, aucun oiseau ne doit
autant que toi faire une action de grâces
à Dieu notre Seigneur et une généreuse offrande
pour le remercier de t'avoir ainsi protégée.
1910 Liétard, ce sale parjure,
s'imagine maintenant être quitte envers moi,
mais il ne perd rien pour attendre.
Je vais prendre tout mon temps
et je vais lui causer, je pense,
1915 le plus grand désagrément de sa vie.
— Misérable lâche, qu'attends-tu donc ?
J'ai bien l'impression que tu manques de courage.
— T'imagines-tu, folle, que je vais aller
l'attaquer chez lui ?
1920 J'aurais tôt fait d'être rattrapé
s'il lançait sur moi ses trois mâtins :
ce seraient pour moi de mauvais compagnons de route.
Mais je vais patienter encore un peu,
jusqu'à ce que je le trouve seul dans le bois,
1925 sans le secours de ses chiens.
Alors, je l'attaquerai si bien
par des paroles et des menaces
qu'il perdra à tout jamais
l'envie de m'ennuyer.
1930 — Renart, fait-elle, je le souhaite,
mais ne fais jamais confiance à un paysan
même s'il jure ou prête serment,
et quelles que soient ses assurances.
Qu'il jure ou qu'il prête serment
1935 un vilain est un mauvais exemple à suivre. »
Ils en restent là
mais Renart ne perdit pas son temps.

Lendemein Lietart espïa
Qui dedenz la forest entroit.
1940 Bien set que o lui n'amenoit
Nul de ses chens en conpaignie.
Hardiement Renart l'escrie :
« Cuvers, fait il, par queil raison
As tu en sel la veneison
1945 Qui fu prisse el defoiz le conte ?
Ge te ferai morir a honte,
Nus hon ne t'en porroit deffendre.
Certes je te ferai ja pendre
Au plus haut cesne de cest bois.
1950 Tot orendroit conter le vois
Au conte ou a ses forestiers.
Se tu avoies cinc sesters
D'esterlins, et fussent besans,
Et tu l'en faisoies presans,
1955 Ne te vaudroit il une amende
Que l'en meintenant ne te pende.
Puis que je li ferai savoir,
Ne porras raençon avoir.
De toi nule pité n'aura,
1960 Sitost con le voir en saura,
Li quens, que volentiers destruit
Celui qui chasce sanz conduit
El bois, et sa venoison emble. »
Lietart, qui tot de poor tremble,
1965 Li dit : « Amis, or m'entendés
Un petit, se vos conmandés.
Par raison doit merci trover
Qui de bon cuer la vout rover.
J'ai mespris vers vos laidement,
1970 Merci vos en cri et demant.
Por Deu, de moi pité vos prengne !
Par le conseil de ma conpaigne
Ai vers vos mespris conme fox.
Molt me poisse que fui si ox.
1975 Des que si ert a avenir,
Des or mes me poes tenir
A vostre serf et a vostre home.

Le lendemain, il guetta Liétard
qui entrait dans la forêt.

1940 Quand il se rend compte qu'aucun de ses chiens
ne l'accompagne,
il l'interpelle avec aplomb :
« Canaille, dit-il, de quel droit
as-tu dans le sel du gibier

1945 pris dans la réserve du comte ?
Je te ferai mourir d'une mort infamante
sans que personne puisse te protéger.
Certes, je te ferai bientôt pendre
au plus grand chêne de ce bois.

1950 Je vais, à l'instant même, te dénoncer
au comte ou à ses gardes forestiers.
Même si tu avais cinq setiers
de sterlings, et même de besants
à offrir au comte

1955 cela n'empêcherait en aucune manière
que l'on ne te pendît sur-le-champ.
Dès que je le lui aurai fait savoir,
tu n'auras plus aucune possibilité de te racheter.
Il se montrera impitoyable

1960 dès qu'il saura la vérité,
le comte : il a coutume de mettre à mort
celui qui chasse sans autorisation
dans le bois et qui lui vole son gibier. »
Liétard, qui tremble comme une feuille,

1965 lui dit : « Mon ami, écoutez-moi donc
un peu, si vous le permettez.
Il est juste que l'on fasse grâce
à qui l'implore du fond du cœur.
Je me suis mal conduit envers vous,

1970 je vous demande, je vous supplie de me pardonner.
Par Dieu, ayez pitié de moi !
C'est la faute à ma compagne
si, sans réfléchir, je vous ai causé du tort.
Je suis désolé d'avoir eu cette audace.

1975 A partir de cet instant
vous pouvez me considérer désormais
comme votre serf et comme votre vassal.

Foi que doi seint Pere de Rome,
James vers vos ne mesprendrai.
1980 Mes tot qanque ge ai tendrai
De vos conme de mon seignor.
Autresi grant doil ou grennor
Ai conme vos, ce sachés bien.
S'envers vos ai mespris de rien,
1985 Tos sui pres de vostre service.
— Volenters par itel devisse
Prendrai, fet Renart, ton homage
Que tu ne honte ne damage
A ton pooir ne me porchaces
1990 Et les trois mastins tuer faches.
A jenollons droit me feras
Et les dis pocins me rendras
Et Blancart que me premeïs
Quant mon conseil me requeïs.
1995 — Sire, fet Lietart, je l'otroi.
Ja seront li mastin tuit troi
Tué devant vos orendroit.
Bien sai que vos avés grant droit
Que lor vie avés enhaïe :
2000 Il vos firent grant envaïe.
Droit vos en ferai volenters.
Vostre amis verais et enters
Voil estre des ore en avant.
Dex me hee, se je ja vent
2005 Nului point de ma norreture !
De vos prendrai mes si grant cure
Que tot ert en vostre sesine :
Ane, chapon, oue, geline.
Chascun jor aurés a plenté
2010 Tot selonc vostre volenté
Tel char con vos deviseroiz.
Des dis pocins sesiz seroiz
Et de Blancart ja sanz demore.
Mes gardez, se Dex vos secore,
2015 Que par vos nul mal ne me viegne.
Ge sui pres que je me contiengne
Vers vos tot a vostre plaisir.

Par la foi que je dois à saint Pierre de Rome,
jamais je ne vous ferai de tort
1980 mais tous mes biens, je les regarderai
comme venant de vous, mon suzerain.
J'éprouve autant, sinon plus de chagrin
que vous, soyez-en sûr.
Si je vous ai causé le moindre tort
1985 me voici disposé à vous servir.
    — J'accepterai volontiers
ton hommage, dit Renart, aux conditions suivantes :
tu ne chercheras pas volontairement
à m'humilier ou à me nuire ;
1990 tu feras tuer les trois mâtins ;
tu reconnaîtras tes torts à genoux
et tu me remettras les dix poulets
avec Blanchard que tu m'avais promis
lorsque tu avais réclamé mon aide.
1995 — Seigneur, dit Liétard, je vous l'accorde.
Oui, les trois mâtins seront tués
devant vous sur-le-champ.
Je sais que vous avez de sérieuses raisons
de les haïr à mort :
2000 ils vont ont brutalement attaqué.
Je vous donnerai volontiers satisfaction.
Désormais, je veux être
votre ami véritable et dévoué.
Que Dieu me haïsse si je vends jamais
2005 la moindre quantité de vivres !
Je prendrai si grand soin de vous
que tout vous appartiendra :
canes, chapons, oies, poules.
Chaque jour, vous aurez à volonté
2010 et à discrétion
la viande que vous choisirez.
Vous entrerez en possession sans retard
des dix poulets et de Blanchard.
Mais veillez — que Dieu vous protège ! —
2015 à ne me causer aucun mal.
Je suis disposé à satisfaire
vos moindres désirs.

Vos vendrez mes tot a loisir
En nostre meson sejorner.
2020 Ja ne vos en qerrai torner
Tant con demorer i voudroiz.
Un bon recet en tos endroiz
Avez conquis et recovré.
Por ce se j'ai vers vos ovré
2025 Folement par mavais conseil,
Ne soiez vos ja en esveil,
Que, se Dex me gart de pesance,
Ne par trestos les seins de France,
James nul jor ne voudrai fere
2030 Chose qui vos doive deplere.
N'i porriez noiant conquerre,
S'essilliez ere de la terre,
Et ma feme et mi enfant.
Ou se ge ere mis au vent.
2035 Molt par devés ma vie amer,
Que por vostre porrez clamer.
Toz jors mes qanques ge auré
Ert tot a vostre volenté. »
    Renart dist : « Par tens veil savoir,
2040 Se tu me dis mençoigne o voir.
Et se tu ne fas mon plesir,
Par tens t'en ferai repentir,
Se tant fas que li quens le sace.
Mes jamais anui ne damache,
2045 Se tu es prouz, ne te querrai.
Mes en ta meson n'enterrai
Tant que les chens aies tués.
— Bauz sire, or ne vos remuez,
Fet Lietart, ges irai tuer.
2050 — Ja ne me quer a remuer
Tant qu'il soient tué tuit troi.
Alés, fet Renart, jel otroi,
Vos dites et bien et raison. »
Atant s'en cort en sa meson
2055 Lietart qui molt fu adolez.
A sa feme dit : « Se volez
Et vos quidiez que ce soit biens,

Vous pourrez désormais séjourner
tout à loisir chez nous.
2020 Je ne vous demanderai jamais d'en partir
aussi longtemps qu'il vous plaira d'y rester.
Vous avez gagné et acquis là
un bon abri à tous points de vue.
S'il est vrai qu'une fois, mal conseillé,
2025 je me suis conduit envers vous comme un fou,
n'en soyez pas pour autant sur vos gardes !
Aussi vrai que je prie Dieu d'écarter de moi le malheur
et par tous les saints de France,
jamais, au grand jamais je ne voudrai rien faire
2030 qui dût vous déplaire.
Vous n'y gagneriez rien
si j'étais banni
avec ma femme et mes enfants,
ou si je me balançais au bout d'une corde.
2035 Ma vie doit vous être précieuse,
vous pourrez la considérer comme vôtre.
Tous les jours de ma vie, tous mes biens
seront à votre entière disposition.
— Je verrai bientôt, dit Renart,
2040 si tu dis vrai ou non.
Et si tu n'agis pas selon mes vœux,
tu ne tarderas guère à t'en repentir
si je fais ce qu'il faut pour que j'avertisse le comte.
En revanche, je ne te causerai aucun ennui
2045 ni aucun tort si tu te conduis raisonnablement,
mais je n'entrerai pas chez toi
avant que tu n'aies tué les chiens.
— Cher seigneur, ne bougez surtout pas,
dit Liétard : je vais les tuer de ce pas.
2050 — Je ne partirai pas d'ici
avant qu'ils soient morts tous les trois,
dit Renart, allez-y, je le permets.
Vos paroles sont sensées et raisonnables. »
Alors Liétard, consterné,
2055 retourne chez lui en courant,
et dit à sa femme : « Si vous le voulez
et si vous le jugez bon,

A tuer convient nos trois chens,
S'avoir volon pais a Renart.
2060 Et si li rendrai le Blancart,
Et les pocins avoc tot dis
Li rendrai qu'orendroit li dis,
En la forest ou il m'atant.
Il ne nos costera ja tant
2065 Qu'il ne nos poïst plus coster,
S'il au conte l'aloit conter
Qu'el bois ai sa venoison prise.
Tantost feroit de moi justice :
Tantost seroie ars ou pendu,
2070 N'en porroie estre desfendu.
Par avoir ne por rienz qui soit.
Noz enfanz essiller fereit,
Mort serien et confondu. »
Brunmatin li a respundu,
2075 Que contredire ne li ose :
« En fere l'estuet a grant chose.
Del tot fetes sa volenté,
Se vos amés vostre santé
Et vostre bien et vostre vie.
2080 Avoir devés grennor envie
De vostre vie que d'avoir.
— Bele suer, vos dites savoir.
— Blanchart et les pocins prenez,
Et les trois mastins li menez ! »
2085 Lietart enz el retor s'est miz :
Les chens, le coc et les pocins,
Li garçon enmeine lïez ;
Et Renart conme voizïez
Vers l'ostel au vilein se tret,
2090 Que molt redote son agait,
Que assaillir a chens nel fache.
Entre ses denz molt le manache,
Que se jamais vers lui mesprent,
Molt sera iriés s'il nel prent.
2095 Lietart et les chens voit venir
Q'il faisoit au garçon tenir.
Renars li conmence a hucher :

nous devons tuer nos trois chiens :
la paix avec Renart est à ce prix.
2060 En outre, je lui remettrai le Blanchard
avec les dix poulets
que je lui ai annoncés à l'instant,
dans la forêt où il m'attend.
C'est peu si l'on considère
2065 ce qu'il nous en coûterait
s'il allait raconter au comte
que j'ai pris son gibier dans le bois.
Celui-ci me jugerait sur-le-champ.
Je serais aussitôt brûlé ou pendu
2070 sans que rien ni personne
puissent me défendre.
Il bannirait nos enfants,
nous serions tués et exterminés. »
Brunmatin, n'osant le contredire,
2075 lui a répondu :
« Nécessité fait loi,
obéissez en tous points à Renart
si vous tenez à votre santé,
à votre bien et à votre vie.
2080 Votre vie a plus d'importance
que la richesse.
— Chère sœur, vous parlez d'or.
— Prenez Blanchard et les poulets
et amenez-lui les trois mâtins ! »
2085 Liétard a pris le chemin du retour.
Le valet emmène les chiens,
le coq et les poulets attachés.
Renart s'approche avec prudence
de la maison du paysan :
2090 il craint fort de tomber dans un piège,
d'être attaqué par les chiens.
Il grommelle des menaces entre ses dents,
au cas où l'autre l'offenserait une fois de plus,
cela lui ferait mal de ne pouvoir s'emparer de lui.
2095 Il voit venir Liétard et les chiens
tenus en laisse par le valet
et lui lance :

« Ne fai pas vers moi aprocer
Les chens, mais orendroit les tue! »
2100 Litart une pesant maçue
Tenoit qu'il ot el bois coillie.
Les mastins a un chesne lie,
De la maçue les asome.
Or le tent Renart a prodome
2105 Puis que les trois mastins voit mors.
« Lietart, fait il, molt estes fors
Qui si savés bon coup ferir.
Gel vos voldrai molt bien merir.
Ce que m'avés fet vos pardon
2110 Et m'amor tot vos abandon,
Que molt par a bel present ci.
— Renart, fait il, vostre merci,
Que vostre amor m'avés donee.
Tote vos ert abandonee
2115 Ma norreture et quanque j'ai.
Plus sereie jalos que gai,
Se jamais vers vos mespernoie. »
Atant prent Renart, si manoie
Blancart et les dis pocinez
2120 Que li aporte Martinez.
De Blanchart fist ses gernons bruire,
Onques nel fist plumer ne cuire,
Molt le trova crasset et gros.
Les dis pocins trose a son dos
2125 Et a Deu le vilein conmande,
S'en porte a l'ostel sa vïande
Ou il a trové sa maisnie
Qui de fein ert mesaaisie.
De fein estoit et floibe et veine.
2130 De joie fu sa feme pleine,
Quant ele vit Renart venir
Les pocins a son col tenir :
Por conble se tient et por riche.
« Renart, or n'est pas Letart cice.
2135 — Non, fet Renart, mes bien heité.
Bien ai ceste foiz esploitié
Que si m'en sui venus trosez :

« Ne laisse pas les chiens s'approcher de moi.
Tue-les immédiatement ! »
2100 Liétard tenait un énorme gourdin
qu'il s'était taillé dans le bois.
Il attache ses mâtins à un chêne
et les assomme.
A présent que Renart voit les trois mâtins morts,
2105 il le tient pour un homme d'honneur.
« Liétard, dit-il, comme vous êtes fort !
quel bon coup que voilà !
Je veux vous en récompenser.
Je vous pardonne vos fautes envers moi
2110 et je vous donne toute mon amitié
car voici un cadeau de roi !
— Renart, répond Liétard, je vous remercie
de m'accorder votre amitié.
Je mets à votre entière disposition
2115 et mes vivres et tous mes biens.
Je serais plus fâché que n'importe qui
s'il m'arrivait un jour de vous nuire. »
Alors Renart prend et tâte
Blanchard et les dix poulets
2120 que lui apporte le petit Martin.
Il fait craquer Blanchard sous ses dents,
sans prendre la peine de le plumer ou de le faire cuire :
il le trouva gros et gras à souhait.
Il charge les dix poulets sur son dos,
2125 recommande le paysan à Dieu
et emporte ces vivres chez lui
où il trouve les siens
en proie à la faim,
affaiblis et épuisés.
2130 Sa femme fut folle de joie
en voyant revenir Renart,
les poulets au cou.
Elle se voit riche et comblée.
« Renart, Liétard n'est pas pingre à présent !
2135 — Non, dit Renart, mais il est aussi tout à fait en forme.
J'ai bien su manœuvrer cette fois
puisque je rentre chargé de vivres.

Se je n'eüsse esté loez [1]
Par Lietart tot a ma devise,
2140 Gel feïsse metre a la bise,
Au conte a sa gent le deïsse.
Pendre en la forés le feïsse
Que sa veneison li embla.
Il tressailli molt et trembla,
2145 A jenellon me fist omage.
Jamais ne me fera damage
Ne nule rien qui me desplese.
— Renart, trop estes ore a aise,
Dist Hermeline, que ge cuit
2150 Que tu n'as pas le ventre vuit.
Tu es plus a aise que gié,
Que tu as hui Blancart mangié
Qui molt ert et cras et rognez.
Se Lietart est bien ranponez
2155 Par toi, que me puet ce valoir?
Ne m'en puet pas grantment chaloir,
Se tu as ton ese et tes buens.
Moi et mes enfanz et les tuens
Lez de fein morir a mesese,
2160 Mes je sereie molt maveise,
Se de fain morir me laissoie
Tant con pres de ces pocins soie.
A ces pocins fet bon entendre. »
Atant cort, si prist le plus tendre,
2165 Si le manga a un sol mors.
Un des autres a le col tors :
A sa maisnie le depart,
A chascun a doné sa part.
   Renart quide bien son prou fere.
2170 De Malpertuis son fort repere
Il vint lendemein par matin,
Veoir Letart son bon voisin

---

1. La leçon que nous avons choisie est celle de *G* et *H* (*A* a : *Se je n'estoi luez; O: S'ensi n'eüsse esté lasse*). G. Tilander comprenait : « Si je n'avais été loué par Lietard, je l'aurais fait pendre. » L'on peut préférer les leçons de CM : *Se n'eüsse eü mon assez*, ou de B : *Se je n'eüsse eü mon sez*.

Si Liétard n'avait pas accepté
toutes mes conditions,
2140 je l'aurais fait condamner à la corde.
Je l'aurais dénoncé au comte, à ses gens,
je l'aurais fait pendre dans la forêt
pour vol de gibier.
Il se mit à trembler de tous ses membres
2145 et me fit hommage à genoux.
Jamais il ne me nuira
ni ne s'opposera à mes désirs.
— Renart, dit Hermeline, tu te sens bien
maintenant parce qu'il me semble
2150 que tu n'as pas le ventre vide.
Tu es plus gâté que moi,
car tu as mangé Blanchard aujourd'hui
qui était gras et replet.
Si tu t'es bien moqué de Liétard,
2155 quelle belle jambe cela me fait?
Il ne m'importe pas beaucoup
de te savoir satisfait et comblé.
Tu nous laisses mourir, moi, mes enfants
et les tiens, dans les affres de la faim.
2160 Mais je ne vaudrais pas cher
si je me laissais mourir de faim
avec ces poulets à portée de la main.
Ils méritent qu'on s'intéresse à eux. »
Sur ce, elle court, s'empare du plus tendre
2165 dont elle ne fait qu'une bouchée.
Elle tord le cou d'un autre
et le partage à ses petits,
donnant sa part à chacun.
    Renart compte bien exploiter ce filon.
2170 Le lendemain matin, il quitta
Maupertuis, sa demeure fortifiée
et se rendit chez Liétard, son bon voisin

Qui le reçut a molt grant joie.
Disner le fait d'une crasse oie
2175 Que il li avoit estoïe,
Et bien li avoit encrassie.
Brunmatin qui tot en tremblant
Li mostre d'amor bel semblant,
Molt l'aplanie et si le loe.
2180 Renart li fet sovent la moe
En repost qu'ele nel voit mie;
Et ele le sert sanz boisdie,
Ne li ose rien refuser,
Que molt redote l'encuser.
2185 A sa volenté le pessoit,
Et Renart qui bien s'encrasseit
Qui de la car ert envieus;
Et Lietart fu molt covoiteus,
De lui servir prent molt grant cure.
2190 Bien aproça sa noreture.
Renart qui sovent en pernoit
Totes les ores qu'il voloit,
Sovent i demore et sejorne,
Si que quant a l'ostel retorne,
2195 Ne pot au vilein remanoir
Oe, capon, coc blanc ne noir,
Ne pocinet ne cras oison
(Tot porte Renart en meson)
Jeline ne megre ne crasse.
2200   De Renart encor vos contasse
En bon endroit, mes moi ne loist,
Qar autre besoingne me croist.
A autre romanz voil entendre
Ou l'en porra greingnor sens prendre,   .
2205 Se Dex plaist et se Dex m'amende.
Ja de clerc qui reson entende
N'en serai blamé ne repris,
Se g'ai en aucun liu mespris
En tote ma premere ovragne,
2210 Que pou avient qu'en ne mespregne,
Ou au chef ou a la parclose,
S'il n'est aüsez de la cose.

qui l'accueillit à bras ouverts.
Pour son dîner, il lui donna une oie grasse
2175 qu'il avait préparée
et engraissée pour lui.
Brunmatin, toute tremblante,
lui manifeste la plus vive amitié,
multipliant les flatteries et les louanges.
2180 Quand elle a le dos tourné,
Renart lui fait mille grimaces,
mais elle, sans tricher, le sert
et n'ose rien lui refuser
de crainte d'une dénonciation.
2185 Elle le nourrit à son gré.
Et Renart grossit à vue d'œil,
lui qui est friand de viande.
Liétard était à ses petits soins,
il s'appliquait à le servir,
2190 à lui avancer les plats.
Renart en prenait et en reprenait
à toute heure du jour et de la nuit,
faisant de fréquents séjours chez Liétard,
si bien que, lorsqu'il s'en retourna chez lui,
2195 il ne resta au paysan
ni oie, ni chapon, ni coq blanc ou noir,
ni poulet ni oison gras,
ni poule maigre ou grasse :
Renart avait tout pris.
2200   J'aurais volontiers continué à vous raconter
les véridiques aventures de Renart mais le temps me
car une autre œuvre m'appelle.   [manque,
Je désire entreprendre un autre récit en français
d'une portée plus haute
2205 s'il plaît à Dieu de m'aider.
Jamais un clerc raisonnable
ne me tiendra rigueur,
si quelque faute s'est glissée
dans cet ouvrage de novice.
2210 Il est rare qu'on ne commette pas d'erreur
au début ou à la fin
lorsque l'on manque d'expérience.

BRANCHE X

Se or vos volïez taisir,
Seignor, ja porïez oïr,
S'estïez de bone memoire,
Une partie de l'estoire
5 Si con Renart et Ysengrin
Guerroierent jusqu'en la fin.
Se vos me prestés vos oreilles,
Ja vos voldrai dire merveilles
De Renart qui est vis maufés :
10 Toz sui espris et escaufés
De Renart dire en tel endroit,
Sanz delaiement orendroit,
Q'einc n'oïstes en si bon leu.
De lui e d'Ysengrin le leu.
15 La ou Nobles tenoit sa feste,
Ou asenblee ot meinte beste,
Que tos li païs en fu pleins,
La n'ossast pas estre vileins,
Qar ledement i fust botez.
20 N'en i ot nul ne fust dotez
Et de haut pris et de haut non.
Onc n'i ot se frans homes non
Qui por onorer lor seignor
Fesoient feste la grennor
25 Que nus hom deviser soüst.
Onc n'i out celui qui n'oüst
Robe au meins de vair o de gris.
Mes li chasteleins de Valgris
(C'est Renart de qui tos maus sort)

Renart trompe Roënel le chien
et Brichemer le cerf — Renart médecin

Si maintenant vous vouliez bien vous taire,
seigneurs, vous pourriez entendre,
avec un petit effort de mémoire,
une partie de l'histoire
5   qui conte comment Renart et Isengrin
se firent la guerre à n'en plus finir.
Si vous me prêtez une oreille attentive,
je suis prêt à vous raconter des choses extraordinaires
sur Renart qui est le diable en personne.
10 Je suis tout émoustillé, tout excité,
à l'idée de vous raconter son histoire ici-même,
sans plus attendre,
car jamais vous n'avez entendu parler en un si bel endroit
de lui ni d'Isengrin le loup.
15   Le jour où Noble donnait sa fête
qui réunissait une foule d'animaux,
tout le pays en était plein,
un manant n'aurait osé s'y présenter,
car on l'aurait mis à la porte sans ménagements.
20 Il n'y avait que des gens puissants et redoutés,
de haute valeur et de grand nom,
il n'y avait que de nobles seigneurs
qui, pour honorer leur suzerain,
faisaient la fête la plus grande
25 que l'on ait jamais pu décrire.
Personne ne s'y rendait sans porter
au moins un costume de vair ou de petit-gris.
    Mais le châtelain de Valgris
— il s'agit de Renart, source de tous les maux —

30 N'iert pas adonc venu a cort.
Neporec si fu il mandé,
Voire par Dé, et demandé
Plus de dis fois, voire de vint;
Mes onc por ço plus tost n'i vint,
35 Ne ja mais, s'il puet, n'i vendra,
Mes li rois, ce quit, li vendra,
S'il le puet tenir, sans respit,
Ce qu'il a sa cort en despit,
Et dit: « Seignor, a vos me cleim
40 De Renart dont g'ai tant recleim,
Cel traïtor, cel deputere.
Nel devés pas celer ne tere,
Nel voil laissier en nul endroit:
De si grant honte selonc droit
45 Jugiez le moi solonc raison!
Et puis vos dirai l'aceson,
Bel seignor, se vos conmandez,
Por qoi vos ai ici mandez. »
   Quant il ot sa raison finee,
50 Chascun a la teste enclinee.
Molt sont forment pensif et morne
Del jugement trestuit a orne.
Onques n'i osa un sol grondre,
Li uns let a l'autre respondre.
55 Chascun se test, chascun escote,
Chascun se crent, chascun se dote,
S'il fet sor Renart jugement
Si qu'il li tort a nuisement,
Autretel honte li fera
60 (Ja si bien ne s'en gardera)
S'il en puet liu ne aise avoir:
Ice seit bien chascuns de voir,
S'en est chascun en grant destrece,
Quant li lox Ysengrins se drece
65 Qui Renars ot fait meinte guenche;
Or est honiz s'il ne s'en venche,
Que jamés n'en aura tel ese.
Dist Ysengrins: « Rois, or vos plese
A escoter que je voil dire:

30 n'était pas alors venu à la cour,
bien qu'il eût été convoqué,
c'est la stricte vérité, et invité
plus de dix fois et même de vingt.
Il n'y vint pas plus vite pour autant,
35 et, s'il le peut, il n'y viendra jamais.
Mais le roi, s'il arrive à le prendre,
lui fera payer, et sans délai,
le mépris qu'il affiche envers sa cour :
    « Seigneurs, dit-il, je me plains à vous
40 de Renart contre qui j'ai tant de griefs ;
je me plains de ce traître, de cette canaille.
Vous ne devez pas vous dérober,
je ne veux pour ma part renoncer à aucune poursuite :
pour un outrage si grand au regard du droit,
45 jugez-le conformément à la raison.
Ensuite je vous dirai, nobles seigneurs,
si vous me le demandez,
la raison pour laquelle je vous ai convoqués ici. »
    Quand il eut terminé son discours,
50 tous tinrent la tête baissée,
tous sans exception accablés et sombres
à l'idée de rendre ce jugement.
Pas un seul n'osa protester,
chacun laissant à l'autre le soin de répondre.
55 Chacun se taisait, chacun écoutait,
chacun craignait et redoutait
de prononcer contre Renart un jugement
qui pût se retourner contre lui,
de peur que Renart ne lui rendît la pareille
60 (et qu'il fût désarmé contre lui)
si une occasion favorable se présentait.
Comme chacun était pénétré de cette certitude,
chacun était plongé dans une terrible angoisse.
    C'est alors que se dressa le loup Isengrin
65 à qui Renart avait joué de nombreux tours.
Sa réputation est perdue s'il ne se venge de lui,
car jamais il ne retrouvera une aussi belle occasion.
« Sire, dit Isengrin, veuillez
être attentif à mes paroles.

70 Je sui vostre hom lige, baux sire,
　Por ce si vos doi conseiller,
　Ne s'en doivent pas merveiller
　Cil qui devers Renart se pendent.
　Mes or oés et si entendent,
75 Quant autre ne s'en vout movoir,
　Ge m'en irai parmi le voir.
　　Rois, or oiés, se tu conmandes,
　Del jugement que tu demandes,
　Ge vos di bien a mon esgart
80 Que mesfait vos a molt Renart,
　Quant il vostre conmandement
　A trespassé si faitemant
　Ne deinna devant vos venir :
　Bien l'en devroit mesavenir.
85 Rois, molt vos a grant honte fete
　Cil gars, cil leres, cele sete,
　Que bien savés que un mois a,
　Que onques tant ne vos proisa
　Qu'il vos deingnast contremander,
90 Ne jor ne respit demander.
　Rois, or en pernés la venjance
　Por le despit, por la veltance,
　Por la honte que vos a fet.
　De c'est par droit sanz autre plet
95 Que sa terre facés sesir,
　Si en fetes vostre plesir,
　E lui faites metre en prison.
　Ja n'en doit avoir garison,
　Que li autre ne s'i amordent. »
100 Li rois e tex i a s'acordent
　Au jugement e a l'esgart
　Qu'Ysengrins a fet sor Renart ;
　Et tex i a qui molt en poise,
　Mes n'en oserent fere noise,
105 Que trop estoit Renart haïs.
　Le jor en fust morz e traïz
　Que ja n'en fust resucités
　(Ce est la fine verités)
　Se ne fust dant Tybers li chaz

70 Il est de mon devoir d'homme lige, cher seigneur,
   de vous assister de mes conseils,
   et les partisans de Renart
   ne doivent pas s'en étonner.
   Ecoutez-moi, et qu'eux aussi m'entendent.
75 Puisque personne n'a voulu commencer,
   je suivrai, moi, le chemin de la vérité.
        Sire, avec votre permission, écoutez-moi
   sur l'affaire que vous nous demandez de juger.
   Je vous affirme que Renart, me semble-t-il,
80 a très mal agi envers vous,
   passant outre à votre commandement
   de façon si nette qu'il n'a pas daigné
   se présenter devant vous :
   il devrait lui en cuire !
85 Roi, vous avez été bafoué
   par cette canaille, cette crapule, cette sale bête,
   car vous savez bien que depuis un mois,
   il ne vous a pas tenu en assez haute estime
   pour daigner s'excuser de ne pouvoir comparaître,
90 pour daigner demander un délai ou un répit.
   Sire, c'est le moment de vous venger
   de son insolence et de son mépris,
   de la honte qu'il vous a faite.
   Vous avez donc le droit, sans autre forme de procès,
95 de faire saisir sa terre
   et d'en disposer à votre gré,
   et lui, de le faire jeter en prison,
   sans accepter aucun recours,
   afin que personne ne suive son exemple. »
100   Le roi et quelques-uns de ses vassaux approuvèrent
   le jugement et l'arrêt
   qu'Isengrin avait prononcés contre Renart ;
   d'autres en étaient mécontents,
   sans pourtant oser protester,
105 tant la haine contre Renart était forte.
   Le jour même, il aurait été mort et enterré,
   sans jamais pouvoir ressusciter
   — c'est la stricte vérité —
   si le seigneur Tibert le chat

110 Quil delivra par son porchaz,
    Qu'il se porpensse del outrage
    Qu'il li ot fet et del hontage,
    Quant il el piege le fist prendre,
    Mes encore li quide il vendre,
115 Se il en puet venir en leu.
    Malgré dant Ysengrin le leu,
    Or si li vout Tybert aidier.
    Huimes l'orrés por lui plaidier,
    Qar volenters le secorroit,
120 Savoir s'acorder se porroit
    A Renart qui est corociez.
    Si s'est molt tost en piez dreciez,
    Et sor son dos gete sa coue
    Et sa langue aguise et desnoue
125 Por bien parler, et si herice
    Trestoz les pouz de sa pelice.
        Tuit se taisent parmi la sale,
    Et Tybert desferme sa male
    E dit au roi : « Sire, or escote,
130 Lai le coissin, si pren la cote [1] !
    De tote rien est il droiture
    Que l'en esgart sens et mesure.
    Rois, or escote ma parole !
    N'a pas esté a bone escole
135 Ysengrins por jugement fere ;
    Dont il li venist meus a tere
    Que fere esgart ne jugement
    Dont en deïst aprés qu'il ment.
    N'est pas li jugement loiax
140 Que il a fet, ançois est fax.
    Ne rien nule ne fet a croire

---

1. La *coute* désignait « un lit de plume, un matelas », et était par
conséquent beaucoup plus grand et confortable qu'un petit *coussin* que
l'on mettait sur les sièges. Le sens de l'expression, *lai le coissin, si pren
la cote*, « laisse le coussin et prends la couette », est donc : « De deux
choses prends la meilleure ». Autres expressions de sens analogue : *La
keute lait, si prant l'estrain*, « il laisse la *couette* et prend la paille », « il
prend le mal pour le bien » ; et *gerpist le chef por la qeue* (I, 1229) « il
laisse la tête pour la queue ».

110 ne l'avait aidé à se tirer de là,
au souvenir de la honte et de l'affront
qu'il avait infligés à Renart,
en le faisant prendre au piège.
D'ailleurs, le goupil compte bien le lui faire payer un
115 S'il peut en trouver l'occasion.   [jour,
Contre sire Isengrin le loup
Tibert veut maintenant lui porter secours.
Vous allez l'entendre plaider en sa faveur aujourd'hui
car, s'il désire le secourir,   [même,
120 c'est dans l'espoir de se réconcilier
avec Renart qui ne l'a pas dans son cœur.
Aussi le chat de se dresser sur ses pieds.
Il lance sa queue sur son dos,
il aiguise et délie sa langue
125 pour bien parler, et hérisse
tous les poils de sa fourrure.
Le silence se fait dans la salle
et Tibert vide son sac,
disant au roi : « Seigneur, écoutez-moi,
130 laissez le paillasson et prenez le riche tapis,
en tout il convient
de garder sens et mesure.
Roi, écoutez donc mes paroles.
Isengrin n'a pas bien appris
135 à rendre un jugement ;
aussi aurait-il mieux fait de se taire
plutôt que de prononcer un avis ou un jugement
qui par la suite le fasse traiter de menteur.
Le jugement qu'il a rendu
140 n'est pas juste mais injuste,
et rien n'incite à croire

Chose qu'il die, c'est la voire,
Que ce poés vos bien savoir
C'onques ne porent pes avoir
145 Li vassal nul jor de lor vie,
Ainz sont par mal et par envie.
Et par cele mortel haïne
Qui longement lor est voisine,
A fait Ysengrins sor Renart
150 Fol jugement et fol esgart.
Trop est d'aus deus la gerre amere.
Tort a li leus qui son compere
Velt forjuger en tel manere
Et de la cort jeter arere.
155 Sire, maveis conseil vos done
Cil qui de ce vos araisone
Que Renars soit deseritez
Et fors de vostre cort jetez.
Ne l'en creés jamés, bau sire !
160 Savés que de Renart puis dire ?
N'avés vairez en vostre terre
Baron meus sache fere gerre
Ne contrester ses enemis,
Ne qui meuz s'en soit entremis.
165 Sire, por ce, devant l'esgart,
Doüssiés somondre Renart
Par un de vos pers et mander.
Ne doüssiez pas conmander,
Fere somondre par garçon
170 Tel chevalier ne tel baron.
Par Deu, sire, molt me mervel
Que d'Ysengrin creés conseil ;
Ne por son dit, ce est la some,
Ne devez honir un franc home.
175 Par Deu, sire, ce est la pure,
Trop seroit lede chose et dure
S'il n'i avoit autre achoison.
Rois, regardés a la raison,
Que qui raison ne set et tient,
180 Sa vitaille vet tost et vient.
Et ne por ce, solonc mon senz,

ce qu'il raconte, je vous le certifie,
car vous n'êtes pas sans savoir
que ces vassaux ne purent jamais vivre en paix
145 un seul jour de leur vie ;
mais la méchanceté et l'envie les divisent,
et cette haine mortelle
qu'ils nourrissent depuis des années,
explique qu'Isengrin ait rendu contre Renart
150 un jugement stupide et donné un avis insensé.
Ils se livrent une guerre acharnée.
Le loup a tort de vouloir
condamner irrégulièrement son compère
et le faire chasser de la Cour.
155 Seigneur, c'est un mauvais conseil qu'on vous donne
quand on vous invite
à déshériter Renart
et à le bannir de votre cour.
Ne l'en croyez jamais, cher seigneur !
160 Savez-vous ce que je puis dire de Renart ?
Vous n'avez guère sur votre terre
de baron qui sache mieux guerroyer,
combattre ses ennemis,
ou mieux se tirer d'embarras.
165 C'est pourquoi, seigneur, avant de rendre votre juge-
vous devriez convoquer Renart   [ment,
par un de vos pairs qui le priera de venir.
Vous n'auriez pas dû charger
un valet de bas étage de convoquer
170 un chevalier, un baron de cette trempe.
Par Dieu, Seigneur, je suis très surpris
que vous suiviez le conseil d'Isengrin.
Vraiment, vous ne devriez pas, sur la foi de ses paroles,
couvrir de honte un homme noble.
175 Par Dieu, seigneur, c'est la stricte vérité,
ce serait pure infamie,
s'il n'y avait pas d'autre chef d'accusation.
Roi, soyez raisonnable,
car celui qui ne suit pas la voie de la raison,
180 dilapide bien vite ses biens.
Pourtant, autant que je puisse juger,

Vos en dirai ce que je pens :
De pecheor misericorde !
D'omes ocis prent en acorde.
185 Bons rois, or le faites semondre
Qu'il viegne a cort et por respondre
De quanque demander sauras.
Se ce fes, bon conseil auras.
Et lores, s'il ne vient a cort,
190 N'est merveille se mal l'en sort,
Qar se cest plait vout refuser,
Ne l'en doit mes nus escuser,
Car il resembleroit enfance,
Ançois en pren lors ta vengance. »
195   Atant se test, ne vout plus dire.
Et li rois conmença a rire,
E li baron dïent ensenble :
« Bien a parlé, si con nos senble. »
Lors ot Ysengrins molt grant honte,
200 Quant Tybert ot defet son conte :
Trestuit le prennent a huier,
Sachez molt li puet anuier.
Mesire Nobles si se leve :
« Segnor, fet il, molt par me grieve
205 De cest cri et de ceste noise ;
Mes de Renart qui si me boise
M'ensegniez que je porrai fere
Et a qeil chef g'en porrai trere.
Volentiers i envoieroie
210 Un prodome, se jel savoie.
— Sire, dist Belin li motons,
Nos entendons et escotons.
Se vos i volés envoier,
Ne vos en estuet nul proier,
215 Mes conmandés qui vos plera
Le message e il le fera.
— Belin, ce dist Nobles li rois,
Molt par estes prous et cortois.
Ja maveis conseil ne donroiz.
220 Savés ore que vos ferez ?
Dites Roënel le mastin

je vais vous dire ce que j'en pense :
à tout pécheur miséricorde !
De mort d'homme on accepte bien réparation.
185 Noble roi, faites-le convoquer dès maintenant,
qu'il vienne à la cour et réponde
à toutes les questions que vous voudrez bien lui poser.
Si vous agissez ainsi, vous vous féliciterez d'avoir suivi
Dès lors, s'il ne vient pas à la cour,   [ce conseil.
190 il sera normal qu'il lui arrive malheur,
car s'il refuse cet arrangement,
personne ne pourra plus lui trouver la moindre excuse,
à moins de passer pour un demeuré ;
vous, bien au contraire, vous pourrez vous venger de lui. »
195   Alors, Tibert se tait, jugeant inutile d'en dire davan-
et le roi de se mettre à rire,   [tage,
et les barons de dire en chœur :
« A notre avis, voilà qui est bien parlé. »
Ysengrin est profondément humilié
200 de voir son argumentation ruinée par Tibert.
Tous commencent à le huer,
pour sa plus grande confusion.
Messire Noble se leva et dit :
« Seigneurs, ces cris et ce tapage
205 me déplaisent souverainement ;
indiquez-moi plutôt ce que je pourrais faire
et comment venir à bout
de Renart qui se rit de moi.
Je lui enverrais volontiers
210 un homme de bon conseil, si j'en connaissais un.
— Sire, dit Belin le mouton,
nous vous comprenons parfaitement.
Si vous désirez envoyer quelqu'un auprès de lui,
vous n'avez pas à prier l'un de nous,
215 désignez le messager qui vous plaît,
et il s'exécutera.
— Belin, lui répondit le roi Noble,
vous êtes un modèle de sagesse et de politesse.
Vous n'êtes pas de ceux qui donnent de mauvais conseils.
220 Maintenant savez-vous ce que vous allez faire ?
Dites à Roënel le mâtin

Qu'il soit trestos prest le matin
Et apresté de la besoinne
Et qu'il i voist sans nul esoingne :
225 Ne puis avoir mellor messaje,
Ne plus delivre ne plus sage. »
Roënel l'ot, en piés se drece
E parmi les autres s'adrece
Devant le roi, si li a dit :
230 « Ge fornirai sanz contredit
Le messaje, s'en m'i envoie.
En son païs sai bien la voie.
   — Va donc, dit li rois, si li di
Que devant moi soit mercredi
235 Prez et garniz de soi deffendre,
Ou se ce non, gel ferai pendre
De la somonse del despit
Dont il prist par soi le respit.
Portez mes letres seelees,
240 Gardez ne li soient celees !
Et se cest mandement refuse
Et mon conmandement escuse,
De la moie part le desfie,
Si l'apele de felonie. »
245 Roënel li respont : « Bau sire,
Tot ce li saura ge bien dire
Si que rien nule n'i faudra,
Ou tel cose qui meuz vaudra. »
   Lors prent congié et si s'en torne.
250 A son tref vient et si s'atorne
Al einz qu'il puet e s'apareille.
Sa meinie molt se merveille
En queil leu il voloit aler,
Si le prennent a apeler.
255 Sa feme l'a a raison mis :
« Or me dites, fet ele, amis,
Por queil afaire, por queil oevre
Faites vos ce ? » Cil li descuevre
Qu'el mesage le roi ira,
260 Que li rois molt proié l'en a
Por Renart a cort amener.

de se tenir prêt dès l'aube
à accomplir cette mission,
et d'y aller sans chercher à se défiler :
225 je ne saurais trouver meilleur messager,
plus alerte, plus avisé. »
        A ces mots, Roënel se leva
et, fendant la foule,
se dirigea vers le roi :
230 « Je remplirai de bon cœur
cette mission, si on me la confie.
Je connais bien la route pour aller chez Renart.
        — Va donc, fit le roi, et dis-lui
de se présenter devant moi mercredi,
235 sa défense toute prête ;
sinon, je le ferai pendre
pour avoir méprisé ma convocation,
en s'accordant de lui-même un délai.
Porte-lui ma lettre revêtue de mon sceau,
240 veille à ce qu'il en prenne connaissance ;
et s'il refuse de répondre à ma convocation,
et se dérobe par des excuses,
défie-le de ma part,
et traite-le de félon.
245 — Cher seigneur, répondit Roënel,
je saurai bien lui répéter tous vos propos
sans rien omettre,
et même parler encore mieux. »
        Roënel prend alors congé et s'en va.
250 De retour chez lui, il se prépare
et s'équipe le plus vite possible,
au grand étonnement de sa famille
qui se demande où il a l'intention d'aller
et le presse de questions.
255 Comme sa femme l'a interrogé :
« Dites-moi donc, mon ami,
quelle est l'affaire qui vous pousse
à entreprendre ce voyage », l'autre lui révèle
qu'il ira porter le message du roi
260 qui l'a instamment prié
d'amener Renart à la cour.

« Et ge me voil, fait il, pener
De tot son voloir aconplir.
Por ce fas mes males enplir
265 Et bien atorner mon afere,
Que ne voudroie envers lui fere
Chose dont se doüst irer.
Le matinet, a l'esclairer,
M'estuet movoir, Dex m'en avoit!
270 — Sire, fet ele, Dex l'otroit! »
    Atant laisserent le plaider,
Li lit sont fet, si vont chocer
Jusqu'au matin a l'ajornee.
Ançois que l'aube fust crevee
275 S'est levez, si a pris congié
Que il n'i a plus delaié.
Montez est, si s'en est tornez,
Que il n'i est plus sejornez;
Le grant troton s'en vait a force
280 La matinee tote a orce,
Toz jorz vait la voie plus droite.
Voulez oïr conme il esploite?
Tant chevauche bois et garanne
Qu'en la cit vint de Theroane.
285 Renars, qui se doutoit de guerre,
Avoit fait pourchacier et querre
Charpentiers de pluseurs manieres
Qui li faisoient ses perieres,
Qui ou chastel erent assises,
290 Et mangonneax de pluseurs guises,
Et bonnes portes coleïces
Li fesoient devant les lices.
Ses fossez faisoit redrecier
Et ses passages afaitier
295 Que l'en nes poïst damager.
Atant ez vous le messagier
Roënel qui les lettres porte.
Renart trouva devant sa porte
Qui de ce ne se donne garde.
300 A celle fois il se regarde.

« Je veux m'employer, ajouta-t-il,
à lui donner entière satisfaction.
C'est pourquoi je rassemble mes bagages
265 et prépare mon voyage,
car je ne voudrais pas lui causer
la moindre contrariété.
Au point du jour,
il faut que je me mette en route, que Dieu me guide !
270 — Seigneur, dit sa femme, Dieu le veuille ! »
    Ils s'en tinrent là
et, les lits préparés, allèrent se coucher
jusqu'au petit matin.
Avant que l'aube blanchisse l'horizon,
275 Roënel se leva et prit congé
sans retard.
Il monta à cheval et s'éloigna
sur-le-champ,
vite, au grand trot,
280 dans la même direction tout le matin,
empruntant toujours le plus court chemin.
Voulez-vous savoir ce qu'il fait ?
Il chevauche tant par bois et par garennes
qu'il arrive dans la cité de Thérouanne.
285 Renart, qui s'attendait à la guerre,
avait fait rechercher
différents spécialistes
pour fabriquer des perrières
qu'ils installèrent sur les murs du château,
290 ainsi que des bombardes de toutes tailles ;
ils lui construisirent de solides portes coulissantes
pour fermer les murs d'enceinte.
Renart avait fait aussi creuser les fossés
et renforcer les ouvertures,
295 afin que l'on ne pût pas les endommager.
    Mais voici qu'arrive Roënel le messager,
porteur de la lettre royale.
Il trouva devant sa porte Renart
qui ne s'attendait pas à sa visite.
300 Comme il regardait autour de lui,

Quant il a choisi Roënel,
Sachiez ne li fu mie bel,
Que vers lui n'a mestier treslue.
« Renart, mes sires vous salue,
305 Fait Roënel, li mieuldres rois
Qui soit jusqu'el regne as Irois,
Li mieuldres que onques veïsse. »
Ce dist Renars : « Diex le garisse !
— Or vous conterai mon message
310 Fait Roënel, sanz nul oultrage.
      Renart, fait il, li rois vous mande
Et tout a estroux vous conmande,
Vez ces lettres a testimonie,
Qu'a lui veigniez senz nulle essoine
315 Dedenz sa cort fere droiture
Del despit et de la laidure.
Devant lui soiez mercredi,
De la seue part le vos di.
Molt as mespris vers ton seignor,
320 Onques mais hom tel deshonor
Ne fist a son seigneur en terre,
Que l'autrier vos envoia querre
Et vos n'i daignastes venir :
Bien vous en doit mesavenir.
325 Par moi vous en semont encore
Et par ces lettres. Ne sai ore
Se tu i daingneras venir.
Se tu li veus de ce faillir,
Li rois meïsmes te desfie. »
330 Ce dist Renart : « Ce n'i a mie.
Fox est qui vers seigneur estrive.
James a nul jour que je vive
Ne ferai rien qui li desplaise,
Ainz soufferroie grant mesaise.
335 Ja mar en serez en dotance :
A lui irai sanz demorance.
Or m'ont a li mellé si homme,
Mais par les sains c'on prie a Rome,
Onques son message ne vi,
340 La moie foi vous en plevi.

il ne fut pas ravi, il faut bien le dire,
d'apercevoir Roënel,
car avec lui il est inutile de ruser.
   « Renart, fit l'autre, mon seigneur,
305 le meilleur roi
qui soit jusqu'au royaume d'Irlande,
le meilleur que j'aie jamais vu, vous salue.
— Dieu le protège, répondit Renart.
— Maintenant, poursuivit Roënel, je vais vous délivrer
310 mon message, sans dessein de vous offenser.
   Renart, le roi vous convoque
et vous ordonne tout net,
comme en témoigne cette lettre,
de venir à lui sans chercher de vains prétextes
315 pour rendre raison devant sa cour
de votre mépris et de votre insolence.
Présentez-vous devant lui mercredi,
c'est de sa part que je vous le dis.
Vous avez commis une grande faute envers votre suze-
320 jamais personne au monde n'a fait   [rain ;
un tel affront à son suzerain :
l'autre jour, ne vous a-t-il pas envoyé chercher,
sans que vous daigniez venir ?
Il est normal que vous en soyez puni.
325 Par mon intermédiaire, par cette lettre, il vous somme
une nouvelle fois de venir. Je ne sais pas
si maintenant vous daignerez venir.
Si vous voulez manquer à votre devoir sur ce point,
le roi en personne vous défie.
330 — Il n'en est pas question, répliqua Renart.
Il faut être fou pour résister à son seigneur.
Jamais de toute ma vie
je ne lui causerai le moindre déplaisir :
plutôt souffrir le martyre !
335 Il ne faut pas en avoir le moindre doute :
j'irai vers lui sans perdre une minute.
Ceux qui m'ont brouillé avec lui, ce sont ses vassaux,
mais, par les saints que l'on prie à Rome,
jamais je n'ai vu son messager,
340 je vous en donne ma parole.

Mais tiex ne peche qui encourt.
Or irai avec vous a court
Oïr qu'il me demandera;
Et ce qu'il me conmandera
345 Ferai sanz contredit de rien. »
Dist Roënel : « Vous dites bien,
Or avés parlé conme sage.
Et j'ai bien fourni mon message.
Or n'i a mais que del errer.
350 Faites bien vos chastiax fermer,
Car il nos covient, ce vos di,
Qu'a la cort soions mercredi.
Et si vous en dirai le voir :
Je ne veil pas sanz vous mouvoir,
355 Ainz en irons andui ensemble. »
Renars respont : « Ce bien me semble. »
     A ces paroles s'en tornerent
Cil qui onques ne s'entramerent,
Et se mettent as desarez.
360 Or est Renart molt esgarez
Et va molt ses temples gratant
Et Roënel s'en va devant
Et l'amonneste de troter,
Quant le voit ses temples grater.
365 Mais Renars va touz jours derriere,
Et se pourpense en quel maniere
De Roënel se partira
Et conment il l'engignera.
     Tant chevaucherent li vasal
370 Que il vindrent el fons d'un val
Devant une vile champestre.
Par delez la ville, a main destre,
Avoit vingnes, molt bien m'en membre,
Et fu al entrer de septembre.
375 Vers les vingnes s'est adreciez
Renart qui molt fu courouciez
De Roënel qui si l'esmaie.
Il garde et voit dessous la haie
Une çooignole tendue
380 Que uns vilains y ot pendue,

Mais on peut être puni sans avoir péché.
J'irai donc avec vous à la cour
pour entendre ce que le roi a à me dire ;
et ses ordres, je les exécuterai
345 sans rien contester.
— C'est très bien, dit Roënel,
vous avez parlé comme un sage.
Comme je me suis acquitté de ma mission,
il ne nous reste plus maintenant qu'à nous mettre en
350 Mettez vos châteaux en état de défense,   [route.
car il faut, je vous le répète,
que nous soyons à la cour mercredi.
Et, pour tout vous dire,
je ne tiens pas à repartir sans vous,
355 nous ferons route ensemble.
— Bonne idée », répliqua Renart.
    A ces mots, ces ennemis mortels
se mirent en route,
s'éloignant à vive allure.
360 Voilà Renart fort embarrassé
qui ne cesse de se gratter la tête.
Roënel, devant,
l'encourage à trotter,
quand il le voit ainsi.
365 Mais l'autre continue à marcher derrière,
tout en réfléchissant à la manière
de se débarrasser de Roënel
et de se jouer de lui.
    A force de chevaucher,
370 les deux vassaux arrivèrent au fond d'une vallée
devant une ferme isolée.
A côté, à droite,
il y avait des vignes, je m'en souviens très bien,
et c'était le début de septembre.
375 Renart, très fâché
contre Roënel qui l'effraie,
s'est dirigé vers ces vignes.
Il regarde et découvre sous la haie
un piège
380 qu'avait tendu un paysan

Qui des vignes se faisoit garde.
Bien la congnut, si se regarde
Et vit le morsel en la corde,
Mais n'a talent que il i morde,
385 Mais s'il puet, il i fera prendre
Son conpaignon et entreprendre,
Se il molt bien ne s'echargaite.
Mainte traïson aura faite.
Savez conment l'a deceü?
390 Quant l'enging a apperceü,
Devant le laz qui iert tendus
S'est mis Renart et estenduz
A genoillons et merci crie
Au creatour et si li prie
395 Qu'il le gart des mains au gaignon
Dant Roënel, son conpaignon.
Lors s'est Roonel regardez:
« Renart, fait il, pour quoi tardez?
Quant vous devez venir avant,
400 Pour quoi alez vous demorant?
Renart, fait il, et car venez,
Vous n'estes mie bien senez:
Rendre vous convendra raison.
Pour quoi querez vous achoison?
405 Pour quoi vous alez delaiant
Et de la court si retraiant?
— En mal eür, ce dist Renart,
Touz jours estes vous fox musart.
Je fais ci ilec mes prieres
410 A ces reliques qui sont chieres
Et de grans vertus esprouvees.
En cest païs sont honorees.
Mais vous estes tant fols et grains
Que vous n'avez cure de sainz.
415 — Conment, ce respont Roëniax,
Est cist saintuaires nouviax?
— Oïl, fet soi Renart, bau sire.
Et savez que je vos puis dire?
Ge ne quit pas qu'en tote France
420 Ait reliques de tel puissance

chargé de garder le vignoble.
Il le reconnaît très bien et, l'examinant,
voit l'appât sur la corde.
Si lui-même n'a pas envie d'y mordre,
385 il y fera prendre et attraper,
si possible, son compagnon,
pour peu que celui-ci ne se tienne pas sur ses gardes.
Combien de trahisons n'aura-t-il pas commises !
Et savez-vous comment il l'a trompé ?
390 Dès qu'il a aperçu le piège,
Renart s'est jeté à genoux
devant la corde tendue
et demande grâce
au Créateur qu'il prie
395 de le sauver des mains du mâtin,
sire Roënel, son compagnon,
lequel, regardant à l'entour, lui dit :
« Renart, pourquoi tardez-vous ?
Alors que vous devez avancer,
400 pourquoi restez-vous à la traîne ?
Renart, dit-il, venez donc,
vous n'avez pas tous vos esprits,
il faudra bien vous en expliquer.
Pourquoi cherchez-vous des prétextes ?
405 Pourquoi traînassez-vous
et pourquoi vous tenez-vous loin de la cour ?
— Quel malheur, répondit Renart,
que vous ne soyez toujours qu'un pauvre sot !
Je fais ici mes prières
410 à des reliques qui sont précieuses
et qui ont prouvé leur grande puissance.
On les honore en ce pays,
mais vous êtes si sot, si emporté
que vous vous moquez bien du saint.
415 — Comment, répliqua Roënel,
est-ce un nouveau reliquaire ?
— Oui, cher seigneur.
Et même savez-vous ce que je puis affirmer ?
Je ne pense pas qu'il y ait dans toute la France
420 de reliques aussi puissantes,

Ne ou aviegne tel miracle,
Neïs as poisons seint Romacle [1].
Si vos di bien de verité
Que nus n'a cele enfermeté,
425 Se il aproime au seintuaire,
Jamés ait jor mal ne contraire,
Ne cele beste, si l'atouche
Une fois u dous a sa boce,
Qui jamés soit envenimee
430 Des qu'ele en sera aproimee. »
        Bien seit Renart gent amuser
Et soi par parole escuser.
Et Roonel, que il afole,
Se tret pres de la çooingnole,
435 Et tient bien la parole a voire
Que Renart li a fet acroire.
Et li morsaus de cel engin
Fu de formage de gaïn,
Et li laz estoit estenduz
440 Par dessus deus pessons fenduz,
Et la corde par desus mise
En tel manere et en tel guise
Que se Roonel vient avant
Ou par derere ou par devant
445 Et voille prendre le formage,
Bien i porra avoir damache.
        Roënel a passé la voie.
Il voit l'engin, si s'en esmoie :
Retorner vout, car il se dote
450 Que il ne tiegne male rote.
Reculant sailli de la vigne,
Mes cil qui tot le mont enginne,
Le reconforte e met en voie
Et au seintuaire l'envoie,
455 Et dit : « Sire, ne cremés pas,
Mes alez belement le pas !

---

1. Saint Romacle, ou Remacle, est nommé parmi les saints qui
guérissent de la folie. Remacle, installé à Malmédy dans les Ardennes,
avait fait bénir et remettre en état des fontaines qui passèrent pour
miraculeuses.

capables d'accomplir de tels miracles,
même aux eaux de saint Remacle.
Je vous le dis en vérité :
un malade, quelle que soit son infirmité,
425 s'il approche du reliquaire,
ne souffrira plus jamais d'aucun mal ;
aucun animal, pour peu qu'il le touche
une ou deux fois de sa bouche,
ne tombera plus jamais malade,
430 une fois qu'il s'en sera approché. »
     Renart s'y connaît dans l'art d'amuser les gens
et de se tirer d'affaire avec des mots.
Roënel à qui il fait perdre la tête,
se dirige vers le trébuchet,
435 prenant pour parole d'évangile
ce que l'autre lui a fait croire.
L'appât du piège
était fait d'un fromage gras d'automne,
les filets étaient tendus
440 sur deux piquets fendus,
la corde si adroitement
placée dessus
que si Roënel approche
par-derrière ou par-devant,
445 et s'il veut prendre le fromage,
il risque bien d'avoir des ennuis.
     Roënel, qui s'est avancé,
s'effraie à la vue du piège
et veut faire demi-tour, car il redoute
450 de s'engager dans une mauvaise voie.
Il sort à reculons de la vigne,
mais le roi de la ruse
le rassure, le décide à avancer,
et le dirige vers le reliquaire en disant :
455 « Seigneur, il n'y a rien à craindre,
allez-y carrément !

Bessiez les seinz, si nel leissiez ! »
A cest mot s'est cil abeissiez,
A jenoillon se mist a terre
460 Por le sentueire requerre.
Au bessier si vit le formaje
Dont il ot puis honte et damaje.
Entalentés est molt del prendre
Por ce qu'il le vit gaune et tendre :
465 Gite lez denz, pas ne se tarde,
Porter l'en vout, mais tel le garde,
Qar au sacher li laz destent
Et desus le col li descent,
La ceoignole si l'enporte
470 Amont que molt le deconforte,
Et en tel manere l'atret
A pou le col ne li a fret.
  Roënel conmença a brere :
« Renart, fait il, que porrai fere ?
475 A mal ostel sui descendus,
Que par le col i sui penduz.
Toz m'en est enflés li viaires.
Maldeheit ait tel seintuaires
Qui en teil guise fet baler
480 Cels qui le volent aorer !
Ge me quidoie, c'est la pure,
De vos garder en tel mesure
Et de vos torz et de vos giles
Que vanter m'en poïsse as viles ;
485 Mes or m'en sui si mal gardez
Qu'a honte en serai regardez.
Por ce dit en en reprovier
Que tex quide son dol vencher
Molt bien, qui son ennui porchace
490 Et son damage quiert et brace. »
Renars respont : « Par grant peché
Dont vos estes molt enteché,
Vos est venus icist contraires.
Corociez est li seintuaires
495 Por ce quel volïez enbler.
Bien i parut al asambler :

N'oubliez pas d'embrasser les reliques! »
A ces mots, Roënel se baisse,
s'agenouille
460 pour prier.
En se baissant, il voit le fromage,
qui lui causa honte et ennui.
Pris d'un vif désir de s'en emparer
à le voir jaune et crémeux,
465 il y mord aussitôt
et veut l'emporter, mais impossible,
car, quand il tire, le lacet se détend
et lui tombe sur le cou.
Le piège le soulève
470 à son grand désespoir
et l'entraîne de telle manière
qu'il manque d'avoir le cou brisé.
    Il se mit à crier :
« Renart, que faire ?
475 Me voici logé à mauvaise enseigne,
je suis pendu par le cou,
le visage tout enflé.
Maudit soit le reliquaire
qui fait danser de la sorte
480 ceux qui veulent le prier !
De vrai, je croyais
me garder si bien
de vos tours et de vos ruses
que j'aurais pu m'en vanter dans les villages ;
485 mais je m'en suis si mal méfié
que l'on va se moquer de moi.
C'est pourquoi le proverbe dit
que tel qui croit se venger
court après son malheur
490 et cherche et prépare sa perte. »
    Renart lui répondit : « C'est à cause du grave péché
dont vous êtes fort souillé
que cette mésaventure vous est arrivée.
La relique vous en veut
495 parce que vous vouliez la dérober.
On le vit bien quand vous l'avez touchée :

Oreinz, quant serastes les denz,
Le volieez metre dedenz.
Por ce vos a il retenu,
500 A bon droit vos est avenu.
Ja de laron bien ne vendra,
Ne ja nus bon chef n'en prendra.
Or me puis bien aperchevoir
Que me volïez decevoir,
505 Quant entendre me feseez
Et que por voir me disieez
Por mener fors de ceste terre,
Que dant Nobles m'enveoit querre,
Oreins, quant nos en alïons.
510 Onques dan Nobles li lïons
Ne fist de laron son message
En leu de prodome et de sage.
Or m'en ont venché li cors seint
Et la vertu qui vos destreint.
515 Droiz est qui mal velt fere autrui,
Que le max s'en viegne par lui.
Ge m'en irai, vos remandroiz,
Gardez les vignes, ce est droiz. »
      A ces paroles s'achemine
520 Renars, cil remeist en la vigne.
Molt par s'en est bien delivrés.
Renars s'est au foïr tornez
Et son cheval point tant et broche
Que de son castel vit la roche ;
525 Venus est, si descent au pont.
Ses ovrers qui ses ovres font
Amoneste de tost ovrer
Et de ses portes delivrer
Et de reparer ses fossés,
530 Que bien set qu'il est confessez,
Se li rois vient sor lui a ost.
Il n'a pas poor qu'il l'en ost,
Ançois en seront molt penez.
Molt s'esforce li forsenés
535 De fere fossez et trenchees.
Tot environ a cinc archeies

tout à l'heure, vous avez serré les dents
pour l'avaler.
C'est pourquoi elle vous a capturée,
500 et c'est bien fait.
Jamais on ne tirera rien de bien d'un voleur,
et jamais personne n'aura à se féliciter de ses services.
Je peux maintenant me rendre compte
que vous vouliez me tromper
505 quand vous me faisiez entendre
et prétendiez,
pour m'éloigner de ma terre,
que mon seigneur Noble m'envoyait chercher,
tout à l'heure, au moment du départ.
510 Jamais Messire Noble le lion
ne prit pour messager un brigand
en lieu et place d'un homme honnête et avisé.
Me voici vengé par la relique
dont la puissance vous retient.
515 Il est juste que le mal projeté par le méchant
lui retombe sur la tête.
Moi, je m'en irai, vous, vous resterez.
Gardez les vignes, c'est dans l'ordre des choses. »
    Sur ce, Renart se met en route,
520 tandis que dans la vigne reste l'autre
dont il s'est fort bien débarrassé.
Il prend la fuite,
piquant son cheval de ses éperons tant et si bien
qu'il aperçoit le rocher portant son château.
525 A son arrivée, il descend près du pont-levis
et encourage les ouvriers qu'il avait engagés,
à travailler sans relâche,
à achever les portes
et à mettre en état les fossés,
530 car il sait bien que son compte est bon,
si le roi le surprend avec son armée.
Loin de redouter d'être délogé,
il leur infligera de lourdes pertes.
Le fou furieux s'acharne
535 à faire creuser fossés et tranchées ;
tout autour, à cinq portées d'arc,

Fet un fossé d'eve parfont,
Nus n'i puet entrer qui n'afont.
Desus fu li ponz torneïz
540 Molt bien torné, toz volteïz.
Desus la tor sont les perreres
Qui lancheront pieres pleneres :
N'est nus hom qui en soit feruz
Qui ne soit a sa fin venuz.
545 Les archeres sont as querneax
Par ou li treront les quereax
A damager la gent le roi.
Molt est Renart de grant desroi
Qui si contre le roi s'afete.
550 Sor chascune tor une gaite
Fist metre por eschaugueter,
Et il en avoit grant mester.
Einsi s'est Renart atornés.
Molt fu bien d'eve avironé,
555 Hordeïz ot et bon et bel.
Par defors lez murs du castel
Ses barbacanes fist drecier
Por meuz son castel enforcier.
Soudoiers mande par la terre
560 Qu'il viegnent a lui por conquerre,
Serjanz a pié et a cheval :
Tant en i vint que tot un val
En fu covert. Grant joie en fist
Renart, et meintenant les mist
565 Es barbacanes por deffense.
Nus ne puet savoir ce qu'il pense.
Molt s'est Renart bien entremis
D'aïde querre a ses amis,
Que bien quide sanz nul retor
570 Qu'il soit asis dedenz sa tor.
Grant doute et grant poor en a,
Mes sachez qu'il se defendra,
S'il i vient ame qui l'asaille,
Ja n'en partira sanz bataille.
575   De lui me tairai ore ici,
Mes a Roonel qui pendi

il fait creuser un fossé d'eau profonde
où l'on ne peut entrer sans se noyer.
Au-dessus, on installa un pont tournant
540 fabriqué selon les règles de l'art,
et sur la tour on disposa les machines de guerre
qui lanceront de gros blocs de pierre :
celui qui en reçoit
n'a plus qu'à mourir.
545 Des meurtrières, aménagées dans les créneaux,
permettront de lancer des flèches
pour blesser les troupes du roi.
Quel extraordinaire orgueil chez Renart
qui se dresse ainsi contre son suzerain !
550 Sur chaque tour, il plaça un guetteur
pour monter la garde,
ce qui était une utile précaution.
Le voici prêt :
de l'eau tout autour de lui,
555 de solides et efficaces galeries de bois,
et, à l'extérieur des murs du château,
des barbacanes
qui en renforcent la défense.
Il recruta dans la région
560 des mercenaires,
des fantassins et des cavaliers.
Il en vint de quoi remplir
toute une vallée, à la grande joie
de Renart qui les posta aussitôt
565 dans les barbacanes pour défendre le château.
Sans que personne pût deviner ses intentions,
il s'est employé
à chercher de l'aide auprès de ses amis,
car il est sûr et certain
570 d'être assiégé dans sa tour.
Il a grand-peur,
mais sachez-le, il saura se défendre :
que quelqu'un vienne l'attaquer,
il ne repartira pas sans se battre.
575   Je vais maintenant abandonner Renart
pour revenir à Roënel

En la haie retorneré,
Qui malement fu atrapé.
Durement gient et si baaille.
580 Ne chanjast pas une maaille
Qui li donast un esterlin.
Molt ot en celui mal voisin
Qui iloques le mist branler.
Molt se debat por escaper,
585 Mes ce ne li vaut un bouton,
Que molt le tint bien le laçon
Qu'il a entor le col lacié,
Dont il estoit molt corocié.
Iloc se debat et abaie.
590 Et li vignerons sanz delaie
Vient qui des vignes estoit garde.
Vit celui pendu, si l'esgarde.
Entre lui e son conpaignon
Corant en vienent au gainnon
595 Bien entalenté de mal fere.
Lors ne sot Roonel que fere,
Quant il les vit vers lui venir.
Toz li sanz li prist a fremir,
Que bien cuide estre malbaillis.
600 Ja ert de dous par asaillis.
Li vilein saillent meintenant,
L'un derere, l'autre devant :
Li uns le fiert, l'autre le maille.
Li mastins durement baaille,
605 Molt se crient morir ne l'estuisse,
Ou qu'il n'i laist ou bras ou cuisse.
Durement en est en malaise.
Ge ne quit mie qu'il li plese,
Que tel deduit n'amoit il pas.
610 Et cil vienent plus que le pas
Qui tant ne quant ne l'orent cier.
Maintenant, por lui damacher,
Saillirent avant amedeus,
Ja li ferunt de molt puz jeus.
615 Li uns let core une maçue,
Et li autres dist : « Cuivert, tue !

suspendu dans sa haie,
victime d'un méchant piège.
Il gémit misérablement, il bâille de douleur :
580 à aucun prix, il n'accepterait
de rester dans cette position.
Il faut être un misérable compagnon
pour l'avoir mis à se balancer en ce lieu.
Il se débat avec vigueur pour s'échapper
585 mais tous ses efforts ne valent pas tripette,
car il est solidement retenu par le lacet
qui lui serre le cou.
Fou de colère,
il se débat, il aboie,
590 alertant
le vigneron qui gardait les vignes.
Quand il voit le chien pendu, il l'examine,
puis, avec un compagnon,
il se précipite sur lui,
595 bien décidé à lui faire un mauvais parti.
Roënel ne sait que faire,
à les voir fondre sur lui.
Tout son sang ne fait qu'un tour,
car il pense qu'il est dans de mauvais draps,
600 attaqué de deux côtés à la fois.
Les vilains surgissent,
l'un devant, l'autre derrière,
l'un le frappe, l'autre le rosse avec un maillet,
le mâtin braille de toutes ses forces,
605 craignant que sa dernière heure ne soit arrivée
ou qu'il n'y perde un bras ou une cuisse.
Il est au supplice,
je ne pense pas qu'il prenne le moindre plaisir
à un tel divertissement.
610 Les deux vignerons, qui ne le portent pas dans leur cœur,
se précipitent ;
pour le rosser,
ils se ruent aussitôt tous les deux,
décidés à lui faire sa fête.
615 L'un lui donne un coup de massue,
l'autre lui dit : « Canaille, assomme-le !

S'il t'eschape, tu es honis. »
Et cil ne fu pas esbahiz,
Ainz l'a feru parmi les reins
620 D'une grant maçue a deus meins,
A max parens est Roënaux,
Que cil li aunent ses bureax,
Dont il n'avoit nul covoité.
Tant l'ont entr'aus deus desaché,
625 Et tant li ont le dos batu
Que il li ont le laz ronpu
A qoi il pendi par le col.
Tant l'ont batu que tot fu mol.
Maintenant chaï a la terre,
630 Les piez estreint et les denz sere;
Lez un fossé se pleint et plore.
Et cil li corent andoi sore
La ou il se fu acostez.
Tant li ont batus les costez
635 D'une grant maçue pesant
Que por mort le lessent gisant.
     Atant s'en sont d'iloc torné,
Quant il l'orent si atorné.
Et Roonel iloc remeint
640 Qui des cox ot reçoü meint,
Ne quit qu'il ait talent de rire.
Molt li estuet avoir bon mire
Et bon porchaz, s'il en escape.
Ileques sout il poi de frape,
645 Quant il insi fu pris au laz
Par tel engin, par tel baraz.
Molt se tient por vil si a droit
De Renart qui si le deçoit
Et qui en tel prison l'enpeint,
650 Ou cil l'ont boté et enpaint,
Dont gamés ne sera loiax.
Einsi se conpleint Rooneax,
Toz souls a lui meïme tence.
Sovent a blamer se conmence,
655 Quant il fu pris en tel mesure.
Que vos diroie? C'est la pure,

S'il t'échappe, tu te couvres de ridicule. »
Le premier, avec sang-froid,
l'a frappé sur les reins
620 d'une grosse massue qu'il tenait des deux mains.
Voici Roënel en mauvaise compagnie
car ils lui administrent une correction
qu'il n'avait pas du tout souhaitée.
A eux deux ils l'ont tellement secoué,
625 ils l'ont tellement frappé
qu'ils ont cassé le lacet
par lequel il était pendu.
Ils l'ont tellement battu qu'il en est devenu tout flasque
et qu'il tombe à terre,
630 pattes inertes, dents serrées,
se lamentant et pleurant sur le bord d'un fossé.
Et les deux autres de foncer sur lui,
à l'endroit où il s'était appuyé,
et de lui battre tellement les côtes
635 de leur grosse et lourde massue
que sur le sol ils le laissent pour mort.
   Ils s'en retournèrent alors,
après l'avoir arrangé de cette façon,
tandis que Roënel resta sur place,
640 rassasié de coups.
Je ne pense pas qu'il soit d'humeur à rire.
Il lui faut un excellent médecin
et des soins attentifs, s'il en réchappe.
Il fallait qu'il fût bien peu rusé
645 pour s'être ainsi laissé prendre au piège
et abuser par la ruse.
Il a raison de se juger un moins que rien
à cause de Renart qui a réussi à le berner
et à le jeter dans une telle prison
650 où les autres l'ont frappé et battu,
l'estropiant à jamais.
Telles sont les plaintes de Roënel
qui, tout seul, s'en prend à lui-même
et s'accable de reproches
655 pour s'être ainsi laissé prendre.
Que vous dire ? La vérité,

Malement est la cose ovree.
Ja es ce verité provee,
Hasart jeta arere mein.
660 Iloc just dusq'a lendemein.
Lors s'est levés, tant se demeine,
Les euz ovri a quelque peine,
Et conmencha a chanceler.
Et quant il vit l'aube crever,
665 Con il ainz pot d'iloc s'en torne,
Vers la cort vait, plus ne sejorne.
De la vigne ist, si s'en esloigne,
Mes n'a pas bien fet sa besoigne
Ne le messaje le roi fet,
670 Que trop savoit Renart de plet.
Que volés vos? Insi est ore,
Vencher se quide bien encore,
Ireement a soi parole
Et regarde la ceoingnole:
675 « Renart, fait il, Dex te destrue!
Fait m'avés chose qui m'ennuie.
Par traïson m'as or fet prendre
Et laidement le col estendre,
Mes encore le te quit vendre,
680 Ja si ne te sauras desfendre,
De gerre vers toi porchacier. »
Atant laisse le manecer,
Envers la cort torne sa resne.
A soi meïme se deresne
685 Et dit que jamés n'iert haitiez
Jusqu'a l'ore qu'il soit venchez.
    Ensi se conpleint le gainnon
De Renart son bon conpaignon
Qui tant li a fet trere mal.
690 Tot belement le fonz d'un val
S'en vait traïnant a grant peine.
D'aler a cort forment se peine,
Mes sovent l'estut reposer.
Malement se puet aloser
695 Qu'il soit bon messager ne proz.
Il en sera gabez de toz

c'est que l'affaire s'est très mal passée pour lui ;
il est évident
qu'il a joué de malchance.
660 Il resta étendu au même endroit jusqu'au lendemain.
Alors, après bien des efforts, il a réussi à se lever,
il a eu toutes les peines du monde à ouvrir les yeux,
il est parvenu à marcher en titubant.
Quand il vit l'aube poindre,
665 il se dirigea vers la cour au plus vite
sans s'attarder davantage.
Il sortit de la vigne et s'éloigna
sans avoir accompli sa mission
ni transmis le message du roi,
670 car Renart était bien trop malin.
Que voulez-vous ? C'est ce qui se fait de nos jours.
Il compte bien se venger tôt ou tard
et se parle à lui-même avec colère
en regardant le piège :
675 « Renart, que Dieu t'anéantisse !
Tu m'as joué un sale tour.
Par traîtrise, tu m'as fait attraper
et ignoblement allonger le cou,
mais je compte te le faire payer bientôt,
680 tu auras beau te défendre,
je te ferai la guerre. »
Il cessa alors ses menaces
et tourna les rênes du côté de la cour,
tout en se parlant à lui-même
685 et en se disant qu'il ne pourra pas être heureux
tant qu'il ne sera pas vengé.
    Telles sont les plaintes du mâtin
contre Renart, son bon compagnon,
qui l'a tant fait souffrir.
690 Il suit tout doucement le fond d'une vallée,
se traînant à grand-peine,
peinant pour rejoindre la cour,
il lui faut souvent se reposer.
Ah ! oui, il peut bien se vanter
695 d'être un bon messager, plein de courage !
Tous les courtisans se moqueront de lui

A la cort, quant il i vendra :
Dahez ait qui nel asaudra
Se il puet ! Et si feront il :
700 Ge ne quit pas qu'il i ait cil
Qui aint Renart de nule rien,
Qui ne li die ou mal ou bien.
    Tant ala Roënel le jor
Qu'il vint a la cort son segnor
705 Ançois que midis fust passez,
Mes molt fu durement lasez
Que de cox, que del brandeler
Qu'il ot pris as vignes garder,
Qu'il n'i remeist os a brisier.
710 A grant poine se puet aider
Ne sustenir ; tant fu destroiz
Qu'il chaï bien quatorze foiz
En la voie que il a fete,
Dont molt durement se dehaite.
715 Totevoies, conment qu'il tort,
Est Roonel venus a cort.
    Li rois s'estoit alé esbatre,
De ses barons avoc lui quatre,
Brichemer li cers, Ysengrin,
720 Grinbert le tesson et Belin.
Cil quatre furent bien du roi.
En els n'avoit point de desroi,
Ainz furent prodome ancïen ;
Molt estoient bon cristïen
725 Tuit quatre et de molt grant renon.
Aveques Noble le lïon
Furent alé esbanoier,
N'avoient cure d'esmaier
Entr'eus ne de rien fors de joie,
730 Et qui le velt oïr, si l'oie.
Ensenble s'en vont li baron
Parmi la forest de randon,
Els cinc sanz plus, qu'il n'i out autre.
Chascun tenoit lance sor fautre
735 Que il ne fussent envaïz,
Que li rois estoit molt haïz :

à son retour.
Celui qui ne saisira pas cette occasion de l'attaquer
se croira maudit. Tous le feront.
700 Je ne crois pas qu'il y en ait un seul
parmi les partisans de Renart
pour garder le silence.

   A force de marcher ce jour-là,
Roënel parvint à la cour de son seigneur
705 avant midi passé.
Mais très affaibli
tant pour avoir été battu que pour s'être balancé
en gardant les vignes,
il était tout rompu,
710 il avait toutes les peines du monde
à se tenir debout, si mal en point
qu'il tomba une quinzaine de fois
en chemin,
à son grand désespoir.
715 Cependant, vaille que vaille,
il est arrivé à la cour.
   Le roi était allé se divertir
avec quatre de ses barons,
Brichemer le cerf, Isengrin,
720 Grimbert le blaireau et Belin.
Tous quatre étaient en bons termes avec le roi.
C'étaient des gens pacifiques,
des sages de longue date,
excellents chrétiens tous les quatre
725 et fort renommés.
Ils étaient donc allés se divertir
en compagnie de Noble le lion;
bien loin des soucis,
ils s'abandonnaient ensemble à la joie.
730 L'entende qui veut!
Tous ensemble les barons s'en allaient
d'un bon pas, à travers la forêt,
à cinq seulement, sans personne d'autre.
Chacun se tenait sur ses gardes
735 de peur d'être attaqué,
car le roi avait beaucoup d'ennemis.

Por ce aloient si serré.
Et li rois a premer parlé :
« Segnor, fet il, vos qui ci estez,
740 Vos estes prodom et honestes,
Et molt vos aim en bone foi.
Segnor, por ce dire vos doi
Por quoi ai ma gent asemblee.
Nus n'en set verité provee,
745 Ne vos ne autres fors que moi.
Et vos savés bien de la loi
Ensi conme je croi et pens.
Por ce vos dirai mon asens,
Que je voil aler par esgart
750 Trestot droit au castel Renart :
Por lui prendre et por amener
Ai fet ceste gent asembler,
Qar messajes ai ja tramis
A lui, ne sai ou cinc ou sis.
755 Par meinte foiz l'ai fait mander.
Mes rien que sache conmander
Ne velt fere. Por ce me cleim
A vos quatre que ge molt eim.
— Sire, sire, dist Ysengrin,
760 Roonel vendra le matin
Qui i ala par vostre gré,
Et se il ne l'a amené
Et il ne vient avoques soi,
Par cele foi que ge vos doi,
765 Se mis conseus en est creüz,
Ses castax sera abatuz
Et si seroit mis en prison.
— Sire Ysengrin, dist le tesson,
Prenez vos sor vos ceste mise ?
770 Li rois qui l'enpire justisse
N'en fera pas a vostre esgart.
Quidiez vos dont, se Dex vos gart,
Se Renart ot le mandement,
Qu'il ne viegne delivrement
775 A cort por oïr la demande
Que mis sires li rois demande ?

Aussi restaient-ils groupés.
Le roi parla le premier :
« Seigneurs, vous qui êtes ici,
740 vous êtes d'honnêtes gens
pour qui j'ai beaucoup d'affection.
Je dois donc vous dire
pourquoi j'ai réuni ma cour.
Personne n'en connaît la véritable cause,
745 ni vous ni d'autres, excepté moi.
Comme vous êtes versés en droit,
à ce que je crois,
je vais vous dire mon idée,
car je veux respecter la justice
750 en allant tout droit au château de Renart :
c'est pour le capturer et pour le ramener
que j'ai rassemblé cette troupe,
car je lui ai envoyé des messagers,
cinq ou six, je ne sais au juste,
755 je l'ai convoqué mainte et mainte fois,
mais quoi que je lui commande,
il n'en fait rien ; c'est pour cette raison
que je me plains à vous qui êtes mes amis.
— Sire, sire, dit Isengrin,
760 Roënel va revenir ce matin,
après y être allé sur votre ordre.
S'il ne le ramène pas,
si le goupil ne revient pas avec lui,
alors, par la foi que je vous dois,
765 si l'on veut bien suivre mon avis,
son château sera détruit
et le maître jeté en prison.
— Sire Isengrin, dit le blaireau,
prenez-vous la responsabilité de cet emprisonnement ?
770 Le roi qui gouverne l'empire,
ne saurait suivre votre avis.
Pouvez-vous imaginer, Dieu vous garde !
que Renart ait pu recevoir cette convocation
sans venir immédiatement
775 à la cour pour savoir
ce que lui demande Monseigneur le roi ?

Se Roonel revient sanz li,
Il n'a pas le messaje oï,
Que je sai bien que se il l'ot,
780 Il i vendra au premer mot,
Ja n'i aura respit requis,
Tant ai ge de l'afere apris. »
Atant laissent le sarmoner,
Si se prenent a retorner
785 Trestot soavet le cemin,
Li rois, Grinbert et Ysengrin,
Et Belin le moton ensemble.
Onc ne finerent, ce me semble,
Si sont a la cort revenu.
790 Et Roonel ert descendu
Tantost el mileu de la cort.
A l'encontre chascun li cort
Et demandent se Renars vient
Et quelle essoinne le detient.
795 Roonel ne lor vout mot dire,
Ançois ploure molt et sospire.
Molt li dout li dos et l'escine,
Parmi la cort ses reins traïne,
Bleciez fu en la destre poue.
800 Et chascun li a fet la moue,
Et s'escrïent trestuit ensemble :
« Misire Roonex resemble
Qu'il ait chacié ou leu ou ors.
Bien l'a moquié Renars li rox
805 Qui le fait venir de travers.
Il l'a bien tenu en travers,
Et del lonc, et de totes pars.
— La bone aventure ait Renars,
Font tuit cil qui voient le chen.
810 Veés con il resemble bien
Home qui leve de dormir !
Bien savez message fornir. »
    Que qu'il gaboient le gainnon,
Li rois vint et si conpaignon,
815 Devant la sale descendié,
Et cil li est coü au pié :

Si Roënel revient sans lui,
c'est qu'il n'a pas eu connaissance du message,
car je sais bien que, s'il l'a reçu,
780 il y viendra dès le premier mot,
sans solliciter de délai,
à en juger d'après les renseignements que j'ai. »
Abandonnant alors le sujet,
le roi, Grimbert, Isengrin
785 et Belin le mouton
prirent ensemble le chemin du retour,
tout tranquillement,
sans s'arrêter, me semble-t-il,
jusqu'à ce qu'ils soient revenus à la cour.
790   Or voici que Roënel vient de descendre
de cheval, en plein milieu,
et chacun de se presser à sa rencontre
pour lui demander si Renart arrive
ou quelle excuse le retient.
795 Roënel reste muet,
mais se répand en pleurs et en soupirs,
tant le dos et l'échine lui font mal.
Il se traîne parmi les courtisans,
la patte droite abîmée.
800 Tous se moquent de lui
et s'écrient en chœur :
« On dirait que messire Roënel
a été à la chasse au loup ou à l'ours.
Renart le rouquin s'est bien moqué de lui,
805 il l'a réduit à zigzaguer.
Il lui en a fait voir
de toutes les couleurs.
— Bonne chance à Renart,
font tous ceux qui voient le chien.
810 Regardez-le : il a tout l'air
d'un homme qui se réveille !
Vous êtes fort pour porter les messages. »
    Pendant qu'ils raillaient le mâtin,
arriva le roi avec ses compagnons.
815 Il mit pied à terre devant la salle,
et Roënel tomba à ses pieds :

« Sire, fait il, por Deu vos pri
Que vos aiez de moi merci.
Ge fis ce que me conmandastes
820 Et le message ou m'envoiastes :
Ge portai vos letres Renart
Et si li dis de vostre part
Que devant vos fust hui cest jor,
Qu'il n'i avoit plus de sejor.
825 Il me respondi loiaument
Et si me dist joieusement
Que il i vendroit sanz deloie ;
Puis nos meïmes a la voie,
Lié et joiant, sanz demorer ;
830 Et ge le somons de troter
Por plus tost aler un petit,
Et li traïtres si me dist
Qu'il ne pooit plus tost aler.
Por ce qu'il me voloit lober,
835 Me respondi que belement
Alissons et cortoisement
Tot soavet et tot le pas
Que nos ne fussions trop las.
Ge li otroiai son plaissir,
840 Si conmençames a venir.
     Endementres que ge venoie,
Li traïtres que g'amenoie
M'abricona par sa parole
Qu'il me fist d'une ceoignole
845 Acroire que c'ert seintueire
Et que la giseit seint Yleire,
Et si me dist que gel bessasse
Ançois que je outre passasse.
Ge quidai que voir me deïst
850 Et que nul mal ne me feïst,
Cele part ving sanz demorer
Por le seintueire aorer.
Au deerein me ting por fol,
Que g'i fu pendus par le col,
855 Si que par poi li eil del front
Ne me volerent contremont.

« Sire, dit-il, par Dieu, je vous prie
d'avoir pitié de moi.
J'ai fait ce que vous m'aviez ordonné,
820 j'ai porté le message là où vous m'aviez envoyé.
J'ai remis votre lettre à Renart,
lui disant de votre part
de se présenter devant vous aujourd'hui même,
car il n'était plus possible d'attendre.
825 L'air loyal, la mine réjouie,
il me répondit
qu'il s'y rendrait sur-le-champ.
Puis nous nous mîmes en route,
gais et contents, sans perdre de temps.
830 Comme je l'invitais à trotter
pour aller un peu plus vite,
le traître me répondit
qu'il ne pouvait faire mieux.
Dans l'intention de me tromper,
835 il me demanda
de ne pas forcer l'allure,
d'aller au pas, tout doucement,
pour éviter d'être trop fatigués.
Je lui accordai satisfaction,
840 et nous reprîmes notre route.
    Pendant que je cheminais,
le traître que je conduisais,
m'abrutit de ses discours :
il me fit prendre un piège
845 pour un reliquaire
où reposait saint Hilaire
et me dit de le baiser
avant de poursuivre ma route.
M'imaginant qu'il disait la vérité
850 et ne me ferait aucun mal,
je m'approchais sans attendre
pour faire mes dévotions.
Pour finir, je reconnus ma folie,
car j'y fus pendu,
855 si bien que les yeux
faillirent me sortir de la tête.

Ce me fist en sa conpagnie
Li traïtres, li foi mentie,
Li parjures et li tricheres,
860 Li fax, li desloiaus lecheres,
Qui tot le mont a bout enginne.
Pendant me lessa en la vigne,
Et dist que les vignes gardasse,
Ja mar d'iloc me remuasse.
865 Quant ce ot dit, si s'en retorne,
Et je remeiz pensif et morne.
Atant me vindrent doi vilein
Chascuns un baston en sa mein,
Qui tant me donerent de cox
870 Que toz les costez en ai mox.
Que vos iroie je disant
Ne mon damaje devisant?
Chascun me bati sa foïe
Tant que l'escine ai peçoïe.
875 Rois, s'il n'est si con vos ai dit,
Ge vos otroi sanz contredit
Que me façoiz pendre ou noier.
Et se Renars le velt noier,
Pres sui que vers'lui me combate
880 Et que en ceste cort le mate.
Rois, ore en pren bien ta venchance,
Que molt est gref la mesestance :
Venchez vostre honte et la moie
Que Renars m'a fet en la voie. »
885   Atant sa parole a fenie
Et li rois l'a molt bien oïe,
Si en fu maris et iriez :
« Bel segnor, car me conseilliez !
A vos toz conseil en requier.
890 Que ferai de cel avresier,
Cest diable, cest mecreü
Qui tante fois m'a deçoü
Par son engin et fait marir?
Conseil de lui fere honir
895 Prendroie molt tres volonters. »
Ysengrin, qui fu ses guerrers

Voilà ce que me fit, tandis que je l'accompagnais,
le traître, le déloyal,
le parjure, le trompeur,
860 le fourbe, la belle ordure,
qui trompe tout le monde sans exception.
Il me laissa pendu dans la vigne
qu'il me recommanda de garder
avec interdiction de bouger.
865 Ensuite, il s'en retourna
et je restai en proie à de tristes pensées,
jusqu'à l'arrivée de deux vilains
qui, chacun un bâton à la main,
me donnèrent tant de coups
870 que j'en ai les côtes moulues.
A quoi bon vous faire
le récit de mes malheurs ?
Chacun de son côté m'a si copieusement rossé
que j'en ai l'échine toute brisée.
875 Sire, si les choses ne se sont pas passées ainsi,
j'accepte sans protester
que vous me fassiez pendre ou noyer.
Et si Renart veut le nier,
je suis prêt à me battre contre lui
880 et à le vaincre devant cette cour.
Roi, il faut maintenant vous venger,
car il s'agit d'un crime grave ;
vengez votre honte et la mienne,
celle que Renart m'a causée en cours de route. »
885   Sur ces mots, Roënel termina son discours
que le roi avait écouté avec une attention
mêlée de chagrin et de colère :
    « Chers seigneurs, conseillez-moi !
Je demande à chacun de vous son avis :
890 que faire de ce démon,
de ce diable, de ce mécréant
qui m'a si souvent trompé
et affligé par sa ruse ?
J'accepterais volontiers un conseil
895 qui me permît de le couvrir de honte. »
    Isengrin qui était l'ennemi de Renart

Et qui le haoit mortelment,
Li respondi ireement :
« Segnor, fet il, or vos taisiez,
900 Et sor cest afeire juchiez !
Cil qui bon conseil set doner
Ne se doit pas arier torner,
Ançoiz conseilliez mon segnor !
Qar onques mais honte gregnor
905 Ne fist nus a prince de terre ;
Si est droiz qu'il en sorde gerre,
Ne nus n'en doit avoir pitié
Del terme qu'il a respitié
Par lui sol sanz contremander ;
910 Onques ne deigna demander
Un sol jor terme ne respit.
Par mon chef ci a grant despit,
Et se ge en fusse jugeres,
Ge jusgasse que li lecheres,
915 Li ribauz, li ataïnez,
Fust ou pendus ou traïnez,
Que Roonel le messager
A fet si forment damager
Par son engin, par son desroi,
920 Qui ert el message lo roi.
L'en l'en doit molt bien fere honte. »
Belin, qui ot oï le conte
D'une part et d'autre, saut sus :
« Ysengrin, or n'en dites plus !
925 Fet Belin, trop en avés dit,
Nos savom bien sanz contredit
Que vos haez Renart si fort
Que vos vouldrïez qu'il fust mort.
Or vos pri que n'en parlés mes,
930 Qu'en vos en tendroit a mevais
De tel dit et de tel conmande ;
Se mis sires li rois conmande
Et il en son conseil le truisse,
Il ert penduz por qu'en le truisse.
935 Mes, se Deu plaist en cui je croi,
Nus nel conseillera lo roi

et le haïssait à mort,
répondit avec violence :
« Seigneurs, taisez-vous donc
900 et prononcez-vous sur cette affaire !
Quand on est capable de donner un bon conseil,
on ne doit pas se dérober,
mais plutôt conseiller mon seigneur.
Car personne ne fit plus grand outrage
905 à aucun prince de la terre ;
aussi est-il juste qu'il en sorte une guerre
et personne ne doit avoir pitié de Renart :
n'a-t-il pas de lui-même différé
de comparaître, sans produire d'excuse ?
910 Jamais il n'a daigné demander
un délai, un répit d'un seul jour.
Par ma tête, quel extraordinaire mépris !
Si c'était à moi d'en juger,
je déciderais que cette ordure,
915 cette canaille, ce fauteur de troubles
fût traîné par des chevaux ou pendu
pour avoir, par sa ruse
et sa déloyauté,
causé tant de dommages à Roënel
920 qui portait un message du roi.
Il doit être couvert de honte. »
    Belin, qui avait écouté l'histoire
d'un bout à l'autre, se dressa :
« Isengrin, pas un mot de plus :
925 vous en avez déjà trop dit.
Nous savons bien, c'est évident,
que vous haïssez si fort Renart
que vous voudriez qu'il fût mort.
Je vous prie donc de ne rien ajouter,
930 car on vous reprocherait
de telles propositions.
Si messire le roi l'ordonne,
si c'est l'avis de son conseil,
Renart sera pendu, à condition qu'on le trouve.
935 Mais s'il plaît à Dieu en qui je crois,
personne ne donnera au roi

Que ja li face se bien non.
Se dant Roonel le gainnon
N'a fet ce qu'en li conmanda,
940 Un autre qui meus parlera
I envoit li rois par mon loz,
Que jamais n'i ait nul si os
Qui juge sanz conmandement :
Blâmez en seroit durement.
945 Un messager qui meus parlast
Loeroie qui i alast
Sanz plus atarger, le matin,
Qui parlast romans et latin. »
Li rois respont sanz atarger :
950 « Belin, molt fetes a prisier,
Bien sai que vos estes saje home.
Foi que doi seint Pere de Rome
Vos vos en alez par le droit [1] ;
Mes or nos dites orendroit
955 Qui porra fere cest mesache,
Que molt m'est tart que je le sache,
Onc mais n'oi tel talent de rien.
— Sire, Brichemer ira bien,
Et si est cortoiz et vaillanz,
960 Et si sai bien que meus parlanz
N'en a pas un çaiens, ce croi.
Se il en a de vos l'otroi,
Meintenant le verrés movoir.
— Belin, car i alés savoir
965 Et li dites que ge li mant
Que a moi viegne meintenant. »
    Brichemer, qui tot entendi,
En piez se drece et respondi :
« Sire rois, je sui en present
970 Prest de fere vostre talant.
Se vos m'i volés envoier,
Tantost irai sanz delaier,
Et se gel truis, a que qu'il tort,

1. On peut comprendre aussi : « Vous ne vous perdez pas en bavardages. »

un conseil qui lui soit préjudiciable.
Si sire Roënel le mâtin
n'a pas accompli sa mission,
940 je suis d'avis que le roi envoie vers Renart
un messager plus éloquent
et que personne n'ait l'audace
de prononcer un jugement sans y avoir été autorisé :
il en serait fort blâmé.
945 Je conseillerais donc d'envoyer,
sans attendre davantage, au matin,
un messager qui parlerait mieux,
un messager qui connaîtrait le français et le latin. »
Le roi répondit immédiatement :
950 « Belin, vous êtes digne d'estime,
et je connais votre sagesse.
Par la foi que je dois à saint Pierre de Rome,
vous suivez en parlant le droit chemin ;
mais dites-nous donc maintenant
955 qui pourra porter ce message,
car il me tarde de le savoir :
jamais je n'ai rien tant désiré.
— Sire, Brichemer est l'homme qu'il faut :
il est aimable et valeureux,
960 et je vous assure que personne ici
n'a autant d'éloquence que lui, du moins à ce que je
Si vous lui en accordez l'autorisation,   [crois.
vous le verrez s'en aller sur l'heure.
— Belin, allez donc aux nouvelles
965 et dites-lui que je lui demande
de venir me trouver sur-le-champ. »
    Brichemer, qui avait tout entendu,
se dressa sur ses pattes et répondit :
« Sire, je suis tout disposé
970 à accomplir votre volonté.
Si vous voulez bien m'y envoyer,
je partirai immédiatement,
et si je le trouve, sachez

Sachez jel amenrai a cort.
975 — Brichemer, ce a dit li rois,
Molt par estes prouz et cortois,
. Et si savez de meins langages
Dont vos estes asés plus sages.
Vos irez de la moie part
980 Trestot droit au castel Renart,
Et li dites sanz delaier
Qu'il viegne aprendre a cortoier
Sanz achaison querre ne guile,
Que par la foi que doi seint Gile,
985 Se il m'i fet envoier plus,
Ses castax sera abatus
Et il meïmes ert honiz.
Mes mes letres et mes escriz
Porterés, que meus vos en croie. »
990 Cil prent les letres, si s'avoie,
Congié prent, si s'en est partis,
Et li rois remeint tos maris.
      Brichemer s'en vait conme saje,
Bien quide fornir son messaje
995 Meuz qu'il ne fera. Tant cemine
Par bois, par pres et par gaudine,
Et tant ala esporonant
Qu'il vint einz miedi sonant
Trestot droit au castel Renart
1000 Qui de nul home n'a regart,
Qar tant ert bien de mur fermez
Qu'il n'iert pris, s'il n'est afamez;
Par home qil sache asaillir
Ne li puet nul mal avenir.
1005   Brichemer s'est aresteü :
Quant il a le castel veü
Si hordé, si aparellié,
Durement s'en est merveillié.
Avant en vet desus le pont.
1010 Li sergant qui furent amont
Descochent quarrax enpenez.
Ja fust dant Brichemer finez,
Ne fust le hauberc qu'ot vestu :

que, quoi qu'il arrive, je le ramènerai à la cour.
975 — Brichemer, lui répliqua le roi,
vous êtes très courageux et aimable,
et votre connaissance de nombreuses langues
vous rend plus avisé encore.
Vous irez de ma part
980 tout droit au château de Renart,
et vous lui direz sans détour
de venir apprendre les manières de la cour
sans chercher d'excuse ni de tromperie,
car, par la foi que je dois à saint Gilles,
985 s'il me force à envoyer un autre messager,
son château sera détruit
et lui-même couvert de honte.
Vous lui porterez ma lettre signée de ma main,
pour qu'il ajoute foi plus facilement à vos propos. »
990   Le cerf prit la lettre, s'éloigna,
salua, et le voici parti,
tandis que le roi demeurait plein de tristesse.
    Quand il s'en va, il a tout d'un homme avisé,
s'imaginant accomplir sa mission
995 mieux qu'il ne le fera. A force de chevaucher
à travers bois, prés et taillis,
à force d'éperonner sa monture,
il arriva avant midi sonnant
juste devant le château de Renart
1000 qui ne redoute personne
pour avoir si bien fortifié ses murailles
qu'on ne saurait le prendre à moins de l'affamer;
aucun assaillant, quel qu'il soit,
ne pourrait lui causer du mal.
1005   Brichemer s'est arrêté:
la vue du château,
si bien fortifié,
l'a frappé d'étonnement.
Quand il avança sur le pont,
1010 les soldats, postés en haut,
lui décochèrent des flèches empennées,
qui auraient mis fin à ses jours,
sans le haubert dont il s'était revêtu,

Plus de dis en out en l'escu,
1015 Dunt il s'esmaie durement,
Et il traient menuement.
Brichemer ne les pout soffrir :
Ariere l'estuet resortir,
Ou il vousist, ou bel li fust,
1020 Ariere par le pont de fust.
      Renars s'estoit alé esbatre
En sus d'iloc trois piez ou quatre.
Quant il revenoit de juer,
Les le pont trove Brichemer.
1025 Tantost con le vit et connut,
Brichemer vers li acurut
Et dist : « Sire, cil Dex vos gart
Qui toz les biens torne a sa part,
De par Noble cui sui message,
1030 Le meillor roi et le plus saje
Qui soit en la crestienté.
— Cil Dex qui meint en trinité,
Fet Renart, si vos doinst henor !
Conment le fait il, monsegnor ?
1035 Et li baron sont il heitié ?
— Il sont trestuit joiant et lié,
Fet Brichemer, en moie foi.
Mes ça m'a envoié lo roi,
Qu'a la cort venir ne deigniez.
1040 Dites moi por qoi desdegniez
Lui ne sa cort, ce est folie.
Il m'a rové que je vos die
Que demein, sanz alongez trere,
Li venez a la cort droit fere
1045 De ce que l'avés en despit
Et que par vos pernés respit :
Sachés, ce n'est mie savoir.
Li rois vos fet par moi savoir
Que demein, a ore de plet,
1050 Soiez devant lui entreset.
Ice vos ai dit de par li.
Se n'i estes, je vos deffi
De par lui conme messager. »

puisque plus de dix flèches se plantèrent dans son bou-
1015 à sa grande surprise.   [clier,
Les traits continuant à pleuvoir,
il ne put y résister,
il lui fallut, bon gré mal gré,
ressortir à reculons
1020 par le pont de bois.
     Renart était aller se promener
à quelques pas de là.
Au retour,
il trouva Brichemer à l'entrée du pont.
1025 A peine celui-ci l'a-t-il vu et reconnu
qu'il courut à sa rencontre et lui dit :
« Seigneur, Dieu vous garde,
Dieu qui rassemble en lui toutes les vertus !
Je vous le dis de la part de Noble dont je suis le messager
1030 et qui est le meilleur roi et le plus sage
de la chrétienté.
     — Que Dieu qui vit en trois personnes
vous comble d'honneurs !
Comment se porte mon seigneur ?
1035 Les barons sont-ils en bonne santé ?
     — Ils sont de la meilleure humeur,
je vous le certifie, répondit Brichemer.
Mais le roi m'a envoyé ici,
puisque vous ne daignez pas venir à la cour.
1040 Dites-moi pourquoi vous les dédaignez,
lui et sa cour, c'est de la folie.
Il m'a enjoint de vous dire
que demain, sans aucun retard,
vous veniez à la cour vous justifier
1045 du mépris que vous manifestez à son égard
et des délais que vous vous octroyez :
sachez-le, ce n'est pas une preuve de sagesse.
Le roi vous fait savoir par ma bouche
que demain, à l'heure de l'audience,
1050 vous devez être sans faute devant lui.
Voilà le message que de sa part je vous apporte.
Si vous ne vous présentez pas, je vous défie
en son nom, comme doit le faire un messager. »

Renars le prent a losenger :
1055 « Amis, dist Renars, entendez !
A la cort, se vos conmandez,
Irons moi et vos orendroit ;
Ja respit ne terme n'i ait.
Ja n'i aura plus atendu. »
1060 Brichemer li a respondu :
« Renart, fet il, montés dont tost,
Que durement redot vostre ost :
A pou que il ne m'ont malmis. »
Atant se sont au chemin mis.
1065   Or s'en vont li baron ensemble.
Renars molt tres durement tremble,
Qui a grant poor del lïon.
S'il trovast qui confessïon
Li donast, molt tres volenters
1070 La preïst. Tant vont les senters,
Li cers avant, Renars aprés,
Qu'il vindrent d'une vile pres
Chanpestre. Renars s'adreça
Envers la vile et dist : « Par ça
1075 Nos en iron, se Dex me voie,
Que ce est la plus corte voie. »
Brichemer n'i entent nul mal.
Vers la vile par mi un val
S'en vont le droit chemin tot plein.
1080 Atant estes vos un vilein
Qui avoit avoc lui trois chens :
« Ici ne voi ge nus des miens,
Fet Renart, cist nos ont veü. »
Li vileins ques ot perceü,
1085 Lor hue ses chens meintenant.
Tuit troi s'en vont en un tenant
Vers Brichemer et si l'ont pris,
Et Renart s'est au foïr mis,
Vers son castel en vet le trot
1090 Au plus durement que il pot :
Dedens se mist et ses pons drece.
Et Brichemer fu en destresce,
Car li chen, si con nos lison,

Renart commença un discours enjôleur :
1055 « Cher ami, dit-il, écoutez-moi !
Si vous l'ordonnez, nous irons, vous et moi,
à la cour dès maintenant.
Non, je ne demande plus ni délai ni répit,
non, je ne vous ferai pas attendre davantage.
1060 — Renart, répondit Brichemer,
dépêchez-vous de monter à cheval,
car je redoute fort vos hommes
qui ont failli me mettre à mal. »
Les voici donc en route.
1065 Les deux barons cheminent maintenant de conserve,
Renart tremblant de tous ses membres,
car il a grand-peur du lion.
S'il avait rencontré quelqu'un
qui lui donnât l'absolution, il l'eût
1070 volontiers acceptée. A force d'avancer par les sentiers,
le cerf en tête, Renart à sa suite,
ils arrivèrent à proximité d'un village,
vers lequel le goupil se dirigea
en disant : « C'est par ici
1075 qu'il faut aller, à la grâce de Dieu,
car c'est le plus court chemin. »
Comme Brichemer n'y entendit malice,
ils foncèrent par un vallon
tout droit sur le village.
1080 Mais voici que surgit un vilain
accompagné de trois chiens :
« Je ne vois parmi ceux-là aucun ami,
fit Renart, et ils nous ont aperçus. »
Et le vilain, à leur vue,
1085 d'exciter aussitôt contre eux ses chiens
qui tous trois foncent
sur Brichemer et l'attrapent,
tandis que Renart a pris la poudre d'escampette,
trottant de toutes ses forces
1090 vers son château
dans lequel il s'enferma, une fois le pont relevé.
Brichemer, lui, court un grand péril :
les chiens, nous dit l'histoire,

Li depecent son ganboisson.
1095 Molt l'atornent vileinement,
Et li vileins vint erraument
A tot un baston, si le frape.
Brichemer est en male trape,
Sa desfense n'i a mester.
1100 Li chen le prennent a sacher
Molt durement, pas ne se fennent,
Par un petit qu'il ne l'estrennent.
Un d'els si veument le conroie
Que del dos li trait tel coroie
1105 Dont en poïst fere un braier.
En Brichemer n'ot qu'esmaier,
A molt grant peine lor estort,
Ja n'en quida partir sanz mort.
Fuiant s'en vet a grant aleine.
1110 N'ira mes o els de semeine.
Fuiant s'en vait et molt s'esmaie,
Que molt li dolt et quit sa plaie.
   Or s'en vait Brichemer a cort,
Sor un cheval qui molt tost cort
1115 S'en vet fuiant par un essart,
Durement se pleint de Renart,
Ne fine de core a eslés
Tant qu'il est venus au palés
Ou li rois Nobles sa cort tint.
1120 Onc ne fina jusqu'il i vint :
Meintenant descent en la place.
Quant li baron virent la trace
Qui el dos Brichemer estoit,
Demandent conment li estoit,
1125 Mes onques un mot ne respont
Tant qu'il fu en la sale amont
Ou asemblé fu li barné.
Devant le roi chaï pamé :
« Sire, fait il, merci vos quier,
1130 Bien sai que n'aurai mes mester.
Vostre messaje ai bien forni,
Mes einsi m'a Renars bailli.
Bien quit qu'il m'a mis a la mort,

déchirent son paletot,
1095 l'arrangent d'une belle manière,
pendant que le vilain les rejoint illico
avec un bâton et le frappe.
Le voici dans un maudit piège !
A quoi bon se défendre ?
1100 Les chiens s'acharnent sur lui,
sans ménager leur peine ;
peu s'en faut qu'ils ne l'étranglent.
L'un d'eux le traite si mal
qu'il lui arrache du dos une lanière de peau,
1105 de quoi faire une ceinture.
Brichemer, mort de peur,
ne leur échappa qu'à grand-peine,
il pensait qu'il n'en sortirait pas vivant.
Il s'enfuit à perdre haleine :
1110 pas question qu'il leur rende visite de la semaine.
Il s'enfuit, éperdu,
car ses plaies le font atrocement souffrir.
     Maintenant, il se dirige donc vers la cour
sur un cheval qui va grand train ;
1115 il s'enfuit à travers un essart
tout en se plaignant fort de Renart,
sans cesser de courir au grand galop
jusqu'au palais
où le roi Noble tenait son assemblée,
1120 sans jamais ralentir son allure.
Il descendit aussitôt de cheval.
Lorsque les barons virent les marques
que Brichemer portait sur le dos,
ils lui demandèrent ce qui lui était arrivé,
1125 mais il ne souffla mot
avant d'être arrivé dans la salle du haut
où les barons étaient réunis.
Il tomba pâmé aux pieds du roi.
« Sire, dit-il, je sollicite votre grâce,
1130 bien que je sache que je n'en aurai pas besoin.
Je me suis bien acquitté de ma mission de messager,
mais voyez comment Renart m'a arrangé :
je suis perdu, je le sens,

N'en puis avoir autre confort.
1135 Sire, dist Brichemer au roi,
Por amor Deu, entendés moi!
Vos m'envoiastes conme saje
A Renart fornir le message,
S'en ai male merite eüe,
1140 Que tant i ai la pel batue
Que je n'en escaperai ja. »
Li rois Brichemer regarda,
Si le voit sanglant et navré,
Et voit meint quarrel enpené
1145 Dedens l'escu que il aporte,
Dont durement se desconforte :
« Brichemer, dist li rois, amis,
En grant dolor a mon cuer mis
Celui qui si t'a damaché,
1150 Mes tu en seras bien venché,
Ge le vos acraant ensi. »
Dist Brichemer : « Vostre merci. »
   Puis furent einsi longement
Que il n'en fu au roi nient
1155 De Renart fere a cort venir.
Bien le quidoit aillors tenir.
Por ce si l'ont einsi laissié.
Mes molt fu vers Renart irié
Li rois tant qu'il avint un jor
1160 Qu'il se seoit dedenz sa tor,
Si li prist une maladie,
Dont il quida perdre la vie
(Et fu a une seint Johan)
Qui li tint pres de demi an.
1165 Partot a fet mires mander
(N'en remest nus jusqu'a la mer)
Por alegier le de son mal.
Tant en vint d'amont et d'aval
Que je n'en sai dire le conte.
1170 Il i vint meint roi et meint conte
De tex que je ne sai nomer
Por son malage regarder.
Trestuit i vindrent sans desroi

je n'ai plus rien à espérer.
1135 Sire, dit-il au roi,
pour l'amour de Dieu, écoutez-moi !
C'est parce que j'étais avisé que vous m'avez envoyé
porter votre message à Renart,
et j'en ai été bien mal récompensé,
1140 car j'ai la peau si déchirée
que je n'en réchapperai pas. »
     Le roi regarda Brichemer :
à le voir ensanglanté et blessé,
à voir nombre de flèches empennées
1145 plantées dans son bouclier,
il fut tout désolé :
« Brichemer, mon ami, dit le roi,
celui qui t'a ainsi maltraité
a plongé mon cœur dans l'affliction,
1150 mais tu en seras vengé,
je te le jure.
— Je vous en remercie », répondit Brichemer.
     Cette situation se prolongea,
car le roi ne se préoccupait pas
1155 de mander Renart à la cour,
comptant l'attraper ailleurs ;
aussi le laissèrent-ils tranquille.
Mais, bien loin que la colère du roi désarmât,
il arriva qu'un jour
1160 où il se tenait dans sa tour,
il attrapa un mal
qui faillit lui coûter la vie,
c'était à la Saint-Jean,
et qui dura pendant près de six mois.
1165 De partout il convoqua des médecins,
sans en oublier un seul jusqu'à la mer,
pour le soulager de son mal.
Il en arriva tant de tous les côtés
que je ne puis les compter.
1170 Il vint de nombreux rois et de nombreux comtes
dont je ne puis dire le nom,
pour examiner son mal.
Tous répondirent, sans se faire prier,

Par le conmandement lo roi.
1175 Onques n'en i sot nus venir
Qui del mal le poïst garir.
Grinbert li tesson qui la fu,
S'est de Renart aperceü
Son cosin qui molt saje estoit,
1180 S'au roi acorder se pooit
Il en auroit au cuer grant joie.
Meintenant se mist a la voie
Por lui querre, ne finera
Jusqu'a tant que trové l'aura.
1185   Tant vait Grimbert la matinee
Qu'ançois que none fust sonee,
S'en est venus par une adrece
Trestot droit a la forterece
Renart son bon cosin germein;
1190 Se fu le jor levé bien mein
Et se fu as murs apoiés,
Vit Grinbert, si en fu molt liés.
Tantost sans autre cose fere
Conmanda la bare en sus trere
1195 Por son cosin fere venir.
Meintenant ont fet son plesir
Cels a qui il l'ot conmandé.
Es vos Grinbert en la ferté
Tot belement pas avant autre.
1200 Son cosin salue et meint autre
Qui estoient avocques li.
Renart forment le conjoï
Et molt li a fete grant joie.
Dit Grinbert : « Grant talent avoie
1205 De parler a vos une fois.
Li rois Nobles est si destrois
D'un mal qui par le cors le tient,
Dont chascun jor sospire et gient,
Morir en quide, ce sachés,
1210 Et il est molt vers vos iriés.
Se le poioiez repasser,
S'amor auriés sanz fauser;
Et ge ving ça tot coiement,

au désir du roi.
1175 Mais aucun de ceux qui vinrent
ne fut capable de le guérir.
C'est alors que Grimbert le blaireau, présent à la cour,
s'est souvenu de Renart,
son cousin, qui était très habile :
1180 s'il pouvait se raccommoder avec le roi,
il en serait très heureux.
Il se mit aussitôt en route
pour aller le chercher, décidé à ne s'arrêter
que lorsqu'il l'aurait trouvé.
1185 Il parcourut dans la matinée tant de chemin
qu'avant la fin de l'après-midi,
il arriva, par un raccourci,
tout droit à la forteresse
de Renart son cher cousin,
1190 qui, ce jour-là, s'était levé de grand matin
et s'appuyait sur la muraille.
La vue de Grimbert le remplit de joie ;
aussitôt, toutes affaires cessantes,
il ordonna de relever la barre,
1195 pour laisser entrer son cousin.
Sitôt dit,
sitôt fait.
Et voilà Grimbert qui pénètre dans la forteresse,
sans se presser, à pas mesurés.
1200 Il salue son cousin
et tout son entourage.
Renart l'accueillit avec chaleur,
tout à la joie de le voir.
Grimbert lui dit : « J'avais grande envie
1205 de parler avec vous une bonne fois.
Le roi Noble a dans le corps un mal
qui le tourmente tant
qu'il passe ses jours à gémir et à geindre,
convaincu de ne pas en réchapper,
1210 et, de plus, fort irrité contre vous.
Si vous pouviez le guérir,
il vous aimerait sans arrière-pensée.
Aussi suis-je venu en cachette,

Qu'onques ne fu veü de gent,
1215 Ne onques nus hom n'en sot mot. »
Et Renart respont a cest mot :
« Beax doz cosins, se Dex vos gart,
Or me dites, ce dit Renart,
Por qu'est li rois vers moi irié.
1220 Ont m'i li baron enpirié ?
Dites qui m'a meslé vers li.
— Vostre conpere, ce vos di,
Fet Grinbert, vos i a meslé.
Si vos a Roonel blamé
1225 Et Brichemer qui el messaje
Furent envoié conme saje.
Et vos en ovrastes molt mal,
Quant Roonel dedenz le val
Feïstes en la vigne prendre
1230 (Molt par en faites a reprendre)
Et Brichemer feïs abatre,
Ne sai a trois chens ou a quatre
Qui li ont escorcié le dos
Si forment qu'en perent li os. »
1235 Renart ot parler son cosin :
« Dites vos, fait il, Ysengrin
M'a mellé a la cort lo roi
Par son engin, par son desroi ?
Mar le pensa li renoiez.
1240 Alez vos ent, trop delaiez !
Et g'irai a cort le matin,
Si m'escuserai d'Ysengrin.
Devant lo roi irai demein,
Foi que doi Deu et seint Germein. »
1245   Grinbert s'en vait, ne vout plus dire.
Renart remest qui fu sanz ire
De ceuls qui si sont bien paiés
Del messaje ou envoiez
Les ot li rois o toz ses briez.
1250 Mes qui soit bel ne qui soit griez,
Il s'en escondira s'il puet.
Tantost aprés Grinbert s'esmuet
Fors de la cort, mes ançois mande

sans être vu de personne,
1215 sans que personne en fût averti. »
Renart répondit en ces termes :
« Bien cher cousin, Dieu vous garde !
Dites-moi donc
pourquoi le roi est fâché contre moi.
1220 Les barons m'ont-ils dénigré ?
Dites-moi qui m'a brouillé avec lui.
— C'est votre compère, je l'affirme,
fit Grimbert, qui en est responsable.
Roënel aussi vous a critiqué,
1225 ainsi que Brichemer que l'on avait envoyés
comme messagers en raison de leur sagesse.
Il faut dire que vous vous êtes mal comporté
envers Roënel quand, au fond de la vallée,
vous l'avez fait attraper dans la vigne
1230 — vous êtes inexcusable —
et envers Brichemer que vous avez livré
à trois ou quatre chiens, je ne sais au juste,
qui lui ont écorché le dos si rudement
que l'on peut voir ses os. »
1235 Renart, après avoir écouté son cousin, lui dit :
« Vous dites que c'est Isengrin
qui m'a brouillé avec le roi et sa cour
par malignité et outrecuidance ?
Il ne l'emportera pas en paradis, le renégat.
1240 Partez, vous êtes déjà en retard !
Au matin, je me rendrai à la cour
et me justifierai des accusations d'Isengrin.
Demain, je me rendrai devant le roi,
par la foi que je dois à Dieu et à saint Germain. »
1245 Grimbert s'en va, sans ajouter un mot,
et reste Renart qui n'éprouve pas de remords
pour avoir si bien récompensé les messagers
que le roi avait envoyés
avec ses lettres.
1250 Mais, sans se soucier des réactions,
il se disculpera, s'il le peut.
Bientôt, sur les pas de Grimbert, il quitte
la cour de son château, après avoir convoqué

Sa mainie, si lor conmande
1255 Qu'il gardent son castel tres bien,
Que ja home por nule rien
Ne laissent ens metre le pié,
Que il ne soient espïé
D'auqun home, ce seroit max.
1260 « Sire, ce dist li seneschax,
De ce ne vos estuet doter,
Que ja home ne feme entrer
N'i laisseron por nule cose. »
Meintenant ont la porte close,
1265 Et s'en monterent en la tor,
Et Renart s'en vet sanz demor
Parmi la lande esporonant.
Durement vet Deu reclamant
Que tel cose par sa pitié
1270 Li doint dont li rois ait santé.
    Einsi vet Renart son cemin,
Molt prie Deu et seint Martin
Que il tel cose li envoit
Dont li roi Nobles garis soit,
1275 Que molt en a grant desirrer.
Tote jor prent a chevaucier,
Q'unques ne pot cose trover
En qoi il se poïst fier.
Tant a erré qu'en un pré entre.
1280 Molt durement li deut le ventre,
Dont Renart forment se dehete,
Por la jornee qu'il ot fete.
La nuit jut en la praerie
Tant que l'aube fu esclaircie.
1285 Quant le jor parut, si se leve,
Et bien sachoiz que molt li grieve
Ice que il ne puet trover
Chose qu'o lui poïst porter
Por doner au roi garison :
1290 Le jor en fist meinte oreison.
Tant erra Renart cel matin
Que il a trové un gardin
Ou il ot erbes de maneres

ses gens pour leur recommander
1255 de garder avec soin sa forteresse
et de ne laisser entrer personne
sous aucun prétexte :
il serait dangereux
que quelqu'un pût les épier.
1260 « Sire, dit le sénéchal,
vous n'avez rien à craindre :
nous ne laisserons entrer âme qui vive
pour quelque motif que ce soit. »
Aussitôt, ils ont fermé la porte
1265 et sont montés au sommet du donjon,
tandis que, sans perdre une minute, Renart s'éloignait
à travers la lande, en éperonnant son cheval.
Il suppliait Dieu
de lui procurer, dans Sa miséricorde,
1270 un remède qui rendît la santé au roi.

Tout en poursuivant sa route,
il implorait Dieu et saint Martin
de lui fournir un médicament
qui guérît le roi Noble :
1275 c'était son plus cher désir.

Il passa toute la journée à chevaucher,
sans rien trouver
qui lui parût convenir.
A force de marcher, il arriva dans un pré.
1280 Un violent mal de ventre,
dû à la longueur de l'étape,
le faisait terriblement souffrir.
Cette nuit-là, il resta couché dans la prairie,
jusqu'à l'aube.
1285 Quand le jour parut, il se leva,
fort affligé, croyez-le,
de ne pouvoir trouver
un remède qu'il rapportât avec lui
pour guérir le roi.
1290 Tout en faisant force prières,
il marcha tant, ce matin-là,
qu'il tomba sur un jardin
rempli de simples de toutes sortes,

Qui sont pressïoses et cheres
1295 Et bones sont por mal saner.
Cele part vout Renars torner,
La resne abandone au cheval.
Parmi la costere d'un val
Est entrés dedenz le vergier.
1300 Son cheval corut atacher
A un arbre parmi le frein,
Ilec pest de l'erbe et del fein,
Et Renart conmença a querre
Par le verger, et tret de terre
1305 Herbes de maneres asez,
Que il les cunut meus asés
Que je dire ne vos sauroie.
Plus en queut de pleine galoie.
Quant asez en ot arachees,
1310 Si les a un petit molliees
En une fonteine qui cort
Par le verger et par la cort.
Iloques les a fet molt netes,
Si les bat entre deus tulletes,
1315 Puis en enpli un barillet
Qui asez estoit petitet.
A son cheval est repairié,
Si l'a a son arçon lïé
Molt tres bien et molt fermement,
1320 Puis monte que plus n'i atent.
Del verger issi, si s'en vet,
Molt envoissié grant joie fet.
    Renars s'en vait a esperon
(Molt a en lui noble baron)
1325 Entrés s'en est en une lande.
Voie ne senter ne demande,
Car il les savoit molt tres bien,
Ne l'en estuet aprendre rien.
De la lande en une forest
1330 Entra qui asez meus li plest.
En la forest desoz un pin
Trova dormant un pelerin.
Cil pelerins qui la dormoit,

précieuses et chères
1295 à cause de leurs vertus contre le mal.
Décidé à se diriger vers cet endroit,
Renart lâcha les rênes de son cheval
et, en suivant le coteau,
entra dans le verger,
1300 où il se hâta d'attacher à un arbre
par la bride sa monture
qui brouta de l'herbe et du foin,
il commença à chercher
dans le verger et à arracher
1305 beaucoup de simples
qu'il connaissait bien mieux
que je ne saurais vous dire;
il en cueillit plus d'un grand seau.
Quand il en eut beaucoup arraché,
1310 il les trempa un peu
dans l'eau d'une source qui coulait
à travers le verger et la cour.
Une fois bien nettoyées,
il les écrasa entre deux petites tuiles,
1315 puis en remplit un petit baril,
vraiment minuscule,
que, de retour à son cheval,
il attacha très solidement
à l'arçon de sa selle.
1320 Il enfourcha sa monture sans perdre de temps
et s'éloigna du verger,
le cœur en fête.
    Il s'en alla donc en pressant l'allure.
Quelle noble prestance!
1325 Il s'engagea dans une lande
sans avoir à demander son chemin,
car il connaît toutes les sentes sur le bout du doigt.
Impossible de lui en remontrer sur ce point.
Il quitta la lande pour une forêt
1330 où il se trouva plus à l'aise,
tombant même, sous un pin,
sur un pèlerin endormi
qui portait

Une riche aumonere avoit
1335 Qui est laciee a sa corroie.
Renars descent enmi la voie
Molt tost de la mule afeutree,
Si li a l'aumonere ostee
Si c'unques ne s'en aperçut.
1340 Renart qui le siegle desçut,
L'ovri, si a trové dedenz
Une herbe qui ert bone as dens,
Et herbes i trova asés
Dont li rois sera repassez;
1345 Aliboron i a trové
Que plusors genz ont esprové,
Qui est bone por escaufer
Et por fevres de cors oster.
Et puis a gardé d'autre part :
1350 Une esclavine vit Renart
Que cil avoit desoz son chef.
Il la prent, qui qu'il en soit grief,
Si l'afubla sanz arester,
Et vet sor son cheval monter
1355 Et se remet a l'anbleüre
Par la forest grant aleüre.
Tant a a l'aler entendu
Qu'il est au perron descendu.
    Quant Renart fu venu a cort,
1360 Tot li monde antor lui acort,
Ainz n'i ot beste si reposte
Qui ne venist jusqu'a la porte,
Trestuit por dan Renart gaber.
N'i a nul qui ne l'aut lober,
1365 Tex i a qui li getent boe,
Et Renart lor a fet la moe,
Et puis en monta en la sale.
Li rois out le vis teint et pale.
Quant il l'ot, si torne le chef,
1370 Mais molt li torna a meschef
Ce que laienz le vit entrer.
Et Renart qui bien sout parler
Le salue cortoissement :

une luxueuse aumônière,
1335 accrochée à sa ceinture.
Sitôt descendu de sa monture
qui était bien équipée,
Renart lui enleva l'aumônière
en un tournemain,
1340 et, l'ouvrant, le maître trompeur
y découvrit
une herbe bonne pour les dents
et bien d'autres simples
qui pourront guérir le roi ;
1345 il y découvrit de l'ellébore
dont beaucoup de gens ont éprouvé les vertus,
car elle a le pouvoir de faire monter
ou tomber la fièvre.
Puis, regardant d'un autre côté,
1350 il remarqua une pèlerine
sous la tête du voyageur :
il s'en saisit, sans aucun scrupule,
la revêtit sans tarder,
sauta sur sa monture
1355 qu'il mena bon train
à travers la forêt,
forçant tant l'allure
que le voici au perron, descendant de cheval.
    A peine était-il arrivé à la cour
1360 que tout le monde se précipita autour de lui ;
même les plus timides
s'avancèrent jusqu'à la porte,
pour railler en chœur messire Renart.
Chacun y va de sa moquerie,
1365 certains lui jettent de la boue,
mais Renart leur répond par une grimace
et monte dans la grand-salle.
Le roi, qui était livide et blême,
tourna la tête quand il l'entendit,
1370 mais son visage s'assombrit
quand il le vit entrer.
L'autre, beau parleur s'il en fut,
le salua courtoisement :

« Celui Damledieu, qui ne ment,
1375 Qui fist trestot canque mer sere,
Si gart le mellor roi de terre !
Ce est missire li lïons,
A tesmoign de toz ses barons,
Cil qui sunt tenu a prodome.
1380 Sire, je sui venu de Rome
Et de Salerne et d'otre mer
Por vostre garisson trover. »
    Li rois respont sanz atendue :
« Renart, molt savez de treslue.
1385 Or ça que mal soiez venus,
Fil a putain, nain descreüz !
Par mon chief or estes vos pris !
Ou avez tel hardement pris
Que devant moi venir osez ?
1390 Ja ne soie mes alosez,
Quant je vos tieng dedanz ma lice,
Se je ne faz de vos justice
Tel con ma cort esgardera.
    — Avoi, sire, ce que sera ?
1395 Fait Renart, gardez que vos dites.
Seront ce donques les merites
Que je aurai de mon servise,
Que je vos ai la poison quise
Qui bone est contre vostre mal ?
1400 Par Deu le pere esperital,
Ele m'a fait molt de mal traire,
Et or me volez ja deffaire,
Si ne savez encor por coi.
Por Dieu, sire, entendez moi,
1405 Refreniez un petit vostre ire,
Si orrez ce que je voil dire.
Sire, dist Renart, ce sachez
Que molt sui por vos damachez,
Tant ai alé par la contree
1410 Qui asez est et grant et lee,
Car je ai esté en Ardane,
En Lonbardie et en Toscane.
Puis que soi vostre enfermeté

« Que le Seigneur, le Dieu de vérité,
1375 le Créateur de tous les trésors de la mer,
garde le meilleur roi de la terre !
Je parle de monseigneur le lion,
si l'on en croit le témoignage de tous ses barons
que l'on tient pour d'honnêtes gens.
1380 Sire, me voici revenu de Rome,
de Salerne et même d'outre-mer,
où j'ai été chercher de quoi vous guérir. »
Le roi lui répliqua aussitôt :
« Renart, vous êtes un fieffé trompeur.
1385 Maudite soit votre venue,
fils de putain, sale avorton !
Par ma tête, maintenant on vous tient.
Où avez-vous trouvé l'audace
d'oser paraître devant moi ?
1390 Que je perde tout crédit,
si, maintenant que je vous tiens dans mes murs,
je ne vous applique pas le châtiment
que fixera ma cour.
— Holà ! Sire, qu'est-ce qui se passe ?
1395 Veillez à ce que vous dites.
Est-ce donc là la récompense
de mes services,
alors que j'ai été chercher la potion
capable de guérir votre mal ?
1400 Par Dieu le Père qui est pur esprit,
elle m'a causé bien des tourments,
et vous, maintenant, vous voulez me tuer,
sans savoir de quoi il retourne.
Par Dieu, sire, écoutez-moi,
1405 refrénez un peu votre colère,
et vous pourrez entendre ce que j'ai à dire.
Sire, sachez-le, dit Renart, pour vous
je n'ai pas épargné ma peine,
1410 parcourant le vaste monde,
jusque dans les Ardennes,
en Lombardie et en Toscane.
Dès l'instant où j'ai appris votre maladie,

Ne jui en castel n'en cité
1415 Plus d'une nuit, ce sachoiz bien.
N'a dela mer fusicïen,
Ne en Salerne, ne aillors,
Ou n'aie esté molt travellos.
En Salerne en trovai un saje
1420 A qui je dis vostre message :
Cil vos envoie garison.
— Di me tu voir, dist li lïon,
Que de cest mal me gariras ?
Ne sai se fere le porras.
1425 — Oïl, sire, foi que vos doi,
Ja mar en serois en esfroi,
Que je vos quit tot respasser. »
Lors se conmence a desfubler,
S'a s'esclavine mise jus
1430 Et son barillet mis desus.
Atant estez vos Roonel :
Quant il le voit, molt li fu bel,
Qui par la gole fu lacié
La ou Renars l'ot engignié
1435 Et il fu pendu par le col :
Encor l'en tient Renart por fol.
« Danz rois, ce a dit li gainnon,
Or entendés a ma raison :
Creez vos donc cest pautoner ?
1440 Il dist qu'il fu a Monpeller
Et en Salerne, si s'en vante :
Il ne passa onques Maante.
Or dist qu'est mires devenuz :
Pieça qu'il dut estre penduz !
1445 Faites me droit del grant otrage
Qu'il me fist en vostre messaje.
En une vigne me fist pendre :
Bien en devez venjance prendre.
Molt me fist mal sa conpaignie,
1450 Il a vers vos sa foi mentie :
Ge l'en apel de traïson,
Ves en ci mon gage a bandon.
— Sire rois, dist Renart, oëz !

je n'ai pas couché dans le même château, dans la même
1415 plus d'une nuit.   [cité,
Il n'est pas de spécialiste par-delà la mer,
à Salerne ou ailleurs,
que je n'aie été consulter au prix de mille tourments.
A Salerne, j'en ai trouvé un, fort savant,
1420 à qui j'ai décrit votre maladie
et qui vous envoie de quoi guérir.
— Est-ce bien la vérité ? demanda le lion.
Tu me guériras de ce mal ?
Je ne sais si tu le pourras.
1425 — Si, seigneur, par la foi que je vous dois.
Vous n'avez pas à vous inquiéter,
car je pense vous guérir complètement. »
Il commença alors à dégrafer sa pèlerine,
la posa par terre
1430 et mit dessus son tonnelet.
Mais voici que surgit Roënel
que la vue de Renart remplit de joie :
n'a-t-il pas été, par la ruse de Renart,
saisi par la gorge
1435 et pendu par le cou ?
Renart rit encore de sa sottise.
« Monseigneur, lui dit le mâtin,
faites attention à mes propos.
Vous croyez donc cette canaille,
1440 quand il se vante d'avoir été à Montpellier
et à Salerne ? Ce sont de purs mensonges :
il n'a jamais dépassé Mantes.
Il prétend maintenant être devenu médecin.
Il y a longtemps que l'on aurait dû le pendre !
1445 Accordez-moi réparation pour le grand dommage
qu'il m'a causé, lorsque j'étais votre messager.
Il m'a fait pendre au milieu d'une vigne :
vous devez en tirer vengeance.
Ce fut pour moi un funeste compagnon,
1450 et il a manqué à sa parole envers vous :
je l'accuse de trahison,
et voici mon gage.
— Seigneur roi, dit Renart, écoutez-moi !

Cist mastins est du senz devez ;
1455 Il redote ou a trop boü,
Ou il est hors del sen issu.
Trois mois a bien, ce vos plevis,
Que je ne fui en cest païs.
Se Roonax fu en meson,
1460 Ce veil lecheres de gaingnon,
Ma feme est molt bele mescine
Et si a non dame Ermeline :
Se il li quist honte et folie
Et ele sout tant de voisdie
1465 Qu'el se venja del pautoner,
Ce ne fet pas a merveller. »
     Lors se leva Tybers li chaz
Que Renart fist ja prendre au laz :
« Va ta voie, ce dist Tibert,
1470 Dahez ait home qui desert !
Trop par as dit grant estotie,
Quant apelaz de foi mentie
Si haut baron con est Renart.
Je te tieng a trop fol musart,
1475 C'au jor que tu fus atrapez
De ce dont tu t'es ci clamez,
Paissai ge devant le plascié
Dont dant Renart s'ert herbergié ;
Iloc trovai dame Hermeline
1480 Qui molt par est de franche orine,
Je demandai ou ert Renart,
Et el me dit tot par esgart
Qu'il estoit en Salerne alez
O tot cent libres moneez
1485 Por acater de la poison
De coi dan Nobles le lïon
Poüst encor avoir santé.
Por vos a molt son corps pené.
     — Sire, dist Renars, il dit voir.
1490 Or poés bien de fi savoir,
Je hé Tybert le chat de mort :
S'il i soüst auques de tort,
Certes, il ne le celast mie,

Ce mâtin délire,
1455 il radote, ou il a trop bu,
ou il n'a plus sa raison.
Il y a bien trois mois, je vous le jure,
que je n'ai pas été dans ce pays.
C'est lui qui a été chez moi,
1460 cette vieille canaille de débauché;
et, comme ma femme est une bien jolie fille
(elle se nomme Hermeline),
il lui a fait des propositions malhonnêtes,
mais elle a été assez maligne
1465 pour se venger de ce cochon :
rien d'étonnant à cela ! »
    Alors se leva le chat Tibert
que Renart fit jadis prendre au collet :
« File ton chemin, s'écria-t-il ;
1470 Au diable l'homme qui cherche à nuire !
Quelle folle témérité
que d'accuser de parjure
un seigneur de l'importance de Renart !
Tu n'es pour moi qu'un sot et un nigaud,
1475 car le jour où tu fus attrapé,
comme tu t'en es plaint ici,
je passais devant l'enclos
où sire Renart a établi sa demeure,
et j'y rencontrai Hermeline,
1480 la très noble dame.
Comme je lui demandai où se trouvait Renart,
elle me répondit justement
qu'il était parti pour Salerne,
avec cent livres en petite monnaie,
1485 pour acheter une potion
qui rétablît la santé
de monseigneur Noble.
C'est pour vous qu'il a mis son corps à rude épreuve.
— Sire, dit Renart, c'est la vérité.
1490 Vous n'êtes pas sans savoir
que je hais à mort le chat Tibert.
S'il avait su quelque chose qui me fût défavorable,
à coup sûr il ne l'aurait pas caché,

Einz me menast tost a la lie.
1495 Mais prodom est et veritable,
Et sa parole est bien creable.
— Ce est, ce dit Nobles, bien fet.
Tybert, leissiez ester lo plait!
E vos, Renart, pensez de moi,
1500 Si en pernés hastif conroi!
Je ai un mal dont ne voi gote,
Ne ne quit veoir Pantecoste.
Je ne vos puis la moitié dire
De la dolor qui me fet frire. »
1505 Ce dit Renart : « Garis serés
Ainz que troi jors soient passés.
Aportés moi un orinal
Et si verrai dedenz le mal. »
      Li orinax fu aportez.
1510 Nobles s'est jus du lit versez,
Si l'a pissié plus que demi.
Ce dist Renart : « Bien est issi. »
Adonques l'a levé en haut.
Ce dit Renars : « Se Dex me saut,
1515 Encor i est la fevre agüe :
J'ai la poison qui bien la tue.
Sire Nobles, ce dist Renart,
Or i estuet molt grant esgart,
Volés vos de cest mal garir ?»
1520 Ce dit Nobles : « Molt le desir.
— Or me fetes ces huis fermer
Et si me faites aporter
Tot ce que vos demanderai.
Cest mal del cors vos osterai,
1525 S'en saudra la fevre cartene
Qui si vos fait puïr l'aleine. »
Ce dist Nobles : « Molt volenters.
Tu auras quanque t'est mesters.
— Sire, fait il, pernés en cure :
1530 La pel del lou a tot la hure
M'estuet avoir premerement.
Ja verront tuit vostre parent
Conbien je sai d'astronomie.

il m'aurait fait boire le calice jusqu'à la lie.
1495 Mais c'est un homme honnête et probe
dont la parole est tout à fait digne de foi.
— Très bien, dit Noble.
Tibert, restez-en là
et vous, Renart, occupez-vous de moi,
1500 depêchez-vous de prendre vos dispositions !
Le mal dont je souffre m'a ôté la vue,
et je ne pense pas voir la Pentecôte.
Je ne puis vous dire seulement la moitié
des souffrances que mes brûlures me font endurer.
1505 — Vous serez guéri, répondit Renart,
avant trois jours.
Apportez-moi un urinal,
et j'y diagnostiquerai votre mal. »
    L'urinal apporté,
1510 Noble s'est laissé glisser du lit,
et a rempli le récipient plus qu'à moitié.
« Bien, bien ! » dit Renart
qui a levé l'urinal,
puis ajouté : « Dieu me sauve !
1515 La fièvre est encore bien forte,
mais je possède la potion qui la fait tomber.
Sire Noble,
il faut me prêter une grande attention :
voulez-vous guérir de ce mal, oui ou non ?
1520 — Oui, répondit Noble, c'est mon plus cher désir.
— Alors, faites-moi fermer ces portes
et apporter
tout ce que je vous demanderai.
J'extirperai cette maladie de votre corps
1525 et je chasserai la fièvre quarte
qui vous empuantit l'haleine.
— Très volontiers, répondit Noble :
tu auras tout ce qui t'est nécessaire.
— Sire, dit l'autre, prenez bonne note de ceci :
1530 tout d'abord, il me faut
la peau du loup, y compris celle de sa hure.
Tous vos parents pourront voir
comme je m'y entends en astronomie,

Ja vos ert sauvee la vie. »
1535 Dont ot Ysengrin grant poor.
Il a a Deu crïé amor,
Que il n'i a plus lous que lui.
Renart s'en venchera ancui.
Nobles sousleve les gernons,
1540 Si regarde toz ses barons,
Le leu regarde toz pensis
Si li a dit : « Bau douz amis,
Vos me poés avoir mester
De cest grant mal asoagier. »
1545 Ce dist Renart : « Vos dites voir,
Il vos puet bien mester avoir.
Il vos puet bien prester sa pel,
Car ore entre le tens novel
Que sa pel ert tost revenue,
1550 N'aura pas froit a la car nue. »
Dist Ysengrins : « Sire, ne faites !
Volés vos donc honir vos bestes ?
Cest plet ne m'est mie leger
De ma pelice despoiller.
1555 — Par les euz bé, ce dist li rois,
Ore est Ysengrin trop cortois,
Qui ma parole a contredite.
Il en aura ja sa merite.
Pernez le tost mes euz voiant,
1560 Si li despoilliés meintenant ! »
Dont le pristrent de totes pars
Et par les piés et par les bras,
La pel li traient hors del dos.
Or est li laz a mal repos,
1565 De la sale s'en ist le trot,
Il a bien paié son escot.
Dist Renars : « Sire, s'il te plet,
Molt tost soit ton jugement fet.
Il t'estuet de la corne au cerf
1570 Del lonc prendre le mestre nerf
Qui soit un pou retrait arere
(En l'orine vi la manere,
La medecine dont garras :

car je vous aurai sauvé. »
1535 Ces propos remplissent d'épouvante Isengrin
qui crie merci à Dieu :
il n'y a pas d'autre loup que lui dans la salle.
Voici venu pour Renart le jour de la vengeance.
Noble retrousse ses babines,
1540 contemple l'assistance,
puis, tout pensif, fixe le loup
à qui il dit : « Mon très cher ami,
vous pouvez aider
à me soulager de ce grand mal.
1545 — C'est la vérité, ajouta Renart.
Il lui est facile de vous aider,
il lui est facile de vous prêter sa peau,
car nous entrons dans la nouvelle saison
et sa peau aura tôt fait de repousser,
1550 il ne souffrira pas du froid, même s'il est nu.
— Sire, répliqua Isengrin, ne faites pas cela !
Voulez-vous donc déshonorer vos sujets ?
Ce n'est pas une mince affaire
que de me dépouiller de ma pelisse.
1555 — Parbleu, dit le roi,
Isengrin est d'une rare politesse
pour oser me contredire.
Il va en être récompensé.
Attrapez-le séance tenante
1560 et écorchez-le sur-le-champ ! »
      On l'attrapa donc de tous les côtés,
par les bras et par les pieds,
et on le dépouilla de sa peau.
Quel calvaire pour le malheureux
1565 qui sort au trot de la salle,
après avoir largement payé son écot !
      « Sire, reprit Renart, je vous en prie,
ne perdez pas de temps à vous prononcer.
Il vous faut prendre, sur les bois du cerf,
1570 dans toute sa longueur, le nerf principal,
en le tirant en arrière,
car j'ai vu dans l'urine votre maladie
et le remède pour vous guérir :

Porchace toi, mester en as)
1575 Et une coroie del dos.
Se tu l'as ceinte, en grant repos
En seras mis, n'en aiés dote.
Soz ciel n'a ne fevre ne gote
Qui jamés vos feïst nul mal,
1580 Je l'ai veü en l'orinnal.
— Ce puet bien estre » dit li rois.
Brichemer vit seoir au dois,
Nobles l'achena a sa poe,
Que il ne pot movoir la joe.
1585 Par le conmandement lo roi
Fu il cers mis en grant desroi.
Il l'abatirent tot envers,
La coroie ont pris de travers,
Si l'ont trencié a un cotel,
1590 Bien fu escrisie la pel,
Et les deus cornes li briserent,
Hors de la sale le chascerent.
Cist ont bien lor escot paié,
Jamés en foire n'en marcié
1595 Tolliu, paiage ne dorront,
Par trestot quitement iront.
   « Tybert, ce dit Renart, ça vien !
Tu me lairas auques du tien :
De ta pel seras despoilliez
1600 Ou mes sires metra ses piez. »
Et Tybert conmença a groindre,
Mais n'ert mie tens de respondre
Ne de tencier, voiant la gent,
Car il n'i avoit nul parent.
1605 Il sailli sus, si s'afaita,
Sanz congié de la cort torna.
L'uis ert fermé, mais il s'en saut
Par un pertuis qui ert en haut ;
S'en vait Tybert toz eslaissiez,
1610 Si se feri en un plessiez.
Ce dit Renart : « Cestui s'en va.
Maldehez ait qui m'engendra,
Se je le puis as meins tenir,

il faut vous le procurer, c'est nécessaire;
1575 il faut aussi découper sur son dos une lanière
qui vous soulagera beaucoup, soyez-en sûr,
si vous en faites une ceinture.
Ainsi serez-vous à l'avenir préservé
de toute fièvre, de toute goutte,
1580 je l'ai vu dans l'urinal.
— C'est bien possible», dit le roi,
qui, voyant Brichemer assis à la table,
le désigna de sa patte,
car il était incapable de bouger la tête.
1585 Sur l'ordre du roi,
le cerf fut mis à mal.
On le renversa;
d'un bout à l'autre du dos, on découpa
une lanière avec un couteau,
1590 non sans lui lacérer la peau;
on brisa ses bois,
puis on le chassa de la salle.
Ces deux-là ont largement payé leur part.
Jamais plus, dans une foire ou un marché,
1595 ils n'auront à régler aucun droit,
on les en dispensera partout.
« Tibert, dit alors Renart, approche-toi !
Tu nous laisseras bien quelque chose de ta personne :
on va te dépouiller de ta peau
1600 pour en envelopper les pieds de monseigneur. »
Tibert commença à gronder,
mais, comme ce n'était pas le moment de répondre
ni de discuter devant tout le monde,
car il n'y avait aucun parent,
1605 il bondit, fit ses préparatifs
et, sans prendre congé, s'éloigna de la cour.
La porte étant fermée, il sauta
par un trou qui se trouvait en hauteur.
Il s'en alla donc à toute vitesse
1610 et se réfugia dans un enclos.
« Celui-ci s'en va, dit alors Renart.
Maudit soit mon géniteur,
si je peux tenir le chat entre mes mains

Se ne li fas mon ju puïr. »
1615   Renart regarde entor lui,
       Vit les barons qui grant anui
       Avoient de ce qu'il faisoit,
       Chascun de soi poor avoit.
       Renars apele Roonel :
1620   « Fil a putein, fait il, mesel,
       Faites me ci molt tost un fou,
       Si me pernez la pel du lou,
       Si la lavés, si l'essuiés
       Et devant moi l'aparelliez !
1625   — Volentiers, sire, s'il vos plaist.
       Canque vos voudroiz sera fet.
       — Et vos, dan Grimbert le tessons,
       Venés tost ci a genellons !
       Et vos, Belin, venés a moi ! »
1630   Cil acorent par grant desroi.
       « Alez en tost por mon segnor
       Dex vos otroit grant desonor !
       Fetes molt tost sans demorer,
       Alés mon segnor aporter. »
1635   Cil li aportent vistement.
       Renars a pris un oignement.
       « Sire, dist il, je vos garrai
       Et ceste fevre vos toudrai ;
       Or vos covient un pou soufrir. »
1640   Ce dist Nobles : « Molt le desir
       Que fusse de cest mal haitiez,
       Car molt en sui afebloiés. »
       Renars le fist cocher adenz,
       Puis li a mis el nes dedenz
1645   Aliboron que il avoit,
       Qui si fort oignement estoit,
       Si le prist si a escaufer
       Et il conmença a enfler.
       A demener se conmença
1650   Del cul un gros pet li vola,
       Il esternue et se demeine.
       Molt estoit li rois en grant peine,
       Enflés fu, mes il esternue,

et que je ne le lui fasse pas payer! »
1615   Renart, regardant autour de lui,
vit les barons angoissés
par ses gestes.
Chacun craignait pour sa peau.
Renart appela Roënel :
1620 « Fils de pute, teigneux,
prépare-moi un feu en vitesse,
prends-moi la peau du loup,
lave-la, essuie-la,
et étends-la devant moi.
1625 — Bien volontiers, seigneur, puisque vous le souhaitez.
On fera tout ce que vous voudrez.
— Quant à vous, sire Grimbert le blaireau,
vite, par ici, à genoux !
Et vous, Belin, approchez-vous! »
1630 Ils accourent tout affolés.
« Courez vers monseigneur,
et que Dieu vous couvre de honte !
Allez, dépêchez-vous, ne perdez pas une minute,
apportez monseigneur. »
1635 Ils s'exécutent dare-dare.
Renart a pris un onguent.
« Sire, dit-il, je vous guérirai,
je supprimerai cette fièvre.
Mais il vous faudra souffrir un peu.
1640 — Mon plus vif désir, répondit Noble,
c'est d'être guéri de cette maladie
qui m'a ôté toutes mes forces. »
Renart le fit s'allonger sur le ventre,
puis lui mit dans le nez
1645 de son ellébore
qui était un remède très actif.
Aussi le roi commença-t-il à s'échauffer
et à enfler
et à s'agiter tant et si bien
1650 qu'un gros pet lui échappa
et qu'il éternua sans cesser de se démener.
Le roi n'était pas à la noce,
enflé, éternuant,

Et la pel du dos li tressue.
1655 Ce dit Nobles : « Molt sui enflés. »
Et Renart dist : « Ne vos tamés !
Garris estes, n'i avés garde. »
Et cil de poire ne se tarde,
Car la poison le detreinnoit
1660 Et les boiax li escaufoit.
Renart l'estendi les le feu,
Puis si a pris la pel du leu,
Dedenz a chocié le lïon,
Puis si a prise une poisson
1665 Qu'il avoit enblee au paumer,
A son segnor en fist manger.
Tantost con il en out gosté,
Ne senti mal n'enfermeté.
    Ce dit Nobles : « Je sui garis,
1670 Je vos en rent cinc cent mercis
E si vos saisi de ma terre ;
Qui vos voudroiz si aura guerre,
Car en aïde vos serai,
E deus bons castax vos donrai.
1675 Toz sui garis, nul mal ne sent,
Vos en aurois riche present.
— Dex, dist Renart, en ait les grés
Quant par moi estez repassez !
Sire rois, or m'en voil aler
1680 Por Ermeline conforter :
Je ne la vi deus mois a ja.
S'ele me voit, grant joie aura.
Je li dirai de vos noveles
Qui li seront bones et beles.
1685 Sire, Brichemer si me het,
Si ne li ai nient mesfet,
Et Ysengrin vostre provost.
Sachés qu'il ont vers moi grant tort.
Se il me pooient tenir,
1690 A duel me feroient fenir.
Sire, bon conduit me bailliez
Que je n'i soie damachés. »
Ce dist Nobles : « Molt volentiers. »

la peau du dos mouillée de sueur.
1655 « Me voilà enflé à éclater, dit Noble.
— Ne vous tourmentez pas, répondit Renart.
Vous êtes guéri, vous n'avez plus rien à craindre. »
Et le roi aussitôt de péter,
sous l'effet de la potion
1660 qui lui échauffait les boyaux.
Renart l'étendit à côté du feu,
puis prit la peau du loup
dans laquelle il coucha le lion.
Sortant ensuite une autre potion
1665 qu'il avait dérobée au pèlerin,
il la fit avaler à son seigneur
qui, dès qu'il en eut goûté,
ne ressentit plus mal ni faiblesse.
« Je suis guéri, déclara-t-il,
1670 mille fois merci !
Je vous fait maître de ma terre.
Vous pourrez faire la guerre à qui vous voudrez,
je vous viendrai en aide,
et vous donnerai deux beaux châteaux.
1675 Me voici complètement guéri, je n'ai plus mal du tout,
vous en serez largement récompensé.
— C'est Dieu qu'il faut remercier,
si j'ai pu vous guérir.
Sire, je voudrai maintenant m'en aller
1680 rassurer Hermeline
que je n'ai pas vue depuis deux mois
et qui sera très heureuse de me revoir.
Je lui donnerai de vos nouvelles
qu'elle aura plaisir à entendre.
1685 Sire, Brichemer me hait,
bien que je ne lui aie fait aucun mal,
tout comme Ysengrin votre prévôt.
Les torts sont de leur côté, c'est évident ;
toutefois, s'ils pouvaient me prendre,
1690 ils me feraient mourir dans les pires souffrances.
Sire, donnez-moi une bonne escorte
qui m'évite tout ennui.
— Bien volontiers », répondit Noble

Donc fist monter cent chevaliers,
1695 Tant chevaucent a grant vertu
C'a Terouane sont venu
Grant piece avant midi pasé;
Mais lor chevaus sont molt lasé.
     Li cent sont retorné arere,
1700 Et Renars entre en sa tesnere.
Venchés s'est de ses enemis.
Lors sojorna, ce m'est avis,
En son castel une grant pose,
Que asoür issir n'en ose.

qui fit donc partir cent chevaliers,
1695 lesquels chevauchèrent si fort
qu'ils arrivèrent à Thérouanne
un bon moment avant midi,
après avoir épuisé leurs montures.
    L'escorte s'en retourna,
1700 tandis que Renart pénétrait dans sa tanière,
bien vengé de ses ennemis.
A mon avis, il resta dans son château
pendant une longue période,
car il craignait pour sa sécurité.

Renart empereur
(Résumé)

Edition Ernst Martin, t. I, p. 390-484, 3402 vers

Renart, poussé par la famine, part de chez lui (38). Il rencontre Isengrin poursuivi par des paysans auxquels ils parviendront à échapper. Le loup, fatigué, s'endort au pied d'un arbre. Renart l'y attache, puis s'en va. Un paysan qui passait par là en profite pour rosser le loup qui, cependant, malgré ses liens, parvient à le mettre en fuite. Pour finir, Renart revient sur ses pas et détache Isengrin qui, pour le remercier, l'invite chez lui.

Après s'être bien restauré, Renart repart à l'aventure (256). Arrivé devant un fossé couvert de mûres, la gourmandise le pousse à sauter au milieu des ronces dont il a grand peine à se dépêtrer sans avoir rien mangé. Après plusieurs vaines tentatives, il décide qu'il ne doit pas en manger : n'en a-t-il pas fait le vœu jadis ? Et de reprendre son chemin (333).

Il rencontre cette fois Roënel en piteux état pour avoir été battu par un paysan. Le goupil profite de sa supériorité pour pendre le chien à un arbre et se moquer de lui (409). Mais l'arrivée des écuyers du roi l'empêche de parachever son forfait. Renart prend la fuite, tandis que le roi, très irrité, fait dépendre le chien que l'on transporte à la cour pour le soigner (546).

Celui-ci guéri, nous retrouvons Renart en quête d'aventures, au pied d'un chêne qui abrite un nid de milans. A peine Renart est-il arrivé qu'il mange les quatre petits. Les parents de retour, il s'ensuit une féroce bataille. Le goupil qui se défend bien met en pièces les deux oiseaux ; mais, épuisé, il gît en travers du chemin, quand surviennent un chevalier, son écuyer et son valet (617).

Ils croient que le goupil est mort. Le chevalier, heureux d'une telle aubaine, décide de l'emporter chez lui pour en récupérer la peau. Il charge le valet de l'écorcher. Mais le renard, qui est bien en vie, mord la fesse du jeune homme qui, fou de douleur, le laisse échapper. Quand, penaud, il raconte son aventure à son maître, celui-ci en rit de bon cœur (729). De son côté, Renart trouve une plante médicinale et soigne ses plaies avant de reprendre le chemin de l'aventure (760).

Remis sur pied, plein de vigueur, il arrive sous un cerisier dont les branches sont chargées de fruits. Mais comment en manger ? Par bonheur, Drouin le moineau est présent, qui lui en jette tant et plus, si bien que le renard demande grâce, tant il en a mangé (812). Drouin, considérant qu'un service rendu n'est jamais perdu, expose à Renart, qui a beaucoup voyagé et qui est fort savant, la maladie de ses enfants. Le goupil, généreux et reconnaissant, propose de les guérir (868). Comme remède, il ne voit que le baptême ; et lui-même n'est-il pas prêtre ? Tout s'arrange donc. Mais en fait de baptême, il se contente de compléter son repas avec les jeunes moineaux (897). Inquiet, Drouin s'aperçoit trop tard de la supercherie et sombre dans un profond désespoir, car sa confiance aveugle a coûté la vie à ses enfants (964). Aussi part-il à la recherche d'un vengeur qu'après bien des échecs il rencontre en la personne de Morhout, un chien maigre et efflanqué. Celui-ci accepte de le venger à condition de commencer d'abord par bien manger pour recouvrer les forces qu'il a perdues au service d'un paysan avare (1070). Les circonstances leur sont favorables, puisqu'au bout du chemin arrive une charrette chargée de viande. Drouin feint d'être blessé, occupant ainsi l'attention du charretier qui essaie en vain de le saisir. Morhout en profite pour s'emparer d'un jambon (1150). Du coup, il lui faut également boire. Aucune importance : voici venir un chariot de vin. Cette fois, Drouin se pose sur la tête du cheval et lui picore l'œil : le charretier, en voulant assommer le moineau d'un coup de massue, ne réussit qu'à abattre son cheval. Le chariot se renverse, tout le vin se

répand. Morhout peut se désaltérer en toute tranquillité
(1217). Ses forces recouvrées, il est prêt à affronter
Renart. Il se met en embuscade et attend que Drouin face
venir le goupil à portée de ses crocs. La tâche du moineau
est facilitée par l'avidité du renard à qui Drouin déclare
qu'il ne veut pas survivre à ses enfants et qu'il se laissera
manger lui aussi. C'est ainsi que, de bond en bond, de
saut en saut, il amène Renart auprès de Morhout (1303)
qui se précipite sur lui, le moment venu. Le combat, très
acharné, tourne rapidement à l'avantage du chien qui
laisse son adversaire étendu en travers du chemin, à
moitié mort (1350). Drouin savoure sa victoire; après
avoir remercié Morhout, il manifeste sa joie devant Renart devenu inoffensif (1379).

Heureusement pour celui-ci, Isengrin et Hersant viennent à passer par là. Lamentations, cris de douleur. Ils
emportent leur compère chez eux pour le soigner. Un bon
médecin lui rend la vie. Remis sur pied, il remercie ses
sauveurs et s'en va (1522). Il profite de l'inattention d'un
écuyer pour lui dérober son cheval et son faucon. Tout
joyeux de sa nouvelle monture, il exerce ses talents de
chasseur près d'un étang, et, pour sa plus grande joie, le
faucon capture plusieurs canards (1593).

Mais les bonnes choses ont elles aussi une fin : Renart
voit arriver Tardif, son vieil ennemi. Un violent combat
s'engage; non sans mal, Renart tue le limaçon et s'empare de ses armes (1651). Heureux de s'être débarrassé
d'un rival, Renart rencontre un envoyé du roi qui lui
remet un message, lui apprenant qu'il est appelé à la cour
(1682). Peu après, il rencontre sur son chemin son cousin
Grimbert dont il fait son écuyer, et tous deux prennent la
direction de la cour (1703). Mais à peine ont-ils chevau-
ché quelque temps que le fils aîné de Renart, Percehaie,
leur annonce la mort d'Hermeline. Très affligé, le goupil
lui ordonne d'aller chercher ses frères et de venir le
rejoindre au palais du roi (1746). Lui-même arrive bientôt
à la cour où il reçoit un accueil chaleureux. A la demande
du lion Noble, il accepte de l'aider à combattre les païens
et conseille au souverain de convoquer tous les barons
pour défendre le pays. Tous d'accourir : Noble est fier de

sa magnifique armée (1828). Cependant, Tardif le gonfalonier manque à l'appel. L'on s'interroge, chacun se demande pourquoi il n'est pas venu, quand l'écureuil Roussel se lève et annonce que Tardif est mort. Il peut même préciser qu'il a vu une énorme plaie sur le corps du limaçon. Il faut donc le remplacer. Le roi recommande de choisir le meilleur des barons ; dès lors, Isengrin suggère que ce soit Renart qui devienne gonfalonier. Dès qu'il est choisi, il demande au roi d'armer ses fils chevaliers (1938). Noble, qui est impatient de partir, décide de confier au goupil la garde du pays et de la reine. Certains chevaliers, comme Tibert et Isengrin, resteront au château, tandis que Percehaie accompagnera Noble et portera le gonfanon. Renart exige, avant le départ de l'armée, que les barons qui lui tiendront compagnie lui prêtent serment devant le roi (2012).

Le lendemain, l'armée s'éloigne, et le roi demande que l'on organise les corps de bataille. Bernard l'archiprêtre confesse tout le monde, et le combat de s'engager. D'abord surpris, les païens se ressaisissent. Il en accourt bientôt de tous les côtés, si bien que le combat s'équilibre peu à peu. Chantecler remédie à sa petite taille par son courage et accomplit d'extraordinaires prouesses. Hélas ! les ennemis, s'acharnant sur lui, finissent par le tuer. Après un moment d'affolement, la mêlée reprend. C'est alors au tour d'Épineux de quitter ce monde. Du côté des païens, les morts sont nombreux, les survivants commencent à perdre courage. Ils prennent la fuite, mais les barons les poursuivent et les acculent à la mer. Leur chef, le chameau, refusant de se jeter à l'eau et fuyant sur la terre ferme, est capturé et conduit devant Noble. Celui-ci, comme il ne sait quel châtiment lui infliger, l'abandonne à la fureur de ses hommes qui décident de l'écorcher vif. Après cette éclatante victoire, le roi donne le signal du retour, non sans avoir fait enterrer les morts, à l'exception d'Épineux et de Chantecler dont il tient à ramener les corps (2299).

Mais que fait Renart pendant tout ce temps ? Il exploite tout simplement une situation favorable. Une fois le roi parti, il écrit un faux message qui annonce la mort de

Noble, et qu'il fait porter par un valet. Lorsque celui-ci
arrive, il feint la douleur et, de courroux, tue le malheureux émissaire. Bien entendu, il accepte de se plier aux
prétendues dernières volontés de Noble : il épouse la reine
et se proclame roi, ce qui entraîne de grandes réjouissan-
ces dans le château. Le soir, au milieu de la liesse, il se
retire dans la chambre nuptiale avec sa nouvelle épousée.
Le lendemain, il partage le trésor et approvisionne le
château, car il redoute le retour de Noble (2458) qui ne
saurait tarder.

Voici l'écureuil qui annonce l'arrivée prochaine de
l'armée victorieuse. Renart lui interdit d'entrer et proclame que, désormais, il est le roi et que Noble ne
pénétrera pas dans le château. Stupéfait, l'écureuil apporte la nouvelle à son seigneur qui décide, au comble de
la colère, d'assiéger le palais. Mais Renart, en bon stra-
tège, ne donne pas à ses ennemis le temps d'établir leur
camp. Il s'empresse de faire une sortie pour les assaillir.
Résultat concluant : il les surprend désarmés, capture
Bruyant et Brun. Transporté de bonheur, il rentre dans le
château où la reine l'accueille avec de grandes démons-
trations de joie, où toute la soirée et une partie de la nuit
se passent dans la gaieté et la fête (2744). Au matin, le
combat reprend, mais, cette fois, les gens de Noble sont
armés. Renart défie le lion. Toutefois, la bataille
s'achève, sans qu'aucun des deux camps ait pu prendre
un avantage décisif. Il y a des morts des deux côtés ;
chose plus grave, Rovel a été fait prisonnier. Aussi Renart remonte-t-il au palais en proie à une profonde affliction (2984). La reine suggère d'échanger Rovel contre
Brun et Bruyant. Renart, du haut des remparts, propose le
marché suivant : ou bien on libère son fils, ou bien il
pendra les deux prisonniers au sommet de la tour. Noble
est contraint d'accepter, l'échange est fait, Rovel, libéré,
est accueilli fort joyeusement ; on soigne ses plaies et
bientôt il a recouvré ses forces (3093).

La lutte, cependant, n'est pas terminée ; le combat
s'engage de nouveau. Malgré l'ardeur des antagonistes,
cette nouvelle mêlée ne sera pas non plus décisive. D'autres morts s'ajoutent aux précédents, le fils de Renart,

Percehaie, est tué. Coup fatal pour le baron, profondément touché par cette perte. Aussi, découragé, rentre-t-il dans le château où la consternation est générale (3282). Toutefois, Renart ne s'avoue pas vaincu. Il décide une sortie nocturne. Mais, après un début facile et encourageant, il est surpris par les gens de Noble qui se sont réveillés; capturé, il est amené devant le roi (3330). Noble voudrait le condamner sur-le-champ, mais l'autre lui rappelle qu'il l'a guéri de la fièvre quarte : l'argument convainc Noble qui lui pardonne, et la paix est aussitôt signée. Le roi rentre alors dans son château où il est très bien accueilli par sa femme qui se garde de lui parler de son aventure avec Renart. La vie reprend son cours normal, Noble et Renart deviennent les deux meilleurs amis qui soient au monde (3402).

Les vêpres de Tibert
(Résumé)

Edition Ernst Martin, t. II, p. 1-42, 1486 vers.

Dans la maison du goupil, il n'y a plus rien à manger; aussi doit-il se mettre en chasse. L'arrivée de l'abbé Huon et de sa *mesnie* l'empêche de capturer des volailles. Dans sa fuite, il rencontre Tibert qui, rassasié, se chauffe au soleil et qui, après l'avoir mal accueilli, accepte d'aller chasser en sa compagnie. Or voici Guillaume Bacon et sa meute. Tibert grimpe sur un arbre, Renart détale. Les chasseurs harcèlent le chat, sans succès, tandis que survient un prêtre qui descend de sa monture et se joint aux agresseurs. Tibert saute sur le cheval et s'enfuit. Le prêtre, rossé par les chasseurs, est moqué par le chat (1-472).

Celui-ci, poursuivant sa route, retrouve Renart. Les deux compères, après avoir feint de s'ignorer, lient conversation. Tibert prend le goupil comme écuyer, et de se rendre à l'église où le chat remplacera le prêtre. Chemin faisant, discussion sur le partage du prix du cheval, et Tibert s'efforce de mettre en difficulté Renart par des subtilités scolastiques (473-788).

Parvenus à l'église qui est déserte, ils revêtent des surplis et chantent vêpres et complies. Ils se disputent sur la répartition des dîmes et des offrandes. Tibert s'attribue le meilleur des fromages qu'il vient de découvrir, au grand dam de Renart qui se promet de jouer à l'autre un bon tour. Il faut, lui dit-il, sonner les cloches. Il confectionne un nœud coulant qui se resserre autour du cou du chat et il renverse le banc qui lui servait d'appui. Et Tibert, à moitié étranglé, de continuer à sonner et d'ameuter le village, pendant que Renart lui adresse des quolibets avant de s'éloigner. Un vilain, accouru, se croit au sabbat ; terrorisé, il va chercher du renfort. On conjure le chat de dire s'il est chrétien ; comme il se tait, on le roue de coups ; mais, la corde tranchée d'un coup maladroit, il parvient à s'enfuir et rencontre de nouveau Renart qui reprend ses moqueries. L'un et l'autre regagnent alors leur maison (789-1485).

BRANCHE XIII

Les peaux de Goupil : Renart teint en noir
(Résumé)

Edition Ernst Martin, t. II, p. 43-108, 2366 vers.

Plusieurs jours de suite, Renart échappe aux chasseurs qui le poursuivent, et se réfugie dans un château sans qu'on puisse l'y retrouver malgré de minutieuses recherches. Scènes de chasse, longue poursuite d'un sanglier qui massacre de nombreux chiens avant d'être tué, repas, accueil du père du châtelain. Grâce aux aboiements des chiens, on finit par découvrir le goupil suspendu au milieu d'autres peaux (1-845).

La suite est consacrée à diverses aventures de Renart. Couché sur un tas de foin, il croque la corneille, puis, surpris à son réveil par une inondation, il échappe à la mort en volant la barque d'un paysan qu'il essaie de noyer (846-1007). Teint en noir pour ne pas être reconnu et se faisant appeler Choflet, il possède la louve Hersant après avoir jeté dans un piège Isengrin qui y laisse une patte (1008-1089). La barque échangée à un vilain contre trois poulets, il trompe le chien Roënel qui est rossé par des paysans et qui va se plaindre à Noble (1090-1330). En compagnie de l'écureuil Roussel, Renart-Choflet s'introduit dans la basse-cour d'un prêtre où il est capturé et exorcisé. Mourant de faim, il tente de manger Roussel qui dénonce le coupable au lion, tout comme le fait Isengrin (1331-1625).

Tibert est chargé de ramener Renart à la cour pour qu'on l'y juge, mais celui-ci le fait tomber dans un piège (1626-1775). Un autre messager royal, le mouton Belin, subit une semblable mésaventure (1776-1875). Enfin, le goupil, capturé par l'âne, l'ours et le sanglier, est conduit devant Noble. Contraint à livrer contre Roënel un duel judiciaire, il a le dessous et, moribond, il est jeté à la rivière ; mais il est sauvé par son cousin le blaireau Grimbert et il regagne son repaire de Maupertuis, des menaces à la bouche contre ses ennemis (1876-2366).

BRANCHE XIV

Ce fu en mai au tens novel
Que li tans est seriz et bel,
Si com estoit l'Asensïon,
Que Renart ert en sa meson
5 Sanz garison et sanz vitaille,
Si grant fein a que il baaille.
De la feim li delt molt li cors.
De Malpertuis s'en issi hors
Grant oire trestot eslaissiés.
10 Si se feri en un plaissié.
Tot corocé est enz entré ;
S'a Tibert le chat encontré.
Meintenant l'a a raison mis :
« Tibert, fait il, bau duz amis,
15 Dont venés vos ? dites le moi.
— Sire, dit Tebert, par ma foi,
Gié avoie enprise ma voie
Chiez un vilein les cele haie
Qui est iloqes devant nos.
20 Li vileins a, foi que doi vos,
Une feme qu'il aime tant
Que rien qu'el voille tant ne quant
Ne li contredit, tant soit let.
Cele a mucié plein pot de let
25 En une huce : et la m'en vois
Tot eslessié parmi cest bois,
Savoir se porroie avenir.
Se tu en vels o moi venir,
Ge t'en menrai vers la meson.

Renart et Tibert dans le cellier du vilain.
Renart et le loup Primaut.

C'était en mai, au temps du renouveau,
quand il fait doux et beau,
au moment de l'Ascension.
Renart était dans sa maison,
5 sans provisions ni victuailles :
il a si faim qu'il bâille
et que le corps lui fait terriblement mal.
Il sortit de Maupertuis
à toute allure, bride abattue,
10 et, sous le coup de la colère,
se jeta dans un enclos
où il rencontra Tibert le chat
à qui, d'emblée, il adressa la parole :
« Tibert, dit-il, mon cher ami,
15 d'où venez-vous ? Dites-le-moi.
— Sire, dit Tibert, sans mentir,
j'avais entrepris d'aller
chez un paysan à côté de cette haie
qui est là devant nous.
20 Le paysan, je vous le garantis,
a une femme qu'il aime tant
qu'il satisfait tous ses désirs,
même les plus insensés.
Or elle a caché dans une huche
25 un pot plein de lait, et c'est là-bas que je vais,
de ce pas, à travers ce bois,
pour voir si je pourrais attraper quelque chose.
Si tu veux venir avec moi,
je t'emmènerai vers la maison.

30 Mes par foi soiom conpaingnon!
    Gelines et capons y a. »
    Renart respont : « Ya, ya:
    Gié t'en asoür, volentiers. »
    Atant se metent es senters
35 Grant aleüre et le troton
    Tant qu'il vindrent a la meson,
    Qui tote estoit close de piex.
    « Dex, dit Renars, bauz sire Dex,
    Conment porrons entrer dedenz ?
40 Ces piex sont si entretenanz
    Que n'i porrons metre lez piez. »
    Dist Tebert : « Ne vos esmaiez !
    Molt bien, ce croi, vos i metron. »
    Lors s'en vont entor la meson
45 Tout belement le pas soé
    Tant qu'il trovent un pel froé.
    Ens se metent sans atargier.
    Puis s'en vont vers le jelinier,
    Que molt savoient de barat.
50 « Renart, ce dit Tibert le chat,
    Bauz doz amis, sez que feras ?
    En la meson o moi venras,
    Que se tu t'en vas as chapons,
    Tant a caenz de teus gaingnons,
55 Se il crient, il t'asaudront,
    Tost pris et retenu t'auront,
    Et g'i perdrai le mien afere.
    Mes vien ens, se tu vels bien fere,
    Aveuques moi tant qu'aion fet.
60 Et se tu veils avoir du let,
    Tu en mangeras grant plenté. »
    Dist Renars : « Ce me vient a gré. »
    Atant s'en sont a l'uis venu.
    Tybert qui molt voisiez fu,
65 S'en est entrés la teste avant.
    Puis dist : « Renart, se Dex t'avant,
    Vien enz, si susleve la huce !
    Del leit i a pleine une cruche.
    — Par foi, dist Renart, volentiers

30 Mais jouons franc jeu.
Il y a des poules et des chapons. »
Renart répondit : « Ya, ya !
Je te donne bien volontiers ma parole. »
Ils se mirent en route
35 à vive allure, au grand trot,
si bien qu'ils arrivèrent à la maison
qui était tout entourée de pieux.
« Dieu, dit Renart, grand Dieu,
comment y pénétrer ?
40 Ces pieux sont si serrés
que nous ne pourrons nous y glisser.
— Soyez sans inquiétude, lui répondit Tibert.
vous y accéderez sans peine, à mon avis. »
Ils font le tour de la maison
45 à pas feutrés, en silence,
jusqu'au moment où ils découvrent un pieu qui est cassé.
Les voici aussitôt dans l'enclos,
en route vers le poulailler.
Ils avaient plus d'un tour dans leur sac.
50   « Renart, dit Tibert le chat,
mon cher ami, sais-tu ce que tu vas faire ?
Tu vas venir avec moi dans la maison,
car, si tu commences par les chapons,
il y a tant de mâtins à l'intérieur
55 qu'au moindre cri, ils t'attaqueront
et auront tôt fait de te capturer :
du coup, mon affaire tombera à l'eau.
Le mieux est que tu restes avec moi
jusqu'à la fin de notre expédition.
60 Si tu veux avoir du lait,
tu en auras à gogo.
— D'accord », répondit Renart.
Les voici à la porte.
Tibert, un fin matois,
65 y est entré, tête la première ;
puis il a dit : « Renart, par Dieu,
entre, et soulève le couvercle de la huche !
Il y a une pleine cruche de lait.
— En vérité, reprit Renart, c'est avec plaisir

70 T'eïderai, baus amis chers. »
   Atant en vont la hocce ovrir.
   A Renart la lait sustenir
   Tibers, si est dedens sailli.
   Au pot en vint, n'a pas failli.
75 Sa teste a bien dedens botee.
   Au let boivre a mis sa pensee.
   Tybert durement hume et boit.
   Renart qui la huce tenoit,
   Esteit durement a malese.
80 « Tybert, dist il, ies tu a ese ?
   Hume tantost et si t'en is !
   Car foi que je doi seint Denis,
   Ceste huce forment me greve,
   Car par un pou que je ne creve. »
85 Tibert entent tant a humer,
   C'onques ne li vout mot soner.
      « Tybert, dit Renart, haste toi,
   Ou la huce carra sor toi. »
   Tibert entendi molt petit
90 A ce que Renart li a dit.
   Au manger a s'entente mise.
   Tant en manga con il devise.
   Quant tant ot mangé con il pot,
   Tot a jus trebucé le pot
95 Et le let espandi trestot.
   Ce dist Renart : « Tu es trop glot.
   Por quoi as cel pot abatu ?
   Meus amasse estre bien batu.
   Et ne por quant fai, si sail hors.
100 Je sui molt travellés du cors
   De ceste hoce sostenir.
   Il te covient hors a venir. »
   Tibert s'est acorsei, si saut,
   Et Renars tint la huce haut.
105 Tiberz desus le bort sailli ;
   Et Renars la huce flati,
   Qui li peseit, et si l'enpeint.
   Tibert a en la coe ateint
   Si grant coup, que ce n'est pas jex.

70 que je t'aiderai, mon cher ami. »
Ils s'en vont donc ouvrir la huche ;
Tibert qui laisse à Renart le soin de soutenir
le couvercle, saute dedans
et va tout droit au pot
75 où il a plongé sa tête.
Il ne pense qu'à boire le lait,
il le lampe à longs traits.
L'autre, qui retenait le couvercle,
était mal à son aise :
80   « Tibert, dit-il, n'as-tu pas ton content ?
Dépêche-toi de boire et sors,
car, par la foi que je dois à saint Denis,
je peine tant à maintenir ce couvercle
que je suis presque à l'article de la mort. »
85 Le chat est tellement occupé à boire
qu'il ne daigne pas répondre.
« Tibert, dit Renart, dépêche-toi,
sinon le couvercle va te retomber dessus. »
Le chat se soucie fort peu
90 de la mise en garde du goupil.
Il ne songe qu'à manger,
à manger tout son saoul.
Une fois rassasié,
il renversa le pot
95 et le lait qui y restait.
« Goinfre, dit Renart.
Pourquoi avoir renversé ce pot ?
J'aurais préféré recevoir des coups.
Ça ne fait rien : dépêche-toi de sortir.
100 Je suis exténué
à force de soutenir ce couvercle.
Il faut que tu sortes. »
Tibert prend son élan et bondit,
pendant que Renart maintient le couvercle.
105 Voici Tibert sur le bord,
mais Renart de laisser tomber avec force
le couvercle pesant,
écrasant la queue du chat
d'un coup si violent (il n'y va pas de main morte)

110 La coue li trenca en deus :
    Li bouz en la huce chaï.
    Et Tibert a terre est sailli :
    Si a Renart areisonné :
    « Renart, molt m'as mal atorné
115 Que tu m'as la coue trenchie,
    Si en ai soffert grant hachie.
    — Coupee ? dist Renart, par foi,
    Ce n'a je pas fait. — Qui donc ? — Toi.
    — Je non ai, par seint Lïenart.
120 — Diva, tais toi, ce dist Renart.
    Tu en ies assés plus ligier.
    — De ce n'avoie je mester,
    Dit Tebert, ce saches por voir.
    Nel vousisse por grant avoir. »
125 Dit Tibert : « Tu es trop musart.
    — Diva or di, ce dit Renart,
    N'en estas tu legier assez ? »
    Ce dit Tibers : « Vos i gabez.
    — Gabe ? dist Renart, a quoi fere ?
130 Que as tu de te coue a fere ?
    S'en te chaçoit, se Dex m'ament,
    Plus corroies legerement.
    Ce poise moi, par seint Amant,
    Que la moe coe est si grant.
135 Ge voudroie qu'el fust coupee. »
    Dist Tibert : « Bone l'as trovee.
    Mes or laissons atant ester,
    Si en alons sans demorer,
    Car, foi que je doi seint Richer,
140 Je voil que aies a manger. »
        Atant s'en oissirent de l'uis
    Tot belement par un pertus,
    Si s'adrecent vers les capons.
    Tot belement et toz enbrons
145 S'en sont au geliner venu.
    Tyberz qui porpensé se fu,
    En a Renart a raison mis :
    « Renart, fait il, bau doz amis,
    Les capons sont ici dedenz.

110 qu'il la tranche en deux;
le bout tomba dans la huche.
Tibert a sauté sur le sol,
et s'adressant au goupil:
« Renart, lui dit-il, tu m'as bien mal arrangé,
115 car tu m'as coupé la queue:
j'ai souffert la martyre.
— Je t'ai coupé la queue? En vérité,
ce n'est pas moi. — Qui donc alors l'a fait? — Toi-
— Pas du tout, par saint Léonard.   [même.
120 — Allons, tais-toi, dit Renart.
De toute façon, ne te trouves-tu pas beaucoup plus léger?
— Je ne le demandais pas,
répondit Tibert, sois-en persuadé.
Je ne l'aurais pas accepté même pour une fortune.
125 Tu es vraiment un imbécile.
— Allons, reprit Renart, dis-moi donc,
n'en es-tu pas considérablement allégé?
— Tu te moques de moi, dit l'autre.
— Moi, me moquer? Pourquoi?
130 Qu'as-tu à faire d'une queue?
Si l'on te donnait la chasse, par Dieu,
tu en courrais plus vite.
Je suis fâché, par saint Amand,
d'avoir une queue si longue.
135 Je voudrais qu'on me la coupât.
— Elle t'a bien convenu, dit Tibert, jusqu'à présent.
Mais restons-en là
et partons sur l'heure.
Car, par la foi que je dois à saint Richer,
140 je voudrais que tu aies à manger. »
    Ils quittèrent la pièce,
sans bruit, par un trou de la porte,
et se dirigèrent vers les chapons,
à pas feutrés, tête baissée.
145 Les voici au poulailler.
Après réflexion,
Tibert s'est adressé à Renart:
« Renart, fait-il, mon cher ami,
les chapons sont à l'intérieur;

150 Mes se tu m'en crois, par mes denz,
    As jelines ne toceraz.
    Eins te dirai conment feraz.
    Tu prendras le coc meintenant,
    Qui est et bon et cras et grant.
155 Car les gelines, par mon front,
    Trestotes escouees sont.
    Tout ce te di ge bien de voir. »
    Renart quide qu'il die voir ;
    Mes non fet, ainçois le gaboit.
160 Renart s'en vait au coc tot droit
    Qui deles Pinte fu a destre,
    Si l'a saisi parmi la teste.
    Quant il le tint, grant joie fet.
    Tibert qui esteit en agait,
165 Li demande : « Tiens le tu bien ?
    Garde ne t'escape por rien.
    Dont nel tiens tu bien, di le moi.
    — Oïl, dist Renart, par ma foi. »
    Si con Renart ovri la boce,
170 Et li cos meintenant en toche,
    Si conmence a chanter si haut
    Que li vileins sire Gonbaut,
    Qui se dormoit, s'en esvella.
    Meintenant ses chens apela
175 Et il meïsme sailli sus.
    El geliner entre par l'uis.
    Si tost con Tibert l'a veü,
    Fuit s'en (n'i a plus atendu)
    Tot coiement et a celé.
180 Renart rest en fuie torné
    Parmi els : molt tost l'aperçurent
    Li chen et aprés lui corurent,
    Mes Renart se met a la fue.
    Et li vileins ses chens li hue
185 Et cil se metent en la trace.
    Tibert qui fu de male estrace,
    Sali hors par le pel froé
    Par la ou il esteit entré,
    Renart aprés lui de randon,

150 mais si tu m'en crois, par mes dents,
tu ne toucheras pas aux poules,
je vais t'indiquer la marche à suivre.
Tu attraperas le coq, d'abord,
car il est bon, gras et gros,
155 alors que les poules, elles, par mon front,
n'ont que la peau sur les os.
Tout ce que je te dis là, c'est la stricte vérité. »
Renart le croit sur parole,
mais l'autre se moquait de lui.
160 Renart file tout droit vers le coq
qui se trouvait à la droite de Pinte.
Il le saisit par la tête.
Et quand il le tient, il ne se sent plus de joie.
Tibert, aux aguets,
165 lui demande : « Tu le tiens bien ?
Veille à ce qu'il ne t'échappe pas.
Le tiens-tu bien ? Dis-le-moi.
— Oui, dit Renart, foi d'animal. »
Mais, dès qu'il ouvre la bouche,
170 le coq aussitôt de se sauver
et de commencer à chanter si haut
que le paysan sire Gombert
qui dormait bien, se réveilla.
Il appelle ses chiens sur-le-champ,
175 se lève lui-même
et pénètre dans le poulailler.
Dès que Tibert l'aperçoit,
il s'esquive sans demander son reste
sur la pointe des pieds.
180 Renart aussi prend la fuite
à travers la meute. Sitôt vu,
sitôt poursuivi.
Le goupil de détaler,
et le paysan d'exciter ses chiens
185 qui le suivent à la trace.
Ce bâtard de Tibert
ressort par le pieu cassé
par lequel il était entré.
Renart se précipite à sa suite,

190 Mes li chen par le peliçon
L'aerdent, si l'ont jeté jus.
Ambedui li saillirent sus.
Molt l'atornerent malement.
Mes Renart ne fu mie lenz,
195 Einz se redrece, si s'en fuit.
Nel bailleront hui mes, ce quit.
Fuiant s'en vait sanz demoree,
Et li chen font la retornee.
      Renart s'en fuit de grant randon
200 Trestot pongnant a esporon.
Tant con piés le porent porter.
Or vos doi d'un prestre conter,
Qui passoit de travers un plein.
Une boiste avoit en sa mein,
205 Qui tote estoit d'oulees plene.
Li prestres passa a grant peine
Une soif que a passer ot,
Et la boiste qu'onques nel sot,
Li chet qu'eins ne s'en aperçut.
210 Renart qui cele part curut,
Trove la boiste, si s'en fuit.
Tot coiement que mot ne dit
L'a overte, puis si manja
Les ouleez que enz trova
215 Totes fors deus que il en porte.
En tost aler molt se deporte.
En sa boce tint les oulees
Qui furent en deus plois doblees.
Atant monte en un tertre haut,
220 Iloc a encontré Primaut
Le leu qui fu frere Ysengrin,
Qui venoit corant le cemin
Et de tost aler s'esvertue.
Ou voit Renart, si le salue:
225 « Renart, fait il, bien vienés vos !
— Primaut, Dex beneïe vos,
Fet Renart, et bon jor aiés !
Dont venés vos si eslaissiés ?
— Par ma foi, fait il, de cest bois.

190 mais les chiens l'attrapent
par la fourrure et le jettent au sol.
Ils lui sautent dessus
et le mettent en piteux état.
Cependant, Renart, qui était vif,
195 parvient à se relever et à s'enfuir.
Ce n'est pas aujourd'hui, je pense, qu'ils le rattraperont.
Il s'en va à toutes jambes,
tandis que les chiens rentrent.

   Renart s'enfuit à une vitesse folle,
200 piquant des éperons
et forçant son allure à l'extrême.
Il est temps que je vous parle maintenant
d'un prêtre qui traversait une plaine,
avec, dans la main,
205 une boîte pleine d'hosties.
Pendant qu'il franchissait une haie
à grand-peine,
il laissa tomber la boîte
sans s'en rendre compte.
210 Renart qui courait par là
découvrit la boîte et l'emporta dans sa fuite.
Doucement, sans mot dire,
il l'ouvrit et mangea
toutes les hosties qu'il trouva à l'intérieur,
215 sauf deux qu'il emporte avec lui.
Il s'amuse beaucoup à aller vite,
tenant par la gueule les hosties,
pliées en deux.
Au sommet d'une haute colline,
220 il a rencontré Primaut,
le frère d'Isengrin le loup
qui arrivait en courant
de toutes ses forces.
Dès qu'il voit Renart, il le salue :
225 « Renart, soyez le bienvenu !
— Dieu vous bénisse, Primaut,
bien le bonjour !
Mais d'où courez-vous ainsi ?
— Par ma foi, dit l'autre, de ce bois.

230 — Ou alez? — Porcacer m'en vois.
Por manger sui ci atrotés.
Mes que est ce que vos portés?
— Par ma foi, fait Renart, gatax
De mostier que sont bons et bax.
235 — Donés les moi, bauz amis cherz!
— Par foi, fet Renart, volonters. »
Atant li a Renart donees
De meintenant les deus oulees,
Si les a mangees Primaut.
240 « Renart, fait il, se Dex te saut,
Ou les preïs? en as tu mes?
— Nenil, fet Renart, mes ci pres
Les pris je dedens un moster.
— Molt par sont bones a manger,
245 Fet Primaut; se plus en avoie,
Molt volenters les mangeroie,
Car, par foi, ge ai si grant fein,
Ne mangai hui ne char ne pain. »
Dit Renart : « Tot ce n'a mester.
250 Vien t'en; si irons au moster,
Ou il en a encor asés.
— Renart, fait il, gari m'avés. »
Atant se metent a la voie
Renart et Primaut a grant joie.
255 Bien ont lo droit cemin tenu
Tant qu'il sont au moster venu,
Dont li prestres est capeleins.
Soz le seuil as piez et as meins
Font une fosse, ens sont entré
260 Trestot belement de lor gré,
Si en venent detrers l'autel.
Une aumaire ovrent, n'i ot el.
A grant plenté i ot oulees
Qui bien furent envolopees
265 En une molt bele toaille.
Primaut qui durement baaille
De fein, s'en fu tost delivré.
« Renart, fait il, bien as ovré,
Que tu m'as ma volonté fete.

230 — Et où allez-vous ? — Chercher de la nourriture.
C'est la faim qui me fait galoper.
Mais que portez-vous là ?
— Par ma foi, répondit Renart, ce sont
des gâteaux d'église, à la fois bons et beaux.
235 — Donnez-les-moi, mon cher ami.
— Oui, certes, avec plaisir », acquiesça Renart.
    Renart lui a donc donné
sur-le-champ les deux hosties
que l'autre a mangées.
240 « Renart, dit-il, que Dieu te sauve !
où les as-tu prises ? en as-tu d'autres ?
— Non, répondit Renart, mais je les ai prises
près d'ici dans une église.
— Elles sont délicieuses,
245 reprit Primaut ; si j'en avais davantage,
je les mangerais très volontiers,
car, vraiment, j'ai une de ces faims !
Je n'ai rien mangé de la journée.
— Qu'à cela ne tienne, dit Renart,
250 viens, et nous irons à l'église
où il en reste beaucoup.
— Renart, fit l'autre, tu es mon sauveur. »
Sur ce, Renart et Primaut,
pleins d'allégresse, se sont mis en route.
255 Ils ont suivi le bon chemin
tant et si bien que les voici à l'église
dont le prêtre était chapelain.
Sous le seuil, ils ont creusé, de leurs pieds et de leurs
un trou qui leur permet   [mains,
260 de pénétrer sans difficulté à l'intérieur
et de se rendre derrière l'autel :
ouvrant la seule armoire qu'il y avait,
ils trouvent une grosse provision d'hosties
soigneusement enveloppées
265 dans une magnifique serviette.
Primaut, qui de faim bâillait à se décrocher
la mâchoire, eut tôt fait de les engloutir.
« Renart, dit-il, c'est fort bien :
tu m'as procuré ce que je désirais ;

270 Mes cest manger trop me dehaite.
    Car con je plus en mangeroie,
    Et je, voir, grennor fein auroie.
    Mes je voi une huce la :
    Espoir aucune chose y a,
275 Qui nos seroit bon a manger.
    Alons la huce depecher !
    — Alon, dit Renart, de par Dé !
    Ce qu'avés dit, me vient a gré. »
    Lors sont a la huce venu.
280 Primauz qui plus voiziez fu,
    Prist la huce, et a queilque peine
    En a brisié la moreine.
    La huce ont overte tantost.
    Dedenz out li prestres repost
285 Pain et vin et car a foison.
    « Renart, dist Primaut, or avom
    Asés a manger, Deu merci.
    Mes estent la toaille ici !
    Si mangeron de ceste car.
290 Li prestres n'estoit pas escar
    Qui ici mucie l'avoit.
    Or manjons que Dex nos avoit
    Trestot estoe cest bienfait. »
    Trestot l'a de la huce trait
295 Et lo pain et lo vin avoc.
    Ambedui s'asient iloc,
    Si mangerent andui ensanble
    Pain et vin et car, ço me samble,
    A grant plenté et a foison,
300 Que s'il fussent a lor maison,
    N'i oüst il pas grennor joie.
    Renart dit soef qu'il ne l'oie :
    « Primauz, molt es ore haitiés.
    Mes se Dex ait de moi pitiez,
305 Ge saurai molt petit d'engin,
    Se ne t'en dels a la parfin.
    G'i metrai engin et entente.
    Primaut, fait il, molt m'atalente
    Que si estes bien conreés.

270 pourtant, cette nourriture me décourage :
plus j'en mange
et, vraiment, plus ma faim augmente.
Mais je vois une huche, là-bas.
Peut-être qu'elle contient quelque chose
275 de bon à manger :
allons la fracturer !
— Allons-y, dit Renart, par Dieu,
vos paroles me plaisent ! »
Les voici donc à la huche.
280 Primaut, le plus habile des deux,
prit la huche dont, après quelques efforts,
il brisa le moraillon.
Ils s'empressèrent de l'ouvrir.
A l'intérieur, le prêtre avait caché
285 du pain, du vin, de la viande en abondance.
« Renart, dit Primaut, nous avons à présent
de quoi nous rassasier, Dieu merci.
Mais étends donc la serviette par ici,
nous nous attaquerons à cette viande !
290 Le prêtre, qui l'avait cachée ici,
n'était pas un grippe-sou.
Mangeons donc tout ce que Dieu
dans sa bonté nous a envoyé. »
Il a sorti toute la viande de la huche,
295 ainsi que le pain et le vin.
Tous deux s'assirent sur place,
tous deux mangèrent de compagnie
du pain, du vin, de la viande, je pense,
à leur entière discrétion,
300 si bien que, chez eux,
leur joie n'eût pas été plus vive.
Renart chuchota, tout bas pour ne pas être entendu :
« Primaut, tu nages à cette heure dans le bonheur,
mais — Dieu me prenne en pitié ! —
305 je serai un bel empoté
si tu ne connais pas la souffrance au bout du compte.
Je vais m'y employer avec ardeur.
Primaut, dit-il, je suis ravi
de vous voir si bien traité.

310 Versés de cest vin, si bevés. »
    Dist Primaut : « Sachez sanz mentir
    Que nos en bevron par leisir;
    Car asés en avon, ce croi,
    Se nos esteon oncor troi,
315 A grant foison et a plenté. »
    Tant burent a lor volenté
    Q'a Primaut le cervel bolut.
    Renart qui tres bien l'aperçut
    Li dit un petitet en haut :
320 « Car bevés de cest vin, Primaut !
    — Si fa je, fet Primaut, par foi.
    Et tu Renart, verse, si boi.
    — Si fa ge, dist Renart, asés;
    Mes vos, sire Primaut, bevez;
325 Fet Renart, que trop estes lent.
    Bevés un pou plus dorement !
    De boivre vos voi recreü. »
    Dit Primaus : « Je boi plus que tu.
    — Non fez, ce dit Renart, par foi.
330 J'en ai molt plus boü que toi,
    Qui vaut la moitié d'un ferlinc.
    — Et tu, Renart, tien, have, drinc ! »
      Primaut boit et Renart li done.
    Por noient fust delez la tone;
335 Si bevoit Primaut dorement.
    Et Renart l'en force sovent
    Ausi conme s'il fust a feste.
    Li vins li monta en la teste,
    A Primaut, tant en a boü.
340 « Renart, fait il, avés veü
    Com Dex nos a amené ci ?
    Molt avom bien esté servi,
    La merci Deu, a cest soper.
    Se nos fossons major ou per,
345 Ne poosson pas estre meus.
    Et ge vos di bien par mes eulz
    Que je voil orendroit aler
    A cel autel messe chanter,
    Que je voi tot prest sor l'autel

310 Servez-vous de ce vin et buvez.
— Sachez, répond Primaut, qu'en vérité
nous pourrons en boire tout notre soûl.
Car nous aurions de quoi, je crois,
régaler trois autres compères
315 jusqu'à plus soif. »
Ils se laissèrent tant aller à boire
que le cerveau de Primaut entra en ébullition.
Renart qui l'avait bien remarqué,
lui dit d'un ton engageant :
320 « Buvez donc de ce vin, Primaut.
— C'est ce que je fais, par ma foi.
Mais toi, Renart, sers-toi et bois !
— Je m'en occupe, et sérieusement, dit Renart.
Mais vous, sire Primaut, buvez,
325 fait Renart, vous traînez...
Buvez donc avec plus d'entrain :
on dirait que vous flanchez.
— Je bois plus que toi, dit l'autre.
— Mais non, par ma foi, reprit Renart.
330 J'en ai bu plus que toi,
bien la valeur d'un sou.
— Tiens, Renart, prends, trinquons ! »
Primaut boit et Renart le sert :
335 Primaut boit comme un trou
et Renart le pousse à en reprendre,
comme si c'était un jour de fête.
Tant de boisson
lui monta à la tête.
340 « Renart, dit-il, avez-vous vu
comment Dieu nous a conduits ici ?
Et quel repas avons-nous eu,
grâce à lui, pour souper !
Si nous étions des maires ou des pairs de France,
345 nous ne serions pas mieux traités.
Mais, sur mes yeux, je vous assure
que je veux aller sur-le-champ
chanter la messe à cet autel
sur lequel je vois tout préparés

350 Le vestement et le messel. »
      Quant Renart la parole oï,
    Dedenz son cuer s'en esjoï.
    « Bien porras, fet il, tel chant fere
    Qui te tornera a contraire.
355 Chanter ne doit nus, bien le sez,
    Devant que il soit ordenés.
    Nus ne doit estre chapeleins,
    Se il n'est coronés au meins.
    — Par la foi que doi seint Renaut
360 Vos dites voir, ce dit Primaut.
    Bien sai e voi que dites voir.
    Mes or voudroie je savoir
    Qui me porra corone fere,
    Car conment que or tort l'afere,
365 Ma parole voil bien sauver.
    Vespres m'estot ici canter,
    Si truis qui corone me face. »
    Renart dit : « Se Dex bien me face,
    Se ge puis un rasoir trover,
370 Ge vos vourai ja coroner.
    — Vos dites molt bien », dit Primaut.
    Tot meintenant en estant sault.
    Si com nos trovom en l'estoire,
    Tantost troverent une aumoire,
375 S'ont dedenz un rasoir trové
    Bien trencant et bien afilé
    Et uns cisaux et un bacin
    D'un cler leiton et bon et fin.
    Meintenant l'a saisi Renart,
380 Si se retorne d'autre part,
    Si que Primaut n'i entendi.
    Dedenz le bacin a pisi,
    Si c'onques Primaut ne le sot.
    Or esgardés con il fu sot :
385 Onques garde ne s'en dona.
    « Primaut, fait il, esgarde ça !
    Tot nos est venu en sohet.
    — Dex, fet Primaut, grant part i eit !
    Or n'i a donques plus a fere,

350 la chasuble et le missel. »
   A ces mots, Renart
se félicita en son for intérieur.
« Il est fort possible que tel de tes chants
t'attire des désagréments.
355 Personne ne doit chanter, tu le sais bien,
avant d'être ordonné
et personne ne doit être chapelain
s'il ne porte au moins la tonsure.
— Par saint Renaud que je vénère,
360 vous avez raison, dit Primaut.
Je le constate, la vérité sort de votre bouche.
Mais à présent je voudrais bien savoir
qui pourra me tonsurer
car, quelle que soit l'issue de notre aventure,
365 je tiens à rester fidèle à ma parole.
Je dois ici chanter les vêpres,
si je trouve quelqu'un pour me faire une tonsure.
— Que Dieu me bénisse ! dit Renart ;
si je réussis à trouver un rasoir,
370 je m'en chargerai à coup sûr.
— Vous parlez d'or », dit Primaut ;
et de sauter aussitôt sur ses pattes.
Comme l'histoire nous le raconte,
ils découvrirent bientôt dans une armoire
375 un rasoir,
tranchant et bien affûté,
une paire de ciseaux et une bassine
de cuivre brillant de bonne qualité
dont Renart se saisit sur-le-champ :
380 tournant le dos à Primaut
pour que celui-ci ne se rende compte de rien,
il a pissé dans la bassine
à son insu.
A présent, jugez de la sottise du loup :
385 pas un instant, il n'eut le moindre soupçon.
« Primaut, dit Renart, regarde par ici !
Tous nos désirs sont réalisés.
— Rendons grâce à Dieu, reprit Primaut.
A présent, il n'y a plus rien d'autre à faire

390 Mes vien moi la corone fere. »
Adonques s'est a terre asis.
Et Renart l'a entre meins pris
L'eve sor la teste li rue.
Primaus ne se muet ne remue,
395 Einz se tint tot cois et en pes.
Et missire Renart l'a res,
A qui il n'en est pas deus billes.
La corone dusqu'as orelles
Li a fete, puis li a dit :
400 « Primaut, fait il, se Dex t'aït,
N'ies tu ores bien atorné ?
Tu m'en dois savoir molt bon gré.
— Si fa je, foi que gié te doi.
A ge corone ? — Oïl, par foi.
405 Se ne m'en creés, tastés i !
— Molt volenters, par seint Remi »,
Fet Primaut trestot soavet,
Que meintenant sa mein i met.
    La corone a bien detastee.
410 Adonc a grant joie menee,
Si li a dit : « Renart, bau mestre,
Par ma foi, or sui je bon prestre.
Or ne voil je plus demorer ;
Einz irai orendroit chanter.
415 Ja n'i aura plus atendu. »
Et Renart li a respondu :
« Primauz bauz amis, non feras.
Les seins tot avant soneras,
Que nus ne doit vespres chanter
420 Devant qu'ait fait les seins soner.
Sonés les, si ne vos soit gref !
— Vos avés bien dit, par mon chef,
Fet Primaus, ge les soneré
Et puis aprés si canteré. »
425 Adonc s'en est venu as seins
Si bone oire con il pot ainz.
Les cordes cort tantost saisir.
Les seins sone de grant aïr,
A glas sone et a quareignon.

390 que de me tonsurer »,
   dit-il en s'asseyant à même le sol.
   Renart se charge de lui
   et lui lance « l'eau » sur la tête :
   Primaut ne bouge pas d'un pouce,
395 impassible et serein.
   Renart l'a tondu,
   sans le moindre scrupule,
   le tonsurant
   jusqu'aux oreilles ; puis il a dit :
400 « Primaut, Dieu t'assiste !
   N'es-tu pas satisfait à présent ?
   Je compte sur ta reconnaissance.
   — Tu peux en être sûr, parole d'honneur.
   J'ai donc une tonsure ? — Pour sûr que oui,
405 mais si tu ne me crois pas, touche-la toi-même !
   — Très volontiers, par saint Rémi »,
   dit Primaut, d'une voix pleine d'onction,
   en y portant aussitôt la main.
      Après avoir longuement tâté sa tonsure,
410 il laisse éclater sa joie :
      « Renart, dit-il, mon cher maître,
   par ma foi, je suis à présent un vrai prêtre
   aussi n'attendrai-je pas un instant de plus :
   je vais chanter maintenant,
415 sans le moindre retard. »
   Mais Renart de lui répondre :
   « Pas tout de suite, Primaut, mon cher ami,
   vous devez auparavant sonner les cloches,
   car personne ne peut chanter les vêpres
420 sans avoir appelé les fidèles.
   Sonnez-les, et de bon cœur !
   — Vous avez raison, par ma foi,
   répond Primaut, je vais aller les sonner
   et ensuite je célébrerai l'office. »
425 Il se rendit donc auprès des cloches
   aussi vite que possible,
   il s'empressa d'empoigner les cordes
   et sonna à toute volée
   le glas et le carillon

430 Et Renart a de son giron
    La boche estopee du pan,
    Puis si a dit : « Enhan, enhan !
    Sachez bien ces cordez, sachez !
    — Si fa ge, fet il, ce sachez.
435 Onques mes par prestre ordené
    Ne furent seint si bien soné
    Come cil seront, se je puis. »
    Et Renart respont : « Plus ne ruis.
    Lessiés ester, que trop sonés. »
440 Dit Primaut : « Quant vos le volés,
    Il me vient molt bien a plaisir. »
    Atant a fait le glas fenir,
    Molt avoit soné longement.
    Vers l'autel s'en vet erraument,
445 Au plus tost que il pot venir.
    Del vestement se va vestir.
    L'aube a vestu sans atargier,
    Et Renart li curut aidier.
    Molt ferement li aïda.
450 La caisuble tantost pris a,
    Tot meintenant l'a endossee.
    La corone qu'iert granz et lee
    A aplanoie a sa mein,
    Puis en vient a l'autel a plein.
455 Tot meintenant que n'i ot el,
    A Primaut overt le messel.
    Puis a pris les foulz a torner.
    Renart se mist el retorner,
    Car il ot de la gent peor.
460 Envers l'uis s'est mis el retor.
    Par la ou il entrés i fu,
    S'en estoit meintenant issu.
    La fosse qui ert grant et lee,
    A tot meintenant estopee,
465 Et la terre a arere mise.
    Et Primaut remest a l'eglise
    Devant l'autel tot estesté.
    A chanter a mis son pensé.
    Durement brait et ulle et crie.

430 tandis que Renart se retenait de pouffer
derrière un pan de son vêtement.
Puis le goupil lui dit : « Oh ! hisse, oh ! hisse !
tirez donc sur ces cordes, tirez !
— C'est bien ce que je fais, sachez-le, dit l'autre,
435 jamais aucun prêtre ordonné
n'aura aussi bien sonné les cloches
que moi, si je le peux.
— Je n'en demande pas plus, dit Renart,
arrêtez : vous n'avez déjà que trop sonné.
440 — Vos désirs, répondit Primaut,
sont pour moi des ordres. »
C'est ainsi que fut interrompu le glas
qui avait bien duré une éternité.
Primaut file vers l'autel
445 le plus vite possible
pour revêtir les vêtements sacerdotaux.
Il enfile l'aube en un clin d'œil.
Renart vole à son aide
et lui donne un sérieux coup de main.
450 Primaut a eu tôt fait de prendre sa chasuble
et de l'endosser.
Sa tonsure, grande et large,
il l'a lissée de sa main,
avant de s'avancer vers l'autel même
455 où, sans se laisser distraire,
il a ouvert le missel
et s'est mis à tourner les pages.
Renart, par crainte des gens,
a fait demi-tour,
460 il se dirige vers la porte
et ressort aussitôt
par où il était entré.
Le trou, large et profond,
il l'a vite bouché
465 en remettant la terre,
pendant que Primaut restait dans l'église,
à l'autel, le crâne rasé.
Lorsqu'il a entrepris de chanter,
ses cris, ses hurlements, ses braillements

470 Li prestres a la vois hoïe
    Et si avoit les seins oïs.
    Tantost est de son lit sailliz,
    Si a une chandoille prise,
    Au fu en vient, si l'a esprise.
475 Puis a pris la clef do moster
    Et en sa mein un grant levier.
    Puis est de son ostel issu,
    Droit au moster en est venu.
    Par un trou prist a regarder,
480 Si a veü Primaut chanter :
    As eulz qu'il ot clerz le conut.
    Tantost par les rues corut.
    Si escrïa : « Seignors, or tost !
    Li leus s'est el moster repost. »
485   Qui donc veïst vileins venir
    Et envers le moster saillir !
    Chascun porte baston ou mace.
    N'i a celi ne le manache.
    A l'uis sont venu li cuivert,
490 Et li prestres a l'uis overt,
    Si entrent ens a une hie.
    Primauz qui la noisse a hoïe,
    Se merveille, plus n'arestut,
    Meintenant au pertuis corut
495 Et vit qu'il fu de terre plein.
    Vers l'autel s'en revint a plein
    Come cil qui fu esgarez ;
    Si a les vestemenz ostez.
    Puis s'en vint parmi le moster.
500 Li prestres qui tint un levier
    Le consuï, si le feri
    Que por un pou ne l'abati.
    Quant Primaut se senti feru,
    Envers le prestre en est curuz
505 Tot hors du sens et erragiez :
    S'il fust sous, ja l'oüst mangié,
    Mes li vilein si li anuient
    Que trestuit ensamble li huent,
    Si li donent des cous asez :

470 parvinrent au prêtre,
déjà alerté par les cloches.
Vite, il saute à bas du lit,
prend une chandelle
et va l'allumer au foyer.
475 Ensuite, il emporte la clé de l'église
et, dans la main, un gros bâton.
Il sort de chez lui
et se rend tout droit à l'église.
Regardant par un trou,
480 il vit chanter Primaut
qu'il reconnut grâce à sa bonne vue.
Aussitôt, il parcourut les rues
aux cris de : « Braves gens, debout,
le loup s'est caché dans l'église ! »
485   Ah ! si vous aviez vu les paysans accourir
et se précipiter vers l'église,
un bâton ou un gourdin à la main,
des menaces aux lèvres !
Voilà la canaille à la porte
490 que le prêtre a ouverte :
tous de s'y précipiter en foule.
A ce bruit,
Primaut s'étonne et, sans demander son reste,
bondit au trou
495 qu'il découvre bouché.
Il retourne droit à l'autel,
l'air égaré,
et ôte ses vêtements,
regagnant ensuite le milieu de l'église
500 où le prêtre, de son gourdin,
l'atteint, le frappe :
un peu plus, il l'abattait.
Lorsqu'il sentit le coup,
Primaut se retourna contre le prêtre,
505 fou de rage :
si l'homme avait été seul, il y passait,
mais les paysans le harcèlent
de leurs cris
et de leurs coups redoublés.

510 A pou que n'a les os qassez.
    Primaut vit que ne pot durer
    Ne por fuïr ne por aler.
    Molt amast ore ou bois a estre.
    Lors a veü une fenestre
515 Bien haute dis piez et demi.
    Il s'acorse, si est sailli
    Molt dolent et molt corocié.
    A pou que n'a le coul brisié.
    Con il fu horz, grant joie ot.
520 Fuiant s'en va plus que il pot.
    Vers le bois trestot eslaissié
    S'en va fuiant le col baissié.
    Ne s'est gueres arresteü
    Tant qu'en la forest est venu.
525 Si tost con il i fu entré,
    S'a son conpaingnon encontré,
    Renart, que molt d'engin savoit.
    Si tost conme Primauz le voit,
    Si li dist : « Renart, dont viens tu ?
530 Di moi, por qoi me lassas tu
    Dedenz le moster enseré ?
    J'ai trové le trou bien serré.
    Tu l'estopas, si con je croi. »
    Dit Renart : « Nol fis, par ma foi,
535 Mes li prestres, qant il t'oï,
    Si l'estopa que je le vi,
    De la terre que fu en haut.
    — Je t'en croi bien, ce dit Primaut.
    Mes je me muir ici de fain.
540 Qu'est ce que tu tiens en ta mein ?
    — C'est un heranc, ce dit Renart.
    Mangié en ai, se Dex me gart,
    A grant plenté et a foison,
    Que je trovai un careton
545 Qui en meine une caretee,
    Ou j'ai bien ma pance foree,
    Que j'en ai mangié a plenté,
    Tant con moi vint en volenté. »
    Atant li tendi le hereng.

510 C'est tout juste s'il n'a pas les os brisés.
Il vit qu'il ne pouvait leur résister
ni par la fuite ni par l'attaque.
Comme il aurait préféré se trouver alors dans un bois !
C'est alors qu'il avisa une fenêtre
515 à dix bons pieds et demi de haut :
il prit son élan, bondit,
le cœur plein d'amertume,
et manqua de se rompre le cou.
Une fois dehors, sa joie fut immense.
520 A toutes jambes,
il détala en direction du bois,
fuyant tête baissée.
Il ne fit pas la moindre halte
avant d'atteindre la forêt.
525 A peine y était-il entré
qu'il tomba sur son compagnon,
Renart, le fin rusé.
Aussitôt, Primaut
de lui demander : « Eh bien ! Renart, d'où viens-tu ?
530 Pourquoi m'as-tu abandonné,
alors que j'étais enfermé dans l'église ?
J'ai trouvé le trou fermé :
à mon avis, c'est toi qui l'as bouché.
— Mais non, dit Renart, par ma foi ;
535 c'est le prêtre qui l'a bouché
dès qu'il t'a entendu, je l'ai vu,
avec la terre qui était au-dessus.
— Je veux bien te croire, dit Primaut
mais pour l'heure je meurs de faim.
540 Que tiens-tu à la main ?
— C'est un hareng, répondit Renart,
j'en ai mangé — Dieu me garde ! —
des mille et des cents
que j'ai trouvés dans un chariot,
545 une pleine charretée,
dont je me suis rempli la panse
car j'en ai avalé des quantités,
autant que je voulais. »
Alors, il lui tendit le hareng

550 Primauz le prist et dist : « Ah enc,
Bien puisses tu ore venir,
Que molt avoie grant desir
De manger, que je fein avoie !
Cesti mangerai tote voie. »
555 Quant il ot lo herenc mangié,
Si en a Renart aresnié :
    « Renart, fait il, enseinne moi.
Por Deu et por l'ame de toi,
Me di conment tu les eüs,
560 Sans engin avoir nes poüs,
Que certes s'ancore en avoie,
Que volenters en mangeroie. »
Dit Renart : « Sachés sans mentir,
Quant vi la carate venir
565 Tote soef et tote quoie,
Je me choçai enmi la voie
Et la teste tenoie entort
Ausi con se je fusse mort.
Si tost conme li caretier
570 Me virent jesir ou senter,
Si quiderent a escïent
Que je fusse mort vraiement.
Il me pristrent que n'i ot el,
Que il dessirroient ma pel.
575 Et meintenant me pristrent il,
Si me jetent el caretil,
Et je conme prous et ligiers
En ving meintenant as paners,
Si en mangai tant con je poi.
580 Et quant asés mangé en oi,
Si sailli jus a tot cesti,
Que je t'ai aporté ici.
Et se tu en vous plus avoir,
Va aprés, si feras savoir,
585 Et si t'apareille autresi. »
Meintenant Primaut respondi :
« Par ma foi, Renart, ge i vois.
Mais atendés moi en ce bois.
— Je volenters, se Dex me saut. »

550 que Primaut saisit en disant : « Hum...
sois le bienvenu
car je ne pensais
qu'à manger, tant j'étais affamé !
J'aurai au moins cela à manger. »
555 Le hareng avalé,
il s'adressa à Renart :
    « Renart, dit-il, apprends-moi,
par Dieu et par le salut de ton âme,
comment tu as fait pour les avoir,
560 grâce à quel stratagème,
car vraiment, si j'en avais encore,
je les mangerais volontiers. »
Renart s'expliqua : « En vérité, sachez
qu'au moment où je vis la charrette
565 arriver cahin-caha,
je me suis couché en travers du chemin,
tordant la tête
pour faire le mort.
Dès que les charretiers me virent
570 étendu sur le sentier,
ils crurent dur comme fer
que j'étais bel et bien mort.
Ils ne firent ni une ni deux, ils me prirent,
ne pensant qu'à ma peau.
575 En un clin d'œil ils me soulèvent
et me jettent dans la charrette :
alors moi, qui ne manque pas de hardiesse ni d'agilité,
je me suis retrouvé devant les paniers.
J'en ai mangé tout mon soûl,
580 et lorsque je fus rassasié,
je redescendis avec le morceau
que je viens de te rapporter.
Si tu en désires davantage,
tu feras bien de rattraper la charrette
585 et de suivre mon exemple. »
Primaut se hâte de répondre :
« Par ma foi, Renart, j'y vais de ce pas,
mais attendez-moi dans ce bois.
— Mon Dieu, bien volontiers. »

590 Atant s'en est alé Primaut
Et corant que plus n'i delaie.
La charete vit en la voie,
Qui vint decendant d'un laris [1]
Tote cargie de plaïs.
595 Con il la vit, si en fu liez.
Enmi la voie est chocez.
Tote estendu iluec se tint,
Tant que la charete i vint.
Quant cil l'a veü, si s'escrie :
600 « Ha ha, le leu ! aïe, aïe ! »
Li marcheant estoient loing
Et quiderent qu'il ait besoing.
Quant il l'oïrent si crïer,
Lors prennent a esporener,
605 Iloques vienent les granz salz,
Mes onques ne se mut Primauz,
Si se sont sor lui enbatu
La ou se gist tot estendu.
« Il est mors, fait li uns. — Non est.
610 — Par la cervele Deu, si est.
— Folz, fait li autres, il se feint. »
Adonc l'a du baston enpeint
Durement, et il ne se mut.
Li careter i acorut
615 A tot un lever en ses meins,
Si l'a feru parmi les reins
Si grant coup a po ne l'a mort.
Primauz le sent, si a gient fort,
Mes onques ne se remua.
620 Uns des marcheanz l'ezgarda,
S'a veü sopirer Primaut.
Meintenant a l'espee saut,
Si l'a traite, sel vout ferir.
Conme Primauz le vit venir,
625 Si joint les piés et torne en fuie.

---

1. Le mot *laris* se retrouve dans un certain nombre de formules en
opposition avec *plains* (comme : *Il chevauce plains et lairis*) et désigne
un terrain accidenté, en pente.

590 Sans plus attendre, Primaut
est parti en courant.
Il vit la charrette sur le chemin,
en train de descendre une pente,
avec un plein chargement de limandes.
595 Quel spectacle réjouissant!
Il s'est couché au milieu de la route
et y resta étendu de tout son long
jusqu'à l'arrivée de la charrette.
A la vue de Primaut, l'homme hurle:
600 «Ha! ha! le loup! au secours!»
Loin derrière, les marchands,
à ses cris,
le crurent en difficulté.
Alors, éperonnant leur monture,
605 ils le rejoignirent à vive allure,
mais Primaut n'avait toujours pas bougé.
Ils se ruèrent sur lui
alors qu'il était étendu à terre.
«Il est mort, dit l'un. — Mais non!
610 — Par le crâne de Dieu, je te dis que si!
— Tu es fou, il fait semblant», dit l'autre
tout en lui assenant un coup
violent: le loup ne broncha pas.
Le charretier se précipita,
615 et, de son gourdin,
le frappa si fort sur le dos
qu'il fut à deux doigts de le tuer.
Sous ce choc, Primaut poussa un gémissement,
mais ne fit pas le moindre geste.
620 Un des marchands qui l'observait,
le voyant soupirer,
tira sur-le-champ son épée.
La voici levée, prête à frapper:
Primaut, lorsqu'il la vit s'abattre,
625 se redressa et prit la fuite

Li chareters forment le hue.
Primauz s'en fuï tot dolenz.
Bien est batu por les herens
Dont il quida avoir sa part.
630 Ne fina, si vint a Renart
Qui se jut sos un arbre haut.
Devant lui est venu Primalt.
« Renart, fait il, mal sui bailis.
— Comment ? fet il, as tu failli ?
635 N'as tu pas des herens mangé ? »
Dist Primaut : « Ains sui mahanné,
Si m'a batu le careton
Tres parmi le dos d'un baston,
A pou que il ne m'a tué,
640 Se ne me fusse remué.
Uns marcheant qui trait s'espee
La le m'oüst ou cors botee,
Mes, si tost con traite la vi,
Je sailli sus, si m'en fuï
645 Au plus que je poi durement.
Il m'atornerent malement. »
    Dit Renars : « Ne vos esmaiés !
Quant vos en estes reperiés,
Vos en devés Deu aorer.
650 Mes or vos venés reposer
Un petitet, puis si irons
Porchascer que nos mangerons. »
Primauz respundi : « Amis chers,
Ce fera ge molt volenters. »
655 Lors s'est asis joste Renart
Tot soef a senestre part.
« Renart, fait il, car me conseille
Par quel engin, par quel merveille
Je poüsse avoir a mangier,
660 Que je en ai grant dessirrer. »
Dist Renars : « Foi que je vos doi,
Vos en aurois, par tans, ce croi,
A grant plenté et a foison,
Que ci pres a une meson.
665 Chies un vilein la de delez

sous les huées des charretiers.
Primaut détale, endolori,
frappé à cause des harengs
dont il pensait avoir sa part.
630 Sans prendre de repos, il arriva auprès de Renart
qui était allongé sous un grand arbre.
Il s'est avancé vers lui :
« Renart, dit-il, les choses ont mal tourné pour moi.
— Comment, s'étonna l'autre, tu n'as pas réussi ?
635 Tu n'as pas mangé de harengs ?
— Non, dit Primaut, mais par contre je suis tout estropié.
Ce charretier de malheur m'a frappé
en plein sur le dos avec un bâton.
Il m'aurait bel et bien tué,
640 si je n'avais détalé.
Un des marchands qui avait tiré son épée,
me l'aurait volontiers enfoncé dans le corps,
mais, dès que je la vis dégainée,
je me relevai et me sauvai
645 à toutes jambes.
Ils m'ont salement arrangé.
— Remettez-vous, dit Renart.
Puisque vous en êtes revenu,
vous devez en rendre grâces à Dieu.
650 Mais à présent, prenez donc un tout petit peu
de repos, ensuite nous irons
chercher notre nourriture.
— Mon cher ami, répondit Primaut,
je me range bien volontiers à votre avis. »
655 Il est alors venu s'asseoir auprès de Renart,
tout calmement, à sa gauche.
« Renart, demande-t-il, indique-moi donc
une ruse, une astuce
qui me permettrait d'avoir à manger :
660 je ne pense qu'à ça.
— Par ma foi, dit Renart,
vous en aurez bientôt, à mon avis,
et en grande quantité.
En effet, tout près d'ici, de ce côté,
665 se trouvent, dans la ferme d'un paysan,

A trois bacons molt bien salés,
Dont tu auras en moie foi,
Se tu voulz venir avoc moi. »
Dit Primaus : « La vostre merci.
670 Or vos levés donques de ci,
Fet Primauz, et si en alon.
— Je volenters, par seint Simon »,
Fet Renars ; maintenant se leve.
Et sachés que pas ne li greve
675 De Primaut que si tost deçoit.
A la maison vont a esploit
Andoi ensemble les a lez.
Par un pertuis i sont entrez
Qui estoit petiz et estroit.
680 Et Primaus de fein se moroit,
Si i entra a grant destrece.
Tantost vers les bacons s'adrece
Delez Renart qui sages fu.
« Primauz, il t'est bien avenu,
685 Fet soi Renars, manger poez
Tant que bien soiez saolez. »
Primauz manjüe d'une part
Et d'autre mesire Renart
Qui asés savoit plus engin
690 Que Primauz le frere Ysengrin.
Durement manjüent et tost,
Que il le firent en repost
Por le vilein dont orent dote.
Et Renars durement escote :
695 A l'escoter fu ententis
Que ne vout pas estre sorpris.
Tant manga Primaus des bacons
Qu'il fu ausi gros conme lons.
« Renart, fait il, qant vos voudrois,
700 Fors de ceens nos geterois,
Que tant ai mangié ne poi plus. »
Meintenant en venent a l'us,
S'est Renars tantost issu hors
Et Primaus si estoit si gros
705 Que il ne pot onques oissir.

trois jambons qui ont été fort bien salés.
Tu en auras, je t'assure,
si tu veux m'accompagner.
— Merci beaucoup, dit Primaut,
670 levez-vous donc vite
et partons.
— Par saint Simon, bien volontiers »,
répondit Renart. Vite, il se relève.
Sachez qu'il n'est pas navré
675 de voir Primaut qui fonce aussi rapidement vers le piège.
Ils se hâtent tous deux
vers la maison, côte à côte.
Ils y sont entrés par un trou
qui était petit et étroit.
680 Primaut qui mourait de faim,
eut beaucoup de peine à s'y glisser.
Il se dirigea aussitôt vers les jambons,
aux côtés de Renart qui ne manquait pas d'habileté.
« Primaut, tu as bien de la chance,
685 dit Renart, tu peux manger
tout ton soûl. »
Primaut mange de son côté
et messire Renart du sien.
Le goupil était infiniment plus rusé
690 que Primaut, le frère d'Isengrin.
Ils avalent, ils avalent,
en se cachant du paysan
dont ils avaient peur.
Renart dresse l'oreille,
695 il écoute des deux oreilles
pour ne pas être surpris.
Primaut s'empiffra tant de jambon
qu'il devint aussi large que long.
« Renart, dit-il, quand il vous plaira,
700 vous nous ferez sortir d'ici :
j'ai tellement mangé que je n'en puis plus. »
Ils se dirigent donc vers la porte.
Renart fut dehors en un instant,
mais Primaut avait tant grossi
705 qu'il lui fut impossible de sortir.

« Ha Dex, que porrai devenir,
Fet Primaus, et que porrai fere ? »
Dist Renars : « Que as tu, bau frere ?
— Que j'ai, Renart ? par seint Richer,
710 Je ne m'en puis ici ficher.
— Ficher ? si pos, se Dex me saut.
— Par ma foi, non pois, dit Primaut.
Je ne pois issir, je te di.
— Or bote ta teste par ci
715 Por savoir et por essaier
Se tu t'i porroies ficher. »
Primaus n'i entendi a mal.
Adonques s'eslaissa a val
Et el pertus sa teste mist.
720 Renars as orreilles le prist
A deus meins et si sache et tire,
A pou le cuir ne li descire.
Et onques ne sot tant tirer
Que d'iloc le poüst oster.
725 « Renart, fait Primaus, sache fort !
Se ne me aides, je sui mort,
Que je te di sans decevoir,
Se li vileins pooit savoir
Que je fusse si enseré,
730 Il m'auroit meintenant tué
Que ja raençon n'en auroie. »
Dit Renars : « Or ne t'i esmaie,
Que je te di, se onques puis,
Tu en istras par cest pertus. »
735 Atant s'en est torné Renart.
D'un plançon a fet une hart,
Si est arere repairés
Con cil qui est joians et liez,
Si l'avoit Primaut el col mise.
740 « Primaut, fet il, en nule guise,
Sachés, ne vos lairoie ci. »
Primauz respont : « Vostre merci ! »
Renars sache ce que il pot
Et Primaus onques ne se mot.
745 Mes por pooir que poïst fere

« Grand Dieu, que vais-je devenir,
dit Primaut, que puis-je faire ?
— Qu'as-tu, mon frère ? dit Renart.
— Ce que j'ai ? Par saint Riquier,
710 je ne peux pas passer par ici.
— Passer ? mais si, tu le peux, par Dieu.
— Je te jure que non, affirma Primaut.
Je te dis que je ne peux pas sortir.
— Enfonce donc ta tête par ici,
715 tu verras bien en essayant
si tu peux passer. »
Primaut n'y entendit pas malice :
il se baissa donc
et mit sa tête dans le trou.
720 L'empoignant à deux mains
par les oreilles, Renart tira de toutes ses forces :
il manqua de lui arracher le cuir.
Pourtant, en dépit de tous ses efforts,
il ne put le sortir de là.
725 « Renart, supplie Primaut, tire fort !
Sans ton aide, je suis perdu ;
je te le dis en toute franchise :
si le paysan me savait
emprisonné de la sorte,
730 il aurait vite fait de me tuer
sans accepter de rançon.
— Du calme, dit Renart,
car je te promets de faire tout ce qui est en mon pouvoir
pour te sortir de ce trou. »
735 Alors Renart le quitta pour aller confectionner
un nœud coulant avec une baguette d'osier,
puis il est revenu vers lui,
la mine réjouie,
et il le lui a passé autour du cou.
740 « Primaut, dit-il, sachez que pour rien au monde
je ne vous abandonnerai ici.
— Grand merci », répondit Primaut.
Renart tire de toutes ses forces,
sans que Primaut bouge d'un pouce.
745 Il a beau faire de son mieux,

Hors de laenz ne le pot trere :
Et de sacher ne se recroit.
« Dex, dit Renars, ice que doit
Que nel puis avoir ? que feron ?
750 Leirai je ci non conpaignon ?
Nenil, que je puisse par Dé. »
Tant a et saché et tiré
Que du col dosqu'au haterel
Li a reborsee la pel.
755 Il l'a escorché entresait
Et Primaut a gité un brait
Et a si durement crïé
Que li vileins est esvellé.
Tantost est sailli de son lit.
760 Primaut aura ja mal delit,
Se li vileins le pot tenir.
Quant Primaut l'a veü venir,
Adonques ot poor de soi.
« Renart, baux amis, laisse moi !
765 Fet Primaus, ne voil ci atendre :
Vers le vilein m'estot desfendre
Ou il m'aura ja maenné. »
Renars l'oï, si l'a laissié
Conme cil qui en fu dolant.
770 Atant s'en va, plus n'i atent.
Primaut remest en mevés leu.
Li vileins est corus au feu
Et aluma une chandeille.
Li vileins a pris une astele,
775 Si en est venu a Primaut.
Con Primauz l'a veü, si saut
Un petitet ensus de lui,
Et li vileins le consuï,
Desor le dos un coup l'ateint.
780 A itant la candeille esteint.
Con la chandeile fu esteinte,
Primaus qu'a oü peine meinte,
Est au vilein sore coru,
Li vilein est au feu coru
785 Por sa chandeile alumer.

il ne parvient pas à le sortir de là.
Ce n'est pourtant pas faute de multiplier ses tentatives.
« Mon Dieu, dit Renart, comment se fait-il
que je ne réussisse pas ? Qu'allons-nous faire ?
750 Devrai-je abandonner ici mon compagnon ?
Eh bien ! non, par Dieu, je ferai tout mon possible. »
A force de s'échiner à tirer,
tant par le cou que par la nuque,
il lui a arraché la peau
755 et l'a, du coup, écorché.
Aussi Primaut a-t-il poussé
un tel hurlement
qu'il a réveillé le paysan
qui saute aussitôt de son lit.
760 Primaut ne sera pas à la fête
si le paysan parvient à l'attraper.
A la vue de l'homme qui arrivait,
il trembla pour sa peau :
« Mon cher ami Renart, laisse-moi donc,
765 dit Primaut, je ne veux pas rester à attendre :
il me faut tenir tête au paysan
sinon, il aura vite fait de m'estropier. »
A ces mots, Renart le quitte
en prenant un air affligé.
770 Puis il file sans plus attendre.
Primaut reste dans de mauvais draps.
Le paysan courut vers le feu
où il alluma une chandelle,
puis, armé d'une petite planche,
775 il s'approcha du loup
qui, à sa vue, fait
un petit saut de côté ;
mais le paysan le poursuit
et le frappe sur le dos,
780 éteignant du même coup sa chandelle.
Dans l'obscurité,
Primaut, qui avait eu très mal,
se jeta sur le paysan
qui courait vers le feu
785 pour rallumer sa chandelle.

Primauz ou il n'a que irer
Le vit bouteculer au feu.
Atant li corut sus li lou,
Par les naches du cul l'a pris,
790 Et cil a escrïer s'est pris :
« Aïde, aïde, bone gent ! »
Sa feme sailli erraument,
Si tint un baston en sa mein.
Et Primaut si tint le vilein.
795 La feme hauce le baston
Et fiert Primaut sor le cropon.
Mes por ferir ne por blecer
Ne le voloit Primaulz laissier,
Einz le teneit et bel et gent.
800 « Suer, fait il, apele la gent,
Que je plus endurer nel puis. »
Et cele corut ovrir l'uis.
Con il fu overt, si escrie :
« Ah ! bone gent, aïe, aïe ! »
805 Quant Primaus choisi l'uis overt
Et le vilein fel et cuivert
Tint si par les naches as denz
Que totes li enbati ens
(Et sachés que la piece enporte),
810 Meintenant issi par la porte.
La feme a sor le sueil trovee,
Si l'a en la boe botee,
Et est en la forest entré,
Si a tantost Renart trové
815 Qui en la forest l'atendoit
Et durement se dementoit
Par traïson et par envie.
Neporquant, sachés que sa vie
N'eime il geires ne n'a chere,
820 Et si li fesoit bele chere,
Que ne voult que s'en apercoive ;
Et je crien que il n'en receive
Males desertes en la fin.
Et Primaut onques ne prist fin
825 Tant qu'il est arere venu

Le loup, dans une colère noire,
le voyant fourgonner dans le feu,
s'élança sur lui
et l'attrapa par les fesses.
790 L'autre se mit à hurler :
« Au secours, au secours, bonnes gens ! »
Sa femme accourut en toute hâte
armée d'un bâton.
Primaut, lui, tenait le paysan.
795 Levant son bâton, la femme
frappa Primaut sur le derrière,
mais ni les coups ni les blessures
ne le décidaient à lâcher son homme
qu'il serrait bel et bien.
800 « Ma sœur, gémit-il, appelle du monde
car je n'y tiens plus. »
La femme courut ouvrir la porte,
et quand ce fut chose faite, elle s'écria :
« Bonnes gens, au secours ! »
805 Lorsqu'il aperçoit la porte ouverte,
Primaut qui tenait cette canaille de paysan
par les fesses où il avait planté
toutes ses dents
(il partit avec le morceau),
810 se précipita au-dehors.
Comme la femme se trouvait sur le seuil,
il la projeta dans la boue
avant d'entrer dans la forêt
où il tomba tout de suite sur Renart
815 qui l'attendait là,
et se répandait en lamentations.
Ah ! le traître ! ah ! le malveillant !
Bien qu'il ne portât pas
Primaut dans son cœur,
820 il lui fit bonne mine,
pour ne pas dévoiler ses sentiments :
je crains qu'il ne finisse
par le payer très cher.
Et Primaut poursuivit obstinément sa route
825 tant et si bien qu'il revint

A Renart que l'avoit veü
Pensif et si decoloré :
Chere fesoit d'ome adolé.
Primaut le curut arainier.
830 « Renart, fait il, vous tu mangier ?
— Manger ? fait il, par le cuer bé,
Tu as bien le vilein gabé.
Or me di par l'ame de toi,
Se bleché t'a ? — Nenil par foi,
835 Fet Primaus, ce saches de voir ;
Et si pos bien de fi savoir
Que je li ai fait grant damage :
J'ai une piece de sa nage
Que je t'ai ici aportee. »
840 Lors li a el giron getee.
« Renart, fet Primaus, or mangiés !
Char de vilein si est deintiés.
Ele vaut plus que je n'espel.
— Primaut, dit Renars, par ma pel
845 Et foi que je doi Malebranche,
Char a vilein noire o blanche
Si n'est prous en nule seison.
J'ameroie plus un oison
Que a manger char de vilein,
850 Que ja ne voie je demein,
Qui la mangera que je seie.
Car il a la lez cele haie
Que vos veez, lez ce plaissiez,
Un tropel d'oisons encrassiés
855 Qui trestuit sont et grous et gras.
— O est ce, por seint Nicholas ?
Fet Primaus, ensengne le moi !
— Volenters, foi que je te doi,
Fet Renars, qui fu plein de mal.
860 Delez cele haie el val
En poés trover une trope.
Il n'i a borgne ne esclope
Et sont granz et gras et pesanz,
Si les i garde uns païsanz.
865 Il t'est bien avenu sanz faille.

auprès de Renart qu'il trouva
préoccupé et livide,
l'air affligé.
Il courut lui parler.
830 « Renart, as-tu envie de manger ?
— Manger ? répondit l'autre, parbleu,
tu as bien su te moquer du paysan !
Mais dis-moi donc sur ton âme
s'il t'a blessé. — Oh ! que non,
835 réplique Primaut, sois-en bien sûr,
et tu peux être persuadé
que je lui ai fait beaucoup de mal :
je t'ai rapporté
un morceau de ses fesses. »
840 Et de le lui jeter sur les genoux.
« Renart, insiste-t-il, mange-le donc,
la chair de paysan est un morceau de choix,
meilleur que je ne saurais le dire.
— Primaut, tranche Renart, je te jure sur ma peau
845 et sur la tête de Malebranche,
que, noire ou blanche,
la chair de paysan n'est jamais bonne.
J'aimerais bien mieux manger de l'oison
que du vilain.
850 Que je rende l'âme aujourd'hui même
si je suis celui qui accepte d'en manger,
d'autant plus qu'il y a, près de la haie
que vous voyez là-bas, le long de cet enclos,
un troupeau d'oies engraissées,
855 grosses et grasses à souhait !
— Et où est-ce donc, par saint Nicolas ?
s'impatiente Primaut, apprends-le moi !
— Bien volontiers, au nom de notre amitié,
dit Renart qui ne songeait qu'à mal.
860 Auprès de cette haie, dans ce vallon,
tu peux en trouver un troupeau,
des volailles ni borgnes ni boiteuses,
toutes sont belles, grasses, lourdes
sous la garde d'un villageois.
865 Vraiment, tu as une chance du diable.

— Par foi, g'irai, conment qu'il aille ;
Ja ne fineré jusqu'a ex,
S'en aporterai un ou deus,
Qu'entre moi et toi mangeron,
870 Et atent moi les ce boisson.
— Molt volonters, ce dist Renart,
Par mon seignor seint Lïenart. »
Fet Renars : « Or saches de fi
Que je ne me movrai de ci
875 Por nule chose que je voie,
Et t'atendrai en cele voie. »
Primaut s'en va, Renars remeint.
Ne quit mie que se demeint
Con esbahi ne conme fol,
880 Et sovent en jure son col
Que Primaus sera mal venus,
Se il i puet estre tenus.
Atant s'asist enmi la voie,
Et Primaus s'en va tote voie.
885 Con il fu pres, cele part saut :
Un en a pris que pas ne faut.
Il s'en voloit metre a retor ;
Mes tost l'aperçut le pastor
Et li a hué deus mastins.
890 Primaut li frere Ysengrin
Les aperçut, et si s'en fuit,
Et li chen corent apres tuit
Tuit esleissié et si l'ateinent :
Por un petit que nel mahanent.
895 A molt grant peine i estort,
Fuit s'en delivrement et tost,
Tant que li chen l'orent perdu.
Droit a Renart en est venu.
« Renart, fait il, par le cuer bé,
900 Tu m'as hui honi et gabé,
Que tu m'envoias o les chens.
Il ne t'en puet venir nus biens
Et grant mal t'en pot avenir. »
Adonques le corut saisir
905 Et li a dit : « Sire Renart,

— Par ma foi, j'irai, quoi qu'il arrive ;
je m'y rends de ce pas.
J'en rapporterai une ou deux
que nous mangerons de compagnie :
870 attends-moi donc à côté de ce buisson.
— Bien volontiers, acquiesça Renart,
par le grand saint Léonard.
Tu peux être certain
que je ne bougerai d'ici
875 sous aucun prétexte,
je t'attendrai sur ce chemin. »
Primaut s'en va donc, laissant Renart.
Je ne crois pas que le goupil agisse
à l'étourdie,
880 il répète avec force serments
qu'il arrivera malheur à Primaut,
si du moins on peut l'attraper.
Il s'assied au milieu de la route,
pendant que Primaut va son chemin.
885 Arrivé près du but, il bondit du côté des oies,
et en a saisi une, sans rater son coup.
Mais alors qu'il s'apprêtait à faire demi-tour,
le gardien du troupeau l'aperçut
890 et lança ses deux mâtins sur lui.
Primaut, le frère d'Isengrin,
les voyant arriver, s'enfuit.
Les chiens s'élancent
à ses trousses, le rattrapent,
sont à deux doigts de l'estropier.
895 C'est un miracle s'il en réchappe,
il s'enfuit à perdre haleine
tant et si bien qu'il a semé les chiens.
Il se rend tout droit auprès de Renart.
« Corbleu, Renart, dit-il,
900 c'est pour me couvrir de honte et de ridicule
que tu m'as jeté aujourd'hui au milieu des chiens.
Tu ne l'emporteras pas en paradis,
tu vas t'en mordre les doigts. »
Sur ce, il se précipita sur lui
905 disant : « Seigneur Renart,

Vos savés trop engin et art,
Se je ne vos reng entreset
Le mal que l'en m'a par vos fet.
Vos m'envoiastes as oisons :
910 Vos i saveés les gaingnons.
Por ce n'i voleés venir. »
A icest mot le va ferir
De la pate delez la face.
Dit Renars : « Ce Dex bien me fache,
915 Vos n'estes mie bien senés
Qui ci ilueques me batés
Sans forfet : ce est mesprison.
Por ce se je sui petis hom,
Si me batés et ledengiés.
920 Si m'aït Dex, ce est pechés.
Et par la foi que je vos doi,
Je m'en irei clamer au rei
Et a la roïne et a touz.
Por quoi estes vos si estos
925 Et qui vos a forfeit neent ?
Vos me vendés le mautalant.
Piechés est et desloiauté.
— Se Damledex me doinst santé,
Fet Primaus, vos estes honis.
930 Par vos ai esté escharnis
Et batu et mal atorné.
Ja ne vos sera pardoné.
Ja ne morrés que par ma mein,
Se Dex me doint veoir demein. »
935 Renars li respondi en haut :
« Par ma foi, monseignor Primaut,
Ce seroit folie et tort.
L'en vos demanderoit ma mort,
Se vos m'aviés ore ocis.
940 Je ai enfans et de grant pris
Qui bien tost, se il le savoient,
L'ame de ce cors vos trairoient.
Se hors du païs ne fuieez,
Ja raençon n'i aureés. »
945   Quant Primaut s'oï manecher,

il faudra que vous soyez vraiment astucieux,
si je ne vous rends sur-le-champ
la monnaie de votre pièce !
Vous m'avez lancé sur les oies,
910 tout en sachant qu'il y avait des mâtins :
voilà pourquoi vous ne vouliez pas venir ! »
A ces mots, il va pour lui flanquer
une gifle de sa patte.
« Par la bonté de Dieu, protesta Renart,
915 vous n'avez pas toute votre raison
pour frapper ainsi
un innocent : vous avez tort.
C'est parce que je suis un tout petit bonhomme
que vous me battez et que vous m'humiliez.
920 Par Dieu, c'est un péché.
Je vous jure
que je vais aller m'en plaindre au roi,
à la reine et à tout le monde.
Pourquoi tant de brutalité ?
925 Qui donc vous a causé du tort ?
Vous passez sur moi votre colère :
c'est un péché et une malhonnêteté.
— Aussi vrai que je prie Dieu de me donner la santé,
dit Primaut, vous êtes perdu.
930 Par votre faute, on m'a outragé,
on m'a battu, on m'a maltraité.
Jamais je ne vous pardonnerai
et vous ne mourrez que de ma main,
je vous le jure, dur comme fer. »
935 D'une voix assurée, Renart lui répondit :
« Par ma foi, seigneur Primaut,
ce serait pure folie.
Si vous me tuiez à présent,
on vous demanderait raison de ma mort.
940 J'ai des enfants de grande valeur :
ils s'empresseraient, en l'apprenant,
de vous faire passer de vie à trépas.
A moins de fuir hors du pays,
vous ne pourriez espérer leur échapper. »
945   En entendant ces menaces,

Lors n'ot en lui que corocher.
Par la chevechaille l'a pris
Come cil qui est d'ire espris.
Contre terre l'a trebuché,
950 Sor le ventre li a marché,
Durement li fole la pance.
Or est Renars en grant dotance,
Molt ot grant poor de morir.
Et Primauz conmence a ferir
955 Durement qu'il ne se feint mie;
Et Renars doucement li crie
Merci por Dé et por son non
(Si me doinst Dex confession)
Que onques rien ne li forsfist.
960 A Primaut grant pité en prist:
De ce qu'ot fet molt se repent.
« Renart, fait il, a moi entent!
Tu m'as fet molt mal atorner.
As mastins m'as fet retorner
965 Primes aval et puis amont.
Mes par trestos les seinz do mont,
Quant vos de moi escaperois
Jamés autre ne gaberoiz.
— Sire, dit Renars, sachés bien
970 Que je n'i savoie nul chen
Ne rien nee fors le vilein.
Se Dex me doinst veoir demein,
N'i savoie nul destorbier
Par quoi me doüssiez tocher.
975 Mes se de ci puis escaper,
Ge m'en irai au roi clamer
Et a mes filz et a ma feme
Et a la reïne ma dame. »
Quant Primauz l'a oï parler
980 Del roi a qui s'ira clamer,
Durement en fu esfreé.
« Renart, or te seit pardoné,
Fet Primaut, ce que tu m'as fet.
Je te pardoins le tuen mesfet,
985 Et je te leré ore atant.

Primaut entre dans une violente colère :
il l'empoigne par la tête,
plein de rage.
Il le renverse à terre,
950 lui piétine le ventre,
lui foule violemment la panse.
Voilà Renart glacé d'effroi
par la peur de mourir.
Primaut, qui n'y va pas de main morte,
955 se met à le rouer de coups,
tandis que Renart, d'une voix humble, le supplie
de l'épargner, par Dieu et son saint nom,
jurant sur son salut
qu'il n'avait rien à se reprocher.
960 Primaut, touché par la pitié
regrette amèrement sa conduite.
« Renart, dit-il, écoute-moi !
J'eus à subir, par ta faute, de mauvais traitements.
Tu m'as fait reconduire par les mâtins,
965 par monts et par vaux.
Mais par tous les saints du paradis,
quand tu échapperas à mes mains,
tu ne pourras plus tromper personne.
— Seigneur, répond Renart, je vous le jure,
970 j'ignorais la présence des chiens
ou de toute autre créature en dehors du paysan.
Je vous le jure sur ma vie,
j'ignorais qu'il pût en naître un désagrément
qui me valût des coups.
975 Mais, si je peux en réchapper,
j'irai me plaindre au roi,
et à mes fils, et à ma femme
et à la reine, ma souveraine. »
Lorsque Primaut l'entendit dire
980 qu'il irait se plaindre au roi,
il fut saisi d'effroi :
« Renart, dit-il, reçois le pardon
pour ce que tu m'as fait.
Je te pardonne ta mauvaise action
985 et je te laisserai tranquille désormais.

Se ja Dex a nul bien m'avant,
Se icestui m'est pardoné,
James jor ne te mesferé.
Ice te di je tot por voir.
990 — Se je ce pooie savoir,
Que jamés ne me forferoies,
Certes mes bons amis seroies
A trestos les jors de ta vie.
— G'en ai, dit Primaut, grant envie
995 Et bien t'en asoüreré.
Un serement te jureré
Par quoi tu a itant me croies.
— Se tu ce, dit Renars, fesoies,
Bien t'en seroies aquité.
1000 — Foi que doi seinte Charité,
Fet Primaus, je molt volenters.
Ou sera trové li mosters
Ou ge feré le serement?»
Renars respont : «Par seint Climent,
1005 Je vos metrai bien a la voie,
Se Dex bien et conseil m'envoie.»
Atant s'est pris a porpenser
Conment il le puist vergonder.
Lors se pense qu'il le menra
1010 A un piege que grant pieça
Savoit en ce plaissié laenz.
Soavet dit entre ses denz
Que, se iloc prendre le pot,
Donc a il ce que li estot,
1015 Que ne demande autre rien nee.
«Primaut, dit Renars, bien m'agree
Que l'acordance sera fete.
— Renart, dist Primaus, molt me haite
Qu'el sera fete demanois.
1020 — Or en alon donc en ce bois;
Si sera fet le serement.
— Molt volenters, se Dex m'ament,
Fet Primaus, et a liee chere,
Que vostre amor ai ge bien chere.»
1025 A tant se metent a la voie

Certes, je te jure par la bonté divine
de ne jamais te faire de mal,
si tu oublies ce qui vient de se passer,
je te parle en toute bonne foi.
990 — Certes, si je pouvais être sûr
que tu ne chercherais jamais à me nuire,
tu serais pour moi un ami très cher
tous les jours de ta vie.
— C'est mon plus grand désir, dit Primaut,
995 je t'en donnerai des gages;
je vais, pour apaiser tes doutes,
te le garantir sous serment.
— Si tu le faisais, dit Renart,
tu serais quitte envers moi.
1000 — Par la sainte Charité,
continue Primaut, je m'y plierai volontiers.
Où trouver l'église
dans laquelle je prononcerai le serment?
— Par saint Clément, répond Renart,
1005 je vous mettrai sur la bonne route,
si Dieu m'inspire. »
Alors, réfléchissant
au moyen de l'humilier,
il décide de l'emmener
1010 vers un piège dont il connaissait de longue date
l'existence à l'intérieur de cet enclos.
Il marmonne à mi-voix
que s'il parvient à l'y faire tomber,
il aura reçu ce qu'il cherche
1015 et ne demandera rien d'autre.
« Primaut, dit Renart, je suis heureux
de voir sceller cet accord.
— Renart, presse Primaut, je suis impatient
de le conclure.
1020 — Entrons donc vite dans ce bois
pour y prononcer le serment.
— Très volontiers, par la grâce de Dieu,
approuve Primaut, et de grand cœur,
car votre amitié m'est précieuse. »
1025 Ainsi donc Renart et Primaut

Renars et Primaus a grant joie,
Tot belement et tot en pes,
Renart devant, Primaut aprés.
Tant ont alé qu'il sont venu
1030 La ou li pieges fu tendu.
Iloc sont venu meintenant.
« Primaut, fet Renars, vien avant !
Ci iloques gist uns cors seinz
Qui est el ciel avoc les seins,
1035 Buens martirs et bons confesors.
Ci iloques en gist li cors :
L'ame est en l'angle conpaignie.
Il fu prodom de bone vie.
Il a toz jorz Deu onoré,
1040 De bon cuer servi et amé.
Hermites a esté lonc tens.
Ci fu mis, quant feni son tens.
Ci gist et molt fet a amer.
Se ci iloques vous jurer
1045 Que par toi n'iere plus batu,
Bon ami seron je et tu.
Se tu ne vous, je n'en puis mes.
— Par la foi que doi seinte Anés,
Dit Primaus, ce fera ge bien.
1050 Ne t'en estuet doter de rien.
Trestot vraiement le saches ! »
    Dit Renars : « Or vos abaissiez ! »
Atant s'estoit agenolliez
Sire Primaus d'andox les piez,
1055 Et mist sor le piege sa mein
Et dit : « Si voie ge demein
Que jamais jor de mon aé
A dan Renart ne mesferé
N'a ome que soit de sa part.
1060 — Si t'aït Dex ! » ce dit Renart.
Atant est Primaus abaissiez,
Sor le piege est apoiez
Tot soavet et belement,
Et la clef do piege destent,
1065 Si a pris par le pié Primaut.

se mettent en route, le cœur en fête,
l'air noble et pacifique,
Renart devant, Primaut derrière.
A force de cheminer, ils sont arrivés
1030 à l'endroit où le piège était tendu.
Ils ont tôt fait de s'avancer.
« Primaut, dit Renart, approche !
Ici repose le corps d'un saint homme,
qui séjourne au ciel parmi les saints,
1035 les martyrs et les confesseurs.
Seul son corps gît ici,
son âme se trouve dans la compagnie des anges.
Ce fut un homme de bonne et sainte vie,
qui toujours a honoré Dieu
1040 et l'a servi et aimé de tout son cœur.
Il vécut longtemps en ermite
et, lorsqu'il rendit l'âme, on l'enterra
en ce lieu où il mérite d'être vénéré.
Si vous jurez ici même
1045 que vous ne lèverez plus la main sur moi,
nous serons de bons amis.
Si vous refusez, je ne réponds de rien.
— Par la foi que je dois à sainte Agnès,
protesta Primaut, je veux vraiment le jurer,
1050 tu n'as aucune crainte à avoir,
crois-moi, c'est la pure vérité.
— Prosternez-vous donc », dit Renart.
Alors sire Primaut s'agenouilla
à deux genoux
1055 et, la main levée au-dessus du piège,
dit : « Je jure sur ma vie
que jamais, au grand jamais,
je ne ferai de mal à Renart
ni à aucun de ses amis.
1060 — Que Dieu t'aide ! » ajouta Renart.
C'est alors que Primaut se baissa,
appuya sur le piège
en douceur,
détendant du coup le ressort du piège,
1065 et voilà Primaut pris par la patte !

Quant Renars l'a veü, si saut
D'autre part, et il li escrie :
« Sire Renart, aïe, aïe !
Aïdiez por seint Lïenart !
1070 — Tu es parjure, dit Renart ;
Por ce li cors seins te detient.
De toi aidier a moi ne tient. »
    Atant s'en va delivrement
Et Primaus remeint o torment,
1075 Et sachés que peine sosfri,
Quant le pié iloc li porri.
Et Renars s'en reva arere
A Malpertuis en sa taisnere.
Encontre est venu Hermeline
1080 Qui l'eime d'amor enterrine.
Grant joie li font si enfant,
Receü l'ont lié et joiant
O lui sa feme e sa menie
Molt se repent et s'omelie.
1085 De ce que a Primaut a fet
A Damledeu se rent mesfet.
Do mal qu'a fet, molt se repent,
Sa vie amende durement.

Comme Renart, en le voyant, saute
de l'autre côté, le loup lui crie :
« Sire Renart, à l'aide !
Aidez-moi, au nom de saint Léonard !
1070 — Tu es un parjure, dit Renart,
voilà pourquoi le saint te retient.
Il n'est pas en mon pouvoir de t'aider. »
    Il détale sur-le-champ
tandis que Primaut est à la torture
1075 et sachez qu'il souffrit le martyre,
puisque son pied pourrit sur place.
Renart, lui, regagne
Maupertuis, sa tanière.
Hermeline, qui l'aime d'un amour sans partage,
1080 est venue à sa rencontre.
Ses enfants lui font fête
et l'accueillent avec une grande joie.
Avec sa femme et sa maisonnée,
il se repent humblement,
1085 s'accusant devant Dieu
d'avoir mal agi envers Primaut.
Il se repent amèrement de ses péchés
et il change complètement de vie.

BRANCHE XV

Renars qui moult sot de treslue
Et qui avoit grant faim eüe,
Se met baaillant au frapier.
Si conme il erroit son sentier,
5 Onc n'en sot mot Tybers li chas
Tant que il se vit en ses las.
Renars le voit, si li fremie
Toute la char de lecherie.
Grant talent a de lui mengier,
10 Et si se voldroit revengier
De ce qu'el broion le bouta;
Mays ja samblant ne l'en fera
Que il li voeille se bien non.
Lors l'a mis Renars a raison :
15   « Tybert, fait il, quiex vens vos guie? »
Et Tybers s'est mis a la fuie.
« Avoi, Tibert ! ce dist Renart,
Ne fuiez pas, n'aiés resgart !
Arrestés, si parlés a moy !
20 Souviengne vous de vostre foy !
Que cuidiés vous que je vous face?
Ne cuidiés pas (ja Dieu ne place !)
Que ja nul jour ma foy vos mente.
Je n'entrasse hui en ceste sente,
25 Se ne vous cuidasse trouver,
Quar ma foy voloie acquiter.
Dant Tybert, de la vostre foy
N'estes vous mie en grant effroy? »
Tybers se tourne, si s'arreste.

Renart, Tibert et l'andouille. Renart et les deux prêtres

Le maître de la ruse, Renart,
qui alors mourait de faim,
détala en bâillant.
Tandis qu'il cheminait,
5 Tibert tomba dans ses filets
sans avoir eu le temps de s'en apercevoir.
A sa vue, le goupil, de la tête aux pieds,
frémit de gourmandise,
il le dévore des yeux
10 et il voudrait aussi le punir
de l'avoir poussé dans le piège.
Mais il n'en laissera rien paraître
affectant la plus franche cordialité
lorsqu'il l'aborde :
15 « Tibert, fit-il, quel bon vent vous amène ? »
Mais l'autre de prendre le large.
« Eh ! eh ! Tibert, continua Renart,
ne fuyez pas, n'ayez pas peur !
Arrêtez-vous et causons !
20 Avez-vous oublié votre serment de fidélité !
Que redoutez-vous de moi ?
N'allez pas vous imaginer, à Dieu ne plaise !
que je sois capable de vous manquer de parole.
Je n'aurais pas pris aujourd'hui ce sentier
25 sans l'espoir de vous rencontrer,
car je voulais m'acquitter de ma promesse.
Seigneur Tibert, n'êtes-vous pas vous-même
très désireux de tenir la vôtre ? »
Tibert se retourne et s'arrête,

30 Vers Renart a torné la teste,
   Ses ongles va fort aguisant :
   Bien s'appareille par samblant
   Que forment se vouldra deffendre,
   Se Renars li veult le doi tendre.
35 Mais Renars qui de faim baaille,
   N'a cure de faire bataille :
   Tout autre chose a empensé,
   Moult a Tybert aseüré :
   « Tybert, fait il, estrangement
40 A en ce siecle male gent.
   Li uns ne veult a l'autre aidier,
   Chascuns se paine d'engignier,
   L'en ne trueve mais verité
   En nul homme ne loyauté.
45 Et si est il chose prouvee
   Que cilz emporte la colee
   Qui s'entremet d'autre engignier.
   Jel vous di pour un sermonnier :
   C'est nostre compere Ysengrins,
50 Qui de nouvel a ordenes prins.
   N'a encor gueres qu'il cuida
   Tel engignier qui l'engigna.
   Pour ce ne voeil estre traïtres,
   Que tuit en ont males merites ;
55 De losengier et de mal faire
   Ne voi je nul a bon chief traire ;
   Mal chief prennent li traÿtour,
   Qu'il n'auront ja nul jour honnour.
   De tant me sui aparcheüs
60 Que moult est vils et mal venuz
   Qui de riens ne se puet aidier.
   Tost m'eüstes guerpi l'autrier,
   Qant veïstes bien pres ma mort ;
   Et non pourquant si ai je tort,
65 Que certes il vous en pesa :
   Honnis soit qui vous mescroira !
   Mais non pourquant en loyauté
   Me cognoissiés la verité :
   N'eüstez vous grant marrement,

30 il lève la tête vers Renart
tout en aiguisant ses griffes :
selon toute apparence, il se prépare soigneusement
à une défense énergique
si Renart veut porter la patte contre lui.
35 Mais celui-ci qui de faim bâille,
ne songe pas à livrer bataille :
il a une tout autre idée en tête ;
il s'applique à rassurer Tibert :
« Tibert, dit-il, on est surpris
40 de voir tant de méchants en ce monde.
Les gens refusent de s'entraider,
chacun s'efforce de tromper son prochain
et l'on ne trouve plus personne
qui soit sincère ou loyal.
45 Et pourtant on a la preuve
que celui qui cherche à tromper autrui
finit par écoper.
Ces propos me sont inspirés par ce prêcheur
d'Isengrin mon compère
50 qui vient d'entrer dans les ordres.
Il y a peu de temps, il s'imagina
prendre celui qui finalement le prit.
Son comportement m'a convaincu de ne pas être traître,
car les traîtres sont toujours punis.
55 La tromperie ni la méchanceté,
à ce que je vois, ne conduisent à rien de bon :
les traîtres finissent mal
et ne seront jamais estimés.
D'autre part, je me suis aperçu
60 que celui qui ne sait se tirer d'affaire
est un misérable à qui l'on fait grise mine.
Vous avez eu vite fait de m'abandonner l'autre jour
quand vous m'avez vu à deux doigts de la mort.
Non, non, je suis injuste envers vous
65 car certainement mon malheur vous pesa.
Honni soit celui qui suspectera votre bonne foi !
Cependant, dites-moi franchement
la vérité :
ressentiez-vous de l'affliction

70 Qant me veïstes u tourment
Et je fui cheüs u broyon
Ou me destraindrent li gaignon,
Et li vilains avoit hauchie
Pour moy ocirre sa coingnie ?
75 Bien cuida sor moi escoter,
Mais il ne sot preu assener :
Encor port je sus moy ma pel. »
Tybert respont : « Ce m'est moult bel.
— De ce sui, dist Renars, tout cert.
80 Que pot ce estre, dant Tibert ?
Vos m'i botastes tout de gré,
Mais or vous soit tout pardoné.
Je nel di pas par felonnie.
Certes vos nel fesistes mie,
85 Ne quit que nus le poïst faire.
Ne fait ore mie a retraire. »
    Tybers s'excuse molement
Que vers lui coulpables se sent.
Mais Renars, ou il voeille ou non,
90 Le conduit par grant traÿson.
Tybers ne scet que il li die.
Renars derechief li affie
Foy a porter d'ore en avant.
Et Tybers refait son creant.
95 Bien ont la chose confermee,
Mais n'aura pas longue duree :
Ja Renars foy ne li tendra,
Ne Tibert plus fol ne sera
Que il n'y ait merel mestrait,
100 Se il voit chose qui li hait.
    Andui s'en tournent une sente.
N'i a celui qui son cuer sente,
Que faim avoient forte et dure.
Mes par mervilleuse aventure
105 Une grant andoille ont trovee
Les le chemin, en une aree.
Renars l'a premerains saisie,
Et Tybers a dit : « Diex aÿe !
Biaus conpains Renart, g'i ai part.

70 à la vue de mes souffrances
après que je fus tombé dans le piège,
au moment où les mâtins me harcelaient
et que le paysan avait brandi sa cognée
pour me tuer?
75 Il croyait m'ôter la vie,
mais il ne sut pas bien assener son coup:
aussi suis-je toujours dans ma peau.
— Vous m'en voyez ravi, répondit Tibert.
— Je n'en doute pas, reprit Renart.
80 Mais que s'est-il passé, seigneur Tibert?
Vous avez fait exprès de me pousser dans le piège,
mais passons l'éponge,
je parle sans arrière-pensée.
Non, en vérité, vous ne l'avez pas fait,
85 je pense même que personne n'aurait pu le faire.
Il n'y a pas à revenir là-dessus. »
Tibert s'excuse mollement,
car il n'a pas la conscience tranquille;
mais Renart, que l'autre le veuille ou non,
90 le manœuvre avec l'idée de le tromper.
Tibert en reste coi.
Renart l'assure une nouvelle fois
qu'il lui sera dorénavant fidèle
et le chat renouvelle son serment.
95 L'accord est certes confirmé,
mais il sera de courte durée:
Renart fera fi de sa promesse
et Tibert ne sera pas assez fou
pour renoncer à un mauvais coup
100 si l'occasion s'en présente.
    Tous deux s'en vont, par un sentier,
et tous deux ont mal au cœur,
tellement la faim les tenaille.
Mais, ô merveille, voici
105 qu'ils trouvent une andouille de bonne taille
près de leur chemin, dans un champ labouré.
Renart est le premier à s'en saisir.
Tibert lui dit: « Dieu nous aide !
Renart, mon cher compagnon, j'ai droit à une part.

110 — Et comment donc ? ce dist Renart.
    Qui vous en veult tollir partie ?
    Ne vous ai je ma foy plevie ? »
    Tybert moult poi s'i aseüre
    En ce que dant Renart li jure.
115 « Conpains, dist il, qar la menjons !
    — Avoi ! dist Renart, non ferons.
    Se nous yci demourïons,
    Ja en pais n'y esterïons.
    Porter la nous convient avant. »
120 Ce dist Tybers : « Je le creant »,
    Qant il vit que el ne pot estre [1].
    Renart fu de l'andoille mestre ;
    Par le milieu aus dens la prent
    Que de chascune part li pent.
125   Qant Tybers vit que il l'enporte,
    Moult durement s'en desconforte.
    Un po de lui s'est approchiés.
    « Or est, dist il, grans malvaistiez.
    Conment portés vous celle andoille ?
130 Ne veés vous conme elle souille [2] ?
    Par la poudre la traÿnés
    Et a vos denz la debavés.
    Tout le cuer m'en va ondoiant.
    Mais une chose vous creant :
135 S'ainsi la portés longuement,
    Je la vos lairai quitement.
    Moult la portasse ore autrement. »
    Ce dist Renart : « Et vous conment ?
    — Mostrés la cha ! si le verrois,
140 Ce dist Tybert, ce est bien droiz
    Que je la vous doie alegier,
    Que vos la veïstes premier. »
    Renart ne li quiert ce veher,

---

1. Le manuscrit N présente le texte suivant : *Qant vit qu'il ne pot outre estre*. Selon G. Tilander, *Notes sur le texte de Renart*, p. 694 : « *Outre* est ici une autre forme de *autre*, donné par B E ; *autrement* C H. »

2. Le verbe *souiller* est ici au neutre et signifie « se souiller, être souillé ».

110 — Mais comment donc, reprit Renart,
qui parle de vous en priver ?
Ne vous ai-je pas donné ma parole ? »
Tibert n'a pas grande confiance
dans les serments du seigneur Renart :
115 « Compagnon, dit-il, mangeons-la donc !
— Ah ! non, répondit l'autre, il n'en est pas question.
Si nous nous arrêtions ici,
nous n'aurions jamais la paix.
Il nous faut l'emporter plus loin.
120 — Je le veux bien », dit Tibert,
faisant contre mauvaise fortune bon cœur.
Maître de l'andouille, Renart,
de ses dents, la saisit par le milieu
en sorte qu'elle pend des deux côtés.
125   La vue de Renart emportant l'andouille
consterna Tibert.
Il se rapprocha un peu de lui
et lui dit : « Vous ne méritez que des reproches.
Comment portez-vous cette andouille ?
130 Ne voyez-vous pas comment elle se salit ?
Vous la traînez dans la poussière
et en la tenant par les dents, vous la couvrez de bave.
J'en suis écœuré.
Mais, je vous le garantis,
135 si vous continuez à la porter de cette manière,
je vous abandonnerai ma part, c'est certain ;
moi, je ne m'y prendrais pas ainsi.
— Vous, et comment feriez-vous ? répliqua Renart.
— Passez-la-moi, et vous le verrez ;
140 d'ailleurs, ajouta Tibert, il est normal
que je vous soulage de ce fardeau,
puisque vous l'avez vue le premier. »
Renart ne songe pas à refuser

Quar il se prent a pourpenser
145 Que, ce cilz ert auques chargiés,
Tant seroit il plus tost plessiés
Et mains se porroit il desfendre :
Pour ce li fait l'andouille prendre.
Tybers ne fu pas petit liés.
150 L'andouille prent conme affaitiés.
L'un des chiés en met en sa bouche,
Puis la balance, si la couche
Dessus son dos comme affaitiés,
Puis s'est envers Renart dreciés :
155 « Conpains, dist il, ainsi ferois
Et tout ainsi la porterois,
Que elle a la terre ne touche,
Ne je ne la souil a ma bouche ;
Ne la port pas vilainement :
160 Moult vault un po d'affaitement.
Mais ainsi or nous en irons
Tant que a ce tertre viengnons
Ou je voi celle crois fichiee.
La soit nostre andouille mengiee,
165 Ne voeil que avant la portons,
Mais illec nous en delivrons.
La ne poons nous riens cremir,
Que de partout verrons venir
Iceulz qui nous voudront mal faire.
170 Pour ce nous y fait il bon traire. »
      Renart de tout ce n'eüst cure,
Mais Tibert moult grant aleüre
Se met devant lui au chemin.
Onquez de courre ne prist fin
175 Tant qu'il est a la crois venus.
Renart en fu moult irascus
Qui s'apparchut de la boidie.
A plaine bouche li escrie :
« Compains, dist il, quar m'attendés !
180 — Renart, dist il, ne vos doubtés :
Ja n'i aura riens se bien non,
Mais siuez moi a esperon ! »
Tybers ne fu pas a apprendre,

car il lui vient à l'idée
145 que, si l'autre portait quelque charge,
il aurait d'autant plus de chance d'être vaincu
et d'autant moins de force pour se défendre.
Aussi accepte-t-il que Tibert prenne l'andouille.
Celui-ci, le cœur en fête,
150 prend délicatement l'andouille,
en met l'un des bouts dans sa bouche
et, d'un balancement, la pose
avec adresse sur son dos;
puis se tournant vers Renart:
155 « Compagnon, lui dit-il, c'est ainsi qu'il vous faut procé-
et la porter   [der
de façon qu'elle ne touche pas terre;
de plus, je ne la salis pas avec ma bouche.
Je ne la porte pas comme un cochon:
160 elle mérite bien qu'on en prenne soin.
C'est ainsi que nous nous en irons
jusqu'à cette hauteur
que je vois plantée d'une croix.
Mangeons là-bas notre andouille,
165 je ne désire pas que nous la portions plus avant;
débarrassons-nous-en là-bas
où nous n'aurons rien à craindre
car de tous côtés nous pourrons voir venir
ceux qui nous voudront du mal.
170 C'est pourquoi il est bon de nous y rendre. »
Tout cela n'aurait pas préoccupé Renart,
mais Tibert, à vive allure,
prend les devants pour se mettre en route
et ne cesse de courir
175 jusqu'à la croix.
Renart entra dans une violente colère
quand il eut deviné la ruse.
Il lui cria à tue-tête:
« Compagnon, attendez-moi donc.
180 — Renart, dit le chat, n'ayez pas peur:
tout ira bien,
mais suivez-moi et faites diligence. »
Tibert qui n'était pas né de la dernière pluie,

Bien sot monter et puis descendre.
185 Aus ongles a la crois se prent,
Si rampe sus moult vistement,
Desus un des bras s'est assis.
Renart fu dolens et pensis,
Qui de voir scet que moquié l'a.
190 « Tybert, fait il, ce que sera ?
— N'est riens, dist Tibert, se bien non.
Mais venés sus, si mengeron.
— Ce seroit, dist Renart, grant mal.
Mais vous, Tybert, venés aval !
195 Car trop me poroie grever,
S'il me convenoit sus monter.
Car faites or grant cortoisie,
Si me jetés jus ma partie,
Si serés de vostre foi quites.
200 — Renart, que est ce que vos dites ?
Il semble que vos soiés ivres.
Je nel feroie por cent livres.
Vous deüssiez moult bien savoir
Que ceste andouille doit valoir,
205 Que c'est chose saintefïee,
Si ne doit pas estre mengiee
Se sus crois non ou sus moustier :
Moult la doit l'en bien exauchier.
— Biau sire Tybert, ne vos chaut :
210 Petit de place a la en haut,
N'i porrïons ensemble ester.
Mes or le faites conme ber,
Puis q'aval venir ne volez.
Conpains Tybert, bien le savez,
215 Vos m'avez vostre foi plevie
De porter loial compaingnie ;
Et conpaingnon qui sont ensemble,
Se il trovent rien, ce me semble
Que cascuns d'iaus i doit partir.
220 Se vo foi ne volez mentir,
Partez cele andoille la sus,
Si m'en getez ma part cha jus !
J'en prendrai le pechié sor moi.

habile à monter autant qu'à descendre,
185 de ses griffes s'agrippe à la croix,
la monte en un éclair
et se perche sur l'un des bras.
Renart, déconfit et soucieux,
sait que l'autre s'est bel et bien moqué de lui :
190 « Et alors, Tibert ? lui dit-il.
— Tout est parfait, répondit le chat.
Montez donc et nous mangerons.
— Cela me serait bien difficile, dit Renart,
mais vous, Tibert, descendez !
195 car je m'épuiserais
s'il me fallait monter.
Faites donc un beau geste :
jetez-moi ma part
et vous serez quitte.
200 — Renart, que dites-vous là ?
Ma parole, vous êtes ivre.
Je ne le ferais pas pour tout l'or du monde.
Vous devriez pourtant bien connaître
la valeur de cette andouille :
205 c'est une chose sacro-sainte
que l'on ne doit manger
que sur une croix ou sur une église,
de manière à la glorifier.
— Mon cher seigneur Tibert, soyez tranquille :
210 la place là-haut est mesurée,
impossible d'y tenir à deux.
Mais montrez-vous généreux
puisque vous ne voulez descendre.
Tibert mon ami, vous le savez bien,
215 vous m'avez juré
d'être un ami loyal :
or si deux amis vont de conserve
et trouvent quelque chose, il me semble
qu'ils doivent partager.
220 Si vous ne voulez pas vous parjurer,
vous ne pouvez que faire les parts en haut
et me jeter la mienne en bas !
Je prendrai le péché sur moi.

— Non feré, dist Tibers, par foi.
225 Conpains Renart, merveilles dites.
Pires estes que uns herites,
Qui me rouvés chose geter
Que l'en ne doit deshonnourer.
Par foy, ja n'auré tant beü
230 Que je a terre la vous ru.
Mentir en porroie ma foy.
Ce est saintisme chose en loy :
Andouille a nom, bien le savés,
Nommer l'avés oÿ assés.
235 Or vous dirai que vous ferois :
Vous souferrés or ceste fois,
Et je vous en doing ci le don,
La premiere que trouveron,
Que elle iert vostre sans partie,
240 Ja mar m'en donrés une mie.
— Tybert, Tibert, ce dist Renarz,
Tu cherras encore en mes las.
Se veulz, quar m'en gietes un poi.
— Merveillez, ce dist Tibers, oi.
245 Ne poés vous dont tant attendre
Qu'aus poins vous en viengne une tendre
Qui sera vostre sanz doubtance ?
N'estes pas de bone abstenance. »
Tybers a laissié le plaidier,
250 Si aqeut l'andouille a mengier.
Qant Renart vit qu'il la mengüe,
Si li tourble auques la veüe.
« Renart, dist Tybers, moult sui liés
Que vous plourez pour vos pechiés.
255 Diex qui congnoist ta repentance,
T'en aliege la penitance. »
Ce dist Renart : « Or n'y a plus ;
Mais tu venras encor cha jus :
A tout le mains qant auras soy,
260 Te convendra venir par moy.
— Ne savés pas, ce dist Tybert,
Conment Diex m'est amis apert.
Encore a tel crués deles moy

— Je ne le ferai pas, je vous l'affirme, répliqua Tibert.

225 Renart mon ami, vos paroles me surprennent.
Vous êtes pire qu'un hérétique :
vous me demandez de jeter une chose
que l'on doit entourer de respect.
En vérité, je ne suis pas assez ivre
230 pour accepter de vous la lancer à terre.
Ce serait aller contre mes principes.
Il est, dans la religion, un objet sacré,
c'est l'andouille, vous le savez bien,
à force de l'avoir entendu nommer.

235 Je vais vous dire maintenant ce qu'il vous reste à faire :
vous vous résignerez pour cette fois
et je vous fais ici la promesse
que la première andouille que nous trouverons
vous appartiendra sans partage :
240 vous ne m'en donnerez pas une miette.
— Tibert, Tibert, dit Renart,
nous nous retrouverons.
Au moins jette-m'en un petit morceau.
— Je n'en reviens pas ! dit Tibert.

245 Quoi ? Vous ne pouvez pas attendre
qu'il vous en tombe du ciel entre les pattes une bien
qui sera à vous sans aucun doute ?   [tendre
L'abstinence ne vous vaut rien. »
    Tibert abandonne la discussion
250 et se met à manger l'andouille.
A ce spectacle,
la vue de Renart se brouille un peu de larmes.
« Renart, ajouta Tibert, je suis heureux
de vous voir pleurer sur vos péchés.

255 Que Dieu qui connaît ton repentir
allège ta pénitence !
— Pour le moment, dit Renart, il n'y a rien d'autre à
mais tu finiras bien par descendre un jour :   [faire ;
en tout cas, lorsque tu auras soif,
260 tu seras obligé de venir de mon côté.
— Vous ignorez, dit Tibert,
combien Dieu est pour moi un ami prévenant.
Il a prévu aussi, à mes côtés, un creux

Qui m'estanchera bien ma soy ;
265 N'a encor guieres que il plut,
Et de l'yaue assez i estut
Ou plus ou mains d'une jaloie
Que je buvrai conme la moie.
— Toutevoies, ce dist Renart
270 Venrés vos jus ou tost ou tart.
— Ce n'iert, ce dist Tybert, des mois.
— Si sera, dist Renart, anchois
Que set ans soient trespassé.
— Et quar l'eüsiés vous juré ! »
275 Ce dist Renart : « Je jur le siege
Tant que je t'aurai en mon piege.
— Or serois, dist Tybert, dÿables,
Se cils seremens n'est estables.
Mais a la crois quar l'affiez,
280 Si sera dont miex affermés. »
Ce dist Renart : « Et je l'affi
Que je ne me mouvrai de cy
Tant que li termes soit venus,
Si en serai dont miex creüz.
285 — Assés en avés, dist il, fet.
Mais d'une chose me dehet
Et si en ai moult grant pitié,
Que vos n'avés encor mengié,
Et set ans devés jeüner :
290 Porrés vous dont tant endurer ?
Ne vous en poés ressortir,
Le serement convient tenir
Et la foy que plevie avés. »
Ce dist Renart : « Ne vos tamés. »
295 Respont Tybert : « Et je m'en tais.
Certes je n'en parlerai mais :
Taire m'en doi et si est drois,
Mais gardés que ne vos mouvois. »
Tybert se taist et si mengüe.
300 Et Renart fremist et tressue
De lecherie et de fine ire.
Que que il est en tel martyre,
Si ot tel chose qui l'esmaie,

où je pourrai étancher ma soif ;
265 il a plu tout récemment
et il en est resté beaucoup d'eau,
à peu près un seau
que je boirai à ma guise.
— Vous avez beau dire, répliqua Renart,
270 vous descendrez tôt ou tard.
— Pas avant des mois, répondit Tibert.
— Mais en tout cas bien avant
sept ans passés.
— Chiche que vous ne le jurerez pas !
275 — Je jure, dit Renart, de ne pas lever le siège,
avant de t'avoir pris au piège.
— Soyez damné, dit Tibert,
si vous ne tenez pas fermement ce serment ;
mais répétez-le donc sur la croix,
280 il n'en sera que plus fort.
— Oui, dit Renart, je jure
de ne pas bouger d'ici
avant le terme fixé :
eh bien ! es-tu content ?
285 — Cela me suffit, fit Tibert.
Mais il est une chose qui m'afflige
et me remplit d'une immense pitié :
c'est que vous n'avez pas encore mangé
et que vous devrez jeûner pendant sept ans ;
290 pourrez-vous le supporter ?
Impossible de revenir sur votre parole,
car il vous faut être fidèle à votre serment
et à votre promesse.
— Ne vous inquiétez pas, dit Renart.
295 — Je me tais donc, répondit Tibert.
Je n'ajouterai pas un seul mot :
il est normal et juste que je me taise,
mais vous, gardez-vous de bouger d'ici. »
Tibert se tait et continue à manger,
300 tandis que Renart, de convoitise et de fureur,
frémit et sue à grosses gouttes.
Mais voici qu'au milieu de son supplice,
la frayeur le saisit,

Quar uns chaiaux de loing l'abaye
305 Qui en avoit senti la trache.
Or li convient guerpir la place,
Se il n'y veult lessier la pel,
Que tuit s'en viennent li chael
A celui qui avoit la queste.
310 Li venerres illec s'areste,
Aus chiens parole, sels semont.
Et Renart garde contremont :
« Tybert, dist il, qu'est ce que j'oy ?
— Attendés, dist Tybert, un poi,
315 Et si ne vous remüés mie.
C'est une douce melodie :
Par ci trespasse une compaingne
Qui vient parmi ceste champaingne.
Par ces buissons, les ces espines
320 Vont chantant messes et matines ;
Aprés pour les mors chanteront
Et ceste crois aoureront.
Or si vous y convient a estre,
Qu'aussi fustez vous jadis prestre. »
325   Renart qui sent que ce sont chien,
S'apparchut que n'est mie bien :
Mettre se veult au desarés.
Qant Tybert vit qu'il ert levés,
« Renart, fet il, pour quel mestier
330 Vous voy je si apparillier ?
Que est ce que vous volés faire ?
— Je me voeil, fet il, en sus traire.
— En sus ? pour Dieu, et vous conment ?
Souviengne vous du serement
335 Et de la foy qui est plevie !
Car certes vous n'en irés mie.
Estez illec, je le conmant.
Par Dieu, se vos alez avant,
Vous en rendrés (ce est la pure)
340 En la court dan Noble droiture,
Quar la serés vous appelés
De ce que vous vous parjurés,
Et de plus que de foy mentie :

car au loin a aboyé un chien
305 qui a flairé sa trace.
Il lui faut maintenant abandonner la place
s'il ne veut pas y laisser la peau,
car tous les chiens s'en viennent
à la suite de celui qui l'a décelé.
310 Le chasseur se dirige aussi de ce côté
parlant aux chiens et les excitant.
Et Renart de lever la tête :
« Tibert, dit-il, qu'est-ce que j'entends ?
— Attendez un peu, répond l'autre,
315 et surtout ne bougez pas.
Quelle douce mélodie !
Par ici passe une procession
qui traverse la campagne.
A travers les buissons, longeant les haies d'épines,
320 ils chantent des messes et des matines ;
ensuite, ils chanteront l'office des morts
et adoreront cette croix.
Il vous faut donc rester ici
d'autant plus qu'autrefois vous avez été prêtre. »
325 Renart, qui devine que ce sont des chiens,
et se rend compte qu'il est dans de mauvais draps,
décide de prendre la fuite.
Tibert, le voyant debout,
lui dit : « Renart, pour quel office
330 vous préparez-vous de la sorte ?
Quelles sont vos intentions ?
— Je veux m'éloigner d'ici.
— Vous éloigner, vous ? Par Dieu, comment est-ce pos-
Souvenez-vous de votre serment   [sible ?
335 auquel vous avez juré d'être fidèle.
Vous ne devez pas vous en aller.
Restez ici, je vous l'ordonne.
Par Dieu, si vous partez,
vous en rendrez compte, c'est certain,
340 devant la cour du roi Noble,
car vous y serez cité
pour vous être parjuré
et avoir failli à une promesse redoublée :

Si doublera la felonnie.
345 Set ans est li sieges jurés,
Par foy plevis et affiés;
Com mauvais vous en deduiés,
Qant au premier jour en fuyés.
Moult par sont bien de moi li chien:
350 Se vos ja les doutez de rien,
Ains que vous faciez tel outrage,
Donroie je pour vous mon gage
Et vers eulz trieves en prendroie. »
Renart le laist, si va sa voie.
355 Li chien qui l'ont apparceü,
Se sont aprés lui esmeü,
Mais pour nient, que le païs
Sot si Renart que ja n'iert pris:
Bien s'en eschapa sans morsure.
360 Moult menace Tybert et jure
Qu'a lui se vouldra acoupler,
Se jamais le puet encontrer.
Esfondree est entr'eulz la guerre,
Ne veult mais trievez ne pais querre.
365   Tybers li chas dont je ai dit,
Doubte Renart assez petit,
Ne quiert avoir trievez ne pais.
Es vous deux prestres a eslais
Qui en aloient au saint senne.
370 Li un ot une hive bauchenne,
Et li autrez ot desouz soy
Un souef amblant palefroy.
Cilz a l'ive a Tybert choisi:
« Conpains, dist il, estés yci.
375 Quel beste est ce que je voy la?
— Cuivert, dist li autres, esta.
C'est uns mervilleus chat putois.
— Hé Diex, com je seroie roys [1],

---

1. ... *Com je seroie roys:* le mot de *roi,* pour marquer une grande
satisfaction, se trouve dans des expressions comme *il se tient roy...*
autant com se il fussent rois... Li vins l'avoit fet roi de France...
Cascuns d'aus est en son liu rois (Jeu de la Feuillée, 793).

votre félonie sera multipliée par deux.
345 Vous avez juré, promis, assuré
de tenir le siège pendant sept ans;
mais quel lâche vous faites
à vous enfuir dès le premier jour!
Je suis en fort bons termes avec les chiens:
350 si vous les craigniez tant soit peu,
plutôt que de vous voir perpétrer un tel crime,
je me porterais garant de vous
et j'obtiendrais d'eux une trêve en votre faveur. »
Renart le quitte et va son chemin.
355 Les chiens qui l'ont aperçu
se sont lancés à sa poursuite:
en vain, car Renart connaît si bien
le pays qu'il ne sera jamais pris.
Il s'en sortit sans coups ni morsures.
360 Il menace violemment Tibert et jure
qu'il se mesurera avec lui au corps-à-corps
si jamais il parvient à le rattraper.
La guerre a donc éclaté entre eux,
et le goupil ne recherchera plus ni trêve ni paix.
365 Tibert le chat dont j'ai parlé
ne craint pas beaucoup Renart,
lui non plus ne cherche trêve ni paix.
Or voici que surviennent à bride abattue deux prêtres
qui se rendaient à l'assemblée épiscopale.
370 L'un montait une jument à taches blanches,
l'autre un palefroi
à l'allure tranquille.
Le cavalier de la jument aperçut Tibert:
« Compagnon, dit-il, arrêtez.
375 Quelle est donc cette bête que je vois là-haut?
— Bon sang, dit l'autre, halte:
c'est un magnifique chat-putois.
— Ah! mon Dieu, je serais heureux comme un roi,

Se jel pooie aus mains tenir
380 A mon chief pour le froit couvrir;
Pour ce que bonne pel avoit,
Bon chapel et grant y auroit.
Certes grant mestier en avoie.
Diex nous amena ceste voie
385 Qui bien savoit le grant mestier.
Ore en ferai apparillier
Tout a vostre los un chapel,
Et pour agensir le plus bel
Me sui appensés d'une rien,
390 Se vous loés que ce soit bien,
Que g'i voeil la queue lessier
Pour le chapel agrandoier
Et pour mon col couvrir derriere.
Veés conme est grans et pleniere! »
395 Dist li autres : « Cy a bon plait.
Pour amour Dieu, q'ai je fourfait
Ne mesfait en nulle baillie,
Qu'en doie perdre ma partie? »
Ce dist li autres : « Non avés.
400 Mesire Torgis, ne savés
Que je en ay moult grant mestier;
Pour ce la me devés lessier.
— Lessier? fet il, pour quel servise?
Quel bonté ay je de vous prise?
405 Pour quel bonté, pour quiex merites
La vous lairoie, ce me dites?
— A mal eür, dist Rufrangier,
Trop estez tous jours manuier.
Ja mar du vostre y aura rien.
410 Or soit partie, jel voeil bien;
Mais de tant sui je esbahis,
Conment il doit estre partiz.
— Je le sai moult bien, par ma foy,
Ja mar en serés en effroy,
415 Que, se faire en volés chapel,
Si en faisons priser la pel,
Et de la moitié le vaillant
Faites en aprés mon creant. »

si je pouvais le tenir à pleines mains
380 pour en couvrir ma tête contre le froid;
sa peau, qui est belle,
ferait un bon et grand chapeau.
Ah! oui, j'en avais grand besoin.
Dieu le savait bien,
385 qui nous a mis sur ce chemin.
A présent je vais faire confectionner dans cette fourrure,
certes avec votre accord, un chapeau,
et pour qu'il soit plus beau,
j'ai pensé à quelque chose,
390 si tel est aussi votre avis:
j'ai l'intention de conserver la queue,
ce qui agrandira le chapeau
et me couvrira le cou.
Regardez comme elle est longue et touffue!»
395 L'autre de répondre: «Quel beau discoureur vous faites!
Mais, pour l'amour de Dieu, quel mal ai-je fait,
quelle faute ai-je commise
qui doive me priver de ma part?
— Aucune, répliqua l'autre.
400 Mais, monseigneur Turgis, vous ne savez pas
à quel point j'en ai un besoin pressant
et, pour cette raison, vous devez me le laisser.
— Vous le laisser? fit-il, et en échange de quoi?
De quel service vous suis-je redevable?
405 Pour quelle raison, pour vous récompenser de quoi
dois-je vous laisser cette peau, dites-le-moi.
— Je n'ai pas de chance, dit Rufrangier,
vous ne serez jamais qu'un ladre,
il n'y a rien à attendre de vous.
410 Eh bien! qu'on la partage, j'y consens,
mais je me demande bien
comment faire le partage.
— C'est fort simple, ma foi,
ne vous tracassez pas.
415 Vous voulez en faire un chapeau?
alors faisons estimer la peau
et promettez-moi ensuite
de me payer la valeur de la moitié.

Dist Rufrengier : « Faisons le bien !
420 Le chat voeil je tout quitte mien,
Et nous alons au senne ensamble,
Et si mengerons, ce me samble,
Que ce ne poons nous veher
Qu'il ne nous conviengne escoter :
425 Por moy et pour vous paierai,
Par tout vous en acquiterai.
Et vous m'affiez loyaument
Que vous nel ferés autrement,
Mais le chat quite me larés
430 Que jamais part n'y clamerés.
    — Honte ait quil vehe, dist Torgis ;
Tenés, sire, jel vous plevis
Et loyaument le vous affi.
    — Bien est, dist Rufrengiers, ainsi.
435 Mais liquelz de nous le prendra ? »
Ce dist Tourgis : « Qui il sera.
Je n'y claim riens ne riens n'y ai,
Ne ja ne m'en entremettrai,
Ne par moy n'y aurez aÿe.
440 — Pour ce ne remaindra il mie,
Dist Rufrengier, quar il est mien.
    — Or vous en conviengne dont bien. »
Rufrengier de la crois approuche,
Que riens plus au cuer ne li touche
445 Fors Tybert le chat traire a soy ;
Mes trop ot petit palefroy,
Si n'y pot attaindre en seant :
Sus la selle monte en estant.
    Qant Tybers vit qu'il est dreciés,
450 Par maltalent s'est herichiés ;
Escopi l'a enmi le vis,
Puis done un saut, sel fiert des gris,
La face li a gratinee.
Jus l'abati teste levee [1],

---

1. *Teste levee* signifie à l'ordinaire « téte en haut, fièrement », comme dans la branche I, au vers 1212 ; mais ici *teste,* synonyme de *face,* s'oppose à la nuque qui heurte le chemin.

— D'accord, répondit Rufrangier !
420 Je veux que le chat soit tout à moi ;
mais, en nous rendant de conserve à l'assemblée,
il nous faudra manger, n'est-ce pas ?
et nous ne pourrons nous dispenser
de régler l'addition.
425 Eh bien ! je paierai pour vous et pour moi,
je réglerai toutes vos dépenses,
et de votre côté vous me promettez loyalement
de respecter ce contrat,
de me céder la propriété du chat
430 en renonçant à toute prétention sur lui.
— Il serait honteux de refuser, dit Turgis ;
tenez, sire, je vous le jure
et vous le promets loyalement.
— C'est parfait, affirma Rufrangier.
435 Mais qui de nous deux attrapera le chat ?
— Son futur propriétaire, répondit Turgis.
Je n'ai aucune exigence, ni aucun droit sur lui.
Aussi ne m'en occuperai-je pas,
ne comptez pas sur mon aide.
440 — Ce n'est pas une raison pour que je renonce,
dit Rufrangier, car le chat m'appartient.
— Bonne chance, donc. »
Rufrangier s'approcha de la croix,
car ce qui lui tenait le plus à cœur,
445 c'était d'attraper le chat Tibert ;
mais, comme son palefroi était trop petit
et qu'il lui était impossible de l'atteindre en restant assis,
il se mit debout sur la selle du cheval.
    Lorsque Tibert l'a vu tout droit,
450 il s'est hérissé de colère,
lui a craché en pleine figure,
puis s'est jeté sur lui et l'a frappé de ses griffes,
lui égratignant le visage :
il l'a fait tomber sur le sol à la renverse

455 Si que li hateriaus derriere
    Li est ferus en la quarriere :
    Par poi qu'il n'est eschervelés.
    Deus foyees s'estoit pasmés.
        Li prestres jut en pasmoisons,
460 Et Tybers sailli es archons
    Qui vuidié erent du prouvoire.
    Li chevaux s'en tourne grant oirre
    Qui avoit esté effraés.
    Tant fuit par champs et par arés,
465 Et tant a erré qu'il vient droit
    A l'ostel dont tournez estoit.
    La femme au prouvoire seoit
    Enmi sa court, si buchetoit ;
    Ne vit pas le cheval venir,
470 Et il vint ens de grant aïr,
    Tel cop li donne en la poitrine
    Qu'il l'a getee sus l'eschine.
    Blechie fu, si ot paour,
    Conme elle ne vit son seignor.
475 En la selle ou il seult seïr
    Vit dant Tybert dessus croupir :
    Bien cuida ce fussent dÿable.
    Li chevaux va droit en l'estable,
    Et dant Tybert tous jours en son,
480 Qui bien congnissoit la maison.
    Moult li estoit bien avenu
    Quant ne l'ont mort ne retenu.
    Le cheval lessa estrayer,
    Puis s'en est alés pourchacier.
485   Li prestres qui jut contre terre
    Ne sot son palefroy ou querre.
    Son compaignon appelle a soy :
    « Amenés moy mon palefroy,
    Biaux conpains, quar le m'enseigniez.
490 — Estes vous, dist Tourgis, blechiés ?
    — Blechiés ? dist il, ains sui tüés.
    Ne fu pas chas, eins fu mauffez
    Qui nous a fait ceste envaÿe.
    Dÿables fu, n'en doubtés mie.

455 si bien que sa nuque
     a heurté les pierres du chemin :
     peu s'en fallut qu'il n'eût la tête fracassée.
     Par deux fois il s'est évanoui.
         Comme le prêtre gisait sans connaissance,
460 Tibert sauta dans les arçons
     que le cavalier avait vidés.
     Le cheval, sous le coup de la frayeur,
     rebroussa chemin à vive allure.
     Il s'enfuit si longtemps par les champs et les labours,
465 il parcourut tant de chemin qu'il regagna directement
     la demeure d'où il était parti.
     La femme du prêtre, assise
     au milieu de la cour, coupait du petit bois ;
     elle ne vit pas venir le cheval
     qui arriva avec une telle impétuosité
470 que, lui heurtant violemment la poitrine,
     il la jeta à la renverse.
     Elle ne fut pas seulement blessée, elle eut peur
     quand elle ne vit pas son mari :
     sur la selle où il s'asseyait d'habitude,
475 sire Tibert, à croupetons, l'avait remplacé.
     Elle fut persuadée qu'elle avait affaire au diable.
     Le cheval, qui connaissait bien la maison,
     se dirigea vers l'écurie,
480 toujours monté par Tibert.
     Quelle chance a eue le chat
     d'échapper à la capture et à la mort !
     Après avoir rendu sa liberté au cheval,
     il se remit en chasse.
485   Le prêtre, qui gisait sur le sol,
     ne savait où chercher son palefroi ;
     il appela son compagnon :
     « Amenez-moi mon palefroi,
     cher compagnon ; indiquez-moi, je vous prie, où il est.
490 — Êtes-vous blessé ? dit Turgis.
     — Blessé ? Dites plutôt que je suis mort, repartit l'autre.
     Ce n'était pas un chat, c'était un démon
     qui nous a attaqués.
     Oui, c'était un diable, soyez-en sûr.

495 Ice sai je de verité
    Que nos sommes enfantosmé,
    Ne ja de cest an n'en istron
    (Ce sachiés) que nous ne muiron.
    Ne sui pas aseür de moi,
500 Qant ay perdu mon palefroy. »
    Lors conmence une kyriele,
    Son credo et sa miserele,
    Pater noster, la letanie,
    Et sire Torgis li aÿe.
505 Souvent gardent se il veïssent,
    Ains qu'a la voie se meïssent,
    Tibert et le cheval ensamble,
    Mais nel virent pas, ce me samble.
    Qant point nel virent, si s'en vont,
510 Chascuns si fait signe en son front.
        Ore est li saines respitiés,
    Que Rufrangier est moult blechiés.
    A son hostel en est venus,
    Moult fu dolens et irascus.
515 Sa femme li a demandé :
    « Quel vent vous maine et quel ore ?
    — Pechiez, dist il, et enconbrier.
    J'encontrai hui un adversier
    Entre moy et mon conpaignon,
520 Seigneur Torgis de Lonc-Buisson,
    Qui nous a tous enfantosmés :
    A paine en sui vis eschapés. »

495 Ce que je sais avec certitude,
c'est que nous sommes ensorcelés
et que nous ne finirons pas l'année
vivants, n'en doutez pas.
J'ai peur pour ma personne
500 du moment qu'on m'a pris mon palefroi. »
Il commença alors à réciter le *Kyrie,*
le *Credo,* le *Miserere,*
le *Pater noster,* les litanies,
accompagné de messire Turgis.
505 A plusieurs reprises, avant de reprendre la route,
ils regardent s'ils n'aperçoivent pas
Tibert monté sur le cheval,
mais pas la moindre trace, à ce qu'il me semble.
Aussi s'en vont-ils,
510 et chacun de faire un signe de croix sur son front.
Ils remettent à plus tard leur voyage pour l'assemblée,
car Rufrangier est grièvement blessé.
Il est revenu chez lui,
en proie à la douleur et à la colère.
515 Comme sa femme lui demande :
« Est-ce un bon vent ou la tempête qui vous amène ?
— Ce sont plutôt de graves ennuis, dit-il.
Alors que je cheminais en compagnie
du seigneur Turgis de Long-Buisson,
520 j'ai rencontré un démon
qui nous a tous ensorcelés
et j'ai eu bien du mal à en sortir vivant. »

    Pierres qui de Saint Clost fu nez,
S'est tant traveilliez et penez
Par priere de ses amis
Que il nous a en rime mis
5 Une risee et un gabet
De Renart, qui tant set d'abet,
Le puant nain, le descreü,
Par qui ont esté deceü
Tant baron que n'en sai le conte.
10 Des or conmencerai le conte,
Se il est qui i veille entendre.
Sachiez moult i porra aprendre,
Si con je cuit et con je pens,
Se a l'escouter met son sens.
15   Ce fu en mai en cel termine
Que la fleur monte en l'aube espine,
Prez reverdissent et li bos,
Cil oissel chantent sanz repos
Et toute nuit et toute jour.
20 Et Renart estoit a sejour
A Malpertuis sa forteresce.
Mes molt estoit en grant destrece,
Quar de garison n'avoit point.
Sa mesniee ert en si mal point
25 Que de fain crient durement.
Sa fame Hermeline ensement
Qui estoit de nouvel ençainte,
Estoit si fort de fain atainte
Que ne se savoit conseillier.

Renart et le vilain Bertaut. Le partage des proies

Pierre, natif de Saint-Cloud,
au prix d'un labeur acharné,
cédant aux prières de ses amis,
a mis en vers pour nous
5 une histoire plaisante
de Renart, le fin rusé,
le sale nabot, le mécréant
qui a roulé tant d'honnêtes gens
qu'il m'est impossible d'en faire le compte.
10 Je commencerai sans tarder son histoire
s'il y a des gens qui veuillent bien m'écouter.
Sachez qu'elle est fort instructive,
du moins à mon avis,
pour peu qu'on y réfléchisse.
15 C'était au mois de mai, à l'époque
où les aubépines se couvrent de fleurs,
où les prés et les bois reverdissent,
où les oiseaux chantent à longueur de temps
aussi bien la nuit que le jour.
20 Renart se délassait
dans sa forteresse de Maupertuis,
mais son inquiétude était vive :
les provisions étaient épuisées !
Sa famille était si mal en point
25 qu'elle criait famine.
En outre, sa femme Hermeline,
qui se trouvait à nouveau enceinte,
souffrait tant de la faim
qu'elle ne savait plus à quel saint se vouer.

30 Lors se prent a appareillier
   Renart pour querre garison.
   Touz seulz s'en ist de sa maison
   Et jure qu'il ne revenra
   Jusqu'a tant qu'il aportera
35 Vïande a sa mesnie pestre.
   Le grant chemin tourne a senestre
   Et vet en travers la forest,
   Que il ne li siet ne ne plest
   A tenir chemin ne sentier.
40 Bien savoit le bois tout entier,
   Quar maintez foiz l'avoit alé.
   Tant vet que il est avalé
   Souz le boiz en la praierie.
   « Diex, dist Renart, sainte Marie !
45 Ou fu trouvez ainssi biax estrez ?
   Je cuit c'est paradis terrestrez.
   Ici feroit bon herbergier,
   Qui auroit assez a mengier.
   Vez ci le bois et le ruissel !
50 Onques mes ne vi voir si bel :
   Veez con est vert et floris !
   Ainsi m'aït Sains Esperis,
   Que moult volentiers m'i geüsse,
   Se je si grant besoing n'eüsse.
55 Mais besoing fet vieille troter. »
   A cest mot prent a galoper,
   Si s'en part tristres et dolans ;
   Mes la fain qu'il avoit aus dens,
   Qui enchace le leu du bois,
60 L'en fait partir outre son pois.
   Par les prez s'en vet contreval,
   Moult regarde amont et aval
   Por savoir se il y veïst
   Chose qui au cuer li seïst,
65 Oisel ne lievre ne connin.
   Tant vet qu'il entre en un chemin
   Qui envers une vile aloit.
   Le chemin suit, et quant il voit
   La vile, si jure son chief,

30 Renart commence alors ses préparatifs
   pour partir en quête de nourriture.
   Seul, il quitte le logis
   et jure de ne pas y revenir
   sans rapporter
35 de quoi nourrir sa famille.
   Il laisse la grand-route à sa gauche
   et s'enfonce dans la forêt
   car il évite, par raison autant que par goût,
   d'emprunter les chemins ou les sentiers.
40 Le bois n'avait pas de secrets pour lui :
   combien de fois ne l'avait-il pas parcouru !
   A force de cheminer, il parvient
   de l'autre côté du bois, dans une prairie.
   « Mon Dieu, s'exclama Renart, par la vierge Marie,
45 où trouver ailleurs un lieu si plaisant ?
   A mon avis, c'est le paradis terrestre.
   Comme il ferait bon planter là sa tente
   si l'on avait de quoi manger !
   Regardez : quel bois ! quel ruisseau !
50 En vérité, je n'en ai jamais vu d'aussi beau :
   voyez comme il est vert et fleuri.
   Par l'Esprit Saint,
   je m'y serais très volontiers étendu
   si je n'avais été dans une si cruelle extrémité
55 mais le besoin donne des ailes aux vieilles femmes. »
   A ces mots, il démarre au galop
   et quitte ces lieux le cœur gros.
   Mais la faim qui lui met l'estomac dans les talons,
   cette même faim qui chasse le loup du bois
60 le fait partir à contrecœur.
   Il continue à travers prés,
   guettant de tous côtés
   pour le cas où il verrait
   quelque chose qui lui réjouirait le cœur :
65 un oiseau, ou un lièvre, ou un lapin.
   Continuant toujours, il croise un chemin
   qui conduisait à un village.
   Il le suit et, à la vue
   des maisons, il jure sur sa tête

70 Cui qu'il soit bel ne cui soit grief,
Droit a cele vile en ira.
Bien cuide qu'il y trovera
Chose qui li aura mestier.
Let le chemin et le sentier,
75 Qant venuz est pres de la vile
Cil qui savoit assez de guile,
Qu'il ne volt pas estre veüz.
Par ces boissons, par cez seüz
S'en vet le pas le col bessant.
80 Durement vet Dieu reclament
Qu'il li gart son corps de prison
Et li envoit tel garison
Dont il face sa fame liee
Et ses enfans et sa maisniee.
85   Or ne me veil pas de ce taire
Que en la vile ot un repaire
A un vilain riche d'avoir,
Que, se li livres nous dit voir
Ou je trouve l'istoire escrite,
90 De ci a Troie la petite
N'ot un vilain si aesié.
Sa meson sist joste un plessié
Qui estoit richement garnie
De tot le bien que terre crie,
95 Si con de vaches et de bues,
De brebiz et de lait et d'oes,
D'unes et d'autres norrisçons,
De gelines et de chapons,
De ce i avoit a planté.
100 Or aura ja sa volenté
Renart, s'il puet entrer dedenz.
Mes je cuit et croi par mes denz
Qu'il fera par dehors sejor,
Que clos estoit trestout entour
105 Et li jardins et la mesons
De piex aguz et gros et lons,
Si couroit entor un ruissiaux.
La dedenz avoit arbruissiaux
De maintes guises, ce sachiez,

70 qu'il y filera tout droit,
sans se soucier des commérages.
Il a dans l'idée qu'il y trouvera
de quoi le satisfaire.
Aux abords du village,
75 notre animal qui avait plus d'un tour dans son sac
quitta le chemin,
car il ne voulait pas être vu.
A travers buissons et sureaux,
il ralentit le pas, baissant la tête,
80 priant Dieu avec ferveur
de le protéger de la capture
et de lui envoyer des vivres
pour combler de joie sa femme,
ses enfants et toute sa maisonnée.
85   Je ne dois pas vous cacher plus longtemps
que dans ce village se trouvait la demeure
d'un paysan plein aux as :
si le livre où j'ai trouvé cette histoire
dit la vérité,
90 d'ici jusqu'à Troyes-la-petite
il n'y en avait pas d'aussi cossu.
Sa maison, entourée d'une clôture,
était abondamment pourvue
de tous les biens de la terre,
95 tant en vaches, bœufs
et brebis qu'en lait et en œufs,
et en produits de toutes sortes.
Des poules et des poulets,
il y en avait à revendre.
100 Renart sera là à son affaire...
du moins s'il parvient à y entrer ;
mais, parole d'honneur, je pense
qu'il va se morfondre dehors
car le jardin et la maison
105 étaient complètement entourés
de gros pieux aiguisés et hauts ;
de plus, un ruisseau courait tout autour.
A l'intérieur de l'enclos, poussaient, sachez-le,
mille variétés de petits arbres,

110 Qui tuit erent de fruit charchiez.
Moult par estoit biax li reperes.
Sire en estoit Bertolz li Meres,
Uns vilein entulles et riches
Qui moult estoit avers et chiches,
115 Car de despendre n'avoit cure :
En amasser metoit sa cure,
Ainz lessast plumer ses grenons
Qu'il menjast un de ses chapons,
Ne qu'il eüst au feu cuisine
120 Ne de chapon ne de geline,
Ainz les fesoit au marchié vendre.
Se Renart y vuet la main tendre,
Je cuit bien que il en aura :
Ja si garder ne les saura.
125   Li vileins fu en sa meson
Ou n'avoit home se lui non.
Sa fame fu son filé vendre,
Li autre furent pour entendre
A lor afere trestuit fors.
130 Renart vint cele part le cours,
Qui bien pensoit (n'en doutez mie)
Que la meson ert bien garnie
De ce dont il avoit mestier.
Entre deus blez par un sentier
135 S'en est venuz jusqu'a la haie.
De leanz entrer moult s'esmaie.
Quar les chapons vit au soleil,
Et Chantecler qui cligne l'ueil,
Et ses poucins et ses gelines
140 Qui erent lez un tas d'espines
En un paillier ou il gratoient.
De tout ice ne se gardoient,
Bien cuidoient asseür estre.
Mes Renart qui fu pute beste,
145 De lecherie frit et art :
Bien voit par engin ne par art
N'i entrera, c'est por noiant.
Entour vet et vient coloiant
Pour veoir et pour esprouver

110 tous chargés de fruits.
    Quelle magnifique demeure !
    Le propriétaire en était Bertold-le-Grand,
    un balourd de paysan, riche,
    avare au plus haut point,
115 qui se refusait à toute dépense.
    Âpre au gain,
    il se serait laissé arracher les moustaches
    plutôt que de goûter un seul de ses chapons
    ou de faire cuire
120 un poulet ou une poule ;
    il les faisait vendre au marché.
    Mais si Renart veut se servir
    je pense qu'il en aura,
    sans qu'on puisse l'en empêcher.
125   Le paysan était
    seul au logis,
    sa femme était partie vendre ses travaux de filage,
    les autres vaquaient tous dehors
    à leurs occupations.
130 Renart courut de ce côté,
    persuadé (n'en doutez pas)
    que la maison regorgeait
    de ce qui lui fallait.
    Par un sentier entre deux champs de blé,
135 il est parvenu à la haie.
    Il n'aura de cesse qu'il ne pénètre dans l'enclos
    où il voit les chapons au soleil,
    avec Chantecler qui cligne de l'œil,
    et ses poulets et ses poules
140 près d'un fagot d'épines
    qui grattaient dans un tas de paille,
    insouciants du danger :
    ils se croyaient en sécurité.
    Mais Renart, cette sale bête,
145 qui brûle de convoitise,
    se rend bien compte qu'il n'entrera
    ni par feinte ni par ruse : rien à faire !
    Le cou tendu, il fait plusieurs fois le tour
    dans l'espoir de trouver

150 Se ja peüst partuis trouver
    Par ou il se peüst enz metre.
    Tant vet a destre et a senestre
    Renart li rous, li maleïs,
    Que par devers le plesseïs
155 Trouva un pel par aventure
    Qui ert usé de pourreture,
    Par la ou li regorz couroit
    Du jardin quant pleü avoit :
    Par la s'en est entrez dedenz
160 Tout souef, et jure ses denz
    Que a cui que il doie nuire
    Y fera il ses grenons bruire
    Ou de chapon on de geline.
    Tapiz s'est desoz une espine,
165 Que ne volt mie estre veüz,
    Ne s'est crolez, ne s'est meüz,
    Touz coiz se tient et si escoute.
    Chantecler qui point ne se doute
    Et qui bien cuide estre asseür,
170 S'en vet en non de maleür
    Parmi le jardin pourchacent
    Et ses gelines apelant.
    Et tant se pourquiert et porchace
    Qu'il est venuz devant la place
175 La ou Renart se fu muciez.
    Qant Renart le vit, si fu liez,
    Si jure que, se Diex le saut,
    Il li fera un mauvés saut.
       Que que cil a grater entent,
180 Renart se lieve, si descent
    Vers lui pour prendre, mes il faut,
    Quar Chantecler en travers saut.
    Or est Renart moult malbailli,
    Quant il voit que il a failli,
185 Si n'ot en lui que correcier ;
    Le coc a pris a dechacier
    Et ça et la et sus et jus.
    Chantecler voit qu'il n'i a plus,
    A crier conmence a haut ton.

150 un trou
qui lui permettrait d'entrer.
A force de se démener à droite, à gauche,
Renart le rouquin, le maudit,
parvint à dénicher par hasard
155 un pieu de la clôture
qui était pourri,
dans la rigole
où s'écoulaient les eaux de pluie.
C'est par là qu'il s'est glissé à l'intérieur,
160 tout doucement jurant sur ses dents
que — tant pis pour ses victimes —
il jouera des mâchoires
avec un chapon ou une poule.
Il s'est tapi sous un buisson d'épines
165 pour qu'on ne le voie pas ;
sans un geste, sans un mouvement,
il se tient immobile, l'oreille aux aguets.
Chantecler, parfaitement tranquille,
persuadé qu'il ne craint rien,
170 s'en va, pour son malheur,
picorer dans le jardin
tout en appelant ses poules.
Il picore de-ci, de-là,
si bien qu'il arrive jusqu'à l'endroit
175 où Renart s'était caché.
Renart, quand il le voit, est tout content
et il jure, sur le salut de son âme,
de lui faire un mauvais parti.
   Tandis que l'autre s'occupe à gratter le sol,
180 Renart bondit et s'élance
pour le saisir... mais c'est manqué !
car Chantecler s'esquive.
Quelle déconvenue pour Renart
devant ce cuisant échec !
185 Fou de colère,
il s'élance à la poursuite du coq,
et le harcèle de tous côtés
si bien que Chantecler, se sentant perdu,
pousse un cri perçant.

190 Bertolz qui fu en sa meson,
    Saut pour veoir que ce estoit
    Qui ses gelines tanpestoit.
    L'uis a ouvert de son courtil,
    S'a veü Renart le gourpil
195 Qui einsi les va dechascent.
    En sa meson repere atant,
    Si prent deus resiaux enfumez
    Que maufé li orent donnez,
    Et dist que se Renart l'atent,
200 Moult iert iriez s'il ne le prent :
    Dïable li ont amené.
    Cil qui bien semble forsené
    S'en revint en son courtil droit ;
    Et Renart qui veü l'avoit,
205 Desouz un chol muciez se fu ;
    Et cil qui pas apris ne fu
    Ne d'oiseler ne de chacier,
    Seur les cholz a pris a couchier
    Les resiax trestouz de travers,
210 Et jure les os et les ners
    Que Renart sera engingniez.
    Lors s'escrie con esragiez
    Et en aventure huie et crie,
    Ja soit ce qu'il nel voie mie.
215 « Haha ! fet il, mar i venistes,
    Filz a putain, lierres traïstres.
    Par ça saudroiz par saint Germain. »
    Un baston tenoit en sa main,
    Dont il a les chols reverchiez
220 Tant que touz les a detranchiez,
    Si les reverche sus et jus.
    Quant Renart voit qu'il n'i a plus
    Et que n'i a mestier celee,
    Un saut a fet a la volee,
225 Si se fiert en un des roiseus.
    Or li croist et anuiz et deus.
    Maufez l'ont en ce point tenu
    Que moult li est mal avenu.
    S'il eschape, ce ert merveille.

190 Bertold qui était dans la maison,
    accourt pour savoir qui donc
    mettait ainsi ses poules en révolution.
    Ouvrant la barrière de sa basse-cour,
    il voit Renart le goupil
195 qui les pourchasse de belle manière.
    Alors il retourne chez lui
    pour prendre deux filets de chasseurs noircis par la fumée
    — un cadeau du diable —
    maugréant que si Renart veut bien l'attendre,
200 il s'en voudra de ne pas le capturer,
    car les démons le lui ont apporté en ce lieu.
    Notre homme qui a tout l'air d'un fou
    se précipite droit dans son enclos,
    mais Renart, l'ayant vu,
205 s'était dissimulé sous un chou.
    L'homme qui n'avait pas été initié
    à chasser avec des oiseaux ou des chiens,
    a lancé les filets
    sur les choux, tout de travers,
210 jurant sur sa tête
    que Renart sera bien attrapé.
    Puis il pousse des cris comme s'il avait la rage
    et hurle à tort et à travers
    sans découvrir la moindre trace de goupil.
215 « Ah, ah ! cette entreprise vous sera funeste,
    fils de pute, sale voleur.
    Vous sauterez par ici, par saint Germain. »
    Du bâton qu'il tenait à la main,
    il a renversé tous les choux
220 et les a mis en pièces ;
    il fouille soigneusement dessus comme dessous.
    Quand Renart voit que la résistance est vaine
    et qu'il est inutile de demeurer caché,
    il fait un bond sans réfléchir
225 et se jette dans l'un des filets.
    Ses ennuis ne font que commencer ;
    par la faute des démons qui l'habitent,
    les choses ont mal tourné pour lui
    et ce sera un miracle s'il en réchappe.

230 La roiz entour lui s'entourteille :
    Pris est et par col et par piez.
    Or est il moult bien engigniez,
    Ne li a riens valu sa guile.
    Mielx li venist que en la vile
235 Ne fust venuz ne entrez ja.
    Tourne et retourne çà et la,
    Quant plus tourne et plus s'enlace.
    Toutesvoies tourne et rebrace
    Pour issir, mes riens ne li vaut,
240 Quar li vilainz a fet un saut,
    Qui bien l'avoit aparceü,
    Et dist qu'or li est mescheü,
    Quant il est cheüz en sa trape :
    Merveilles ert s'il li eschape
245 Que del corps ne soit empiriez.
    Vers lui s'adresce touz iriez,
    Si avoit haucié le pie destre,
    Desus la gorge li voult metre,
    Quar mielz l'en cuidoit mestroier.
250 Mes Renart nel voult otroier,
    Que tost l'auroit espoir blecié.
    Si con cil rabessoit son pié,
    Renart l'a pris par mi aus denz
    Si que toutes li embat enz,
255 Serre les denz aprez la bouche
    Si que l'une a l'autre touche.
    Moult les a bien Renart serrees,
    Que d'outre en outre sont passees.
        Quant li vilainz se sent blecié
260 Et vit son pié par mi percié,
    Li sans li mue et pert coulour,
    Pasmez chaï de la doulour ;
    Et Renart le tint toutevoie,
    Qui a son cuer avoit grant joie
265 De ce qu'il l'avoit si a main,
    Et jure Dieu et saint Germain
    Que il ne li eschapera
    Devant que son plesir fera,
    Que bien scet qu'il seroit frapez,

230 Il s'empêtre dans le filet
    où il se prend le cou et les pattes.
    Le voilà bien attrapé :
    sa ruse ne lui a été d'aucun secours
    et il aurait mille fois mieux valu pour lui
235 qu'il ne soit jamais entré dans le village.
    Il se tourne d'un côté, puis de l'autre,
    plus il se tourne et plus il s'emberlificote,
    ce qui ne l'empêche pas de continuer
    dans l'espoir d'en sortir. Mais c'est peine perdue,
240 car le paysan, qui l'avait repéré,
    bondit en lui annonçant
    que ses jours sont comptés
    puisqu'il est tombé dans son piège :
    ce serait un miracle s'il lui échappait
245 et en sortait indemne.
    Dans son emportement, le paysan se dirige vers lui,
    lève le pied droit
    qu'il compte mettre sur la gorge de l'animal :
    c'est, pense-t-il, la meilleure façon de le maîtriser.
250 Mais Renart ne s'est pas laissé faire
    car l'autre risquait de le blesser bien vite.
    Dès que le pied s'abaissa,
    Renart le saisit à pleines dents,
    il y enfonça tous ses crocs,
255 puis resserra les mâchoires
    qui se touchèrent.
    Ah ! Il serre bien, Renart !
    ses dents ont traversé de part en part...
        Quand le paysan sent sa blessure
260 et voit son pied transpercé,
    il pâlit, se décompose
    et s'évanouit de douleur.
    Renart ne desserre pas pour autant son étreinte,
    le cœur en joie
265 de l'avoir en son pouvoir,
    et il jure par Dieu et saint Germain
    de ne pas le lâcher
    avant de lui avoir dicté sa loi.
    Il sait bien qu'il se trouverait dans l'embarras

270 Se il li estoit eschapez,
    Que ne porroit oster son corps
    Du roisel, s'il n'en est mis fors
    Par tel qui sceüst la maniere.
    Pour ce dist que la mort le fiere,
275 S'il li oste del pié les denz.
    Li vileinz qui se jut adenz
    Tout ainsi con il estoit lons,
    Est revenuz de pamoisons.
    De Renart se cuide eschaper,
280 Si li prent le groing a taster,
    Que la bouche li voult ouvrir.
    Mes Renart ne le volt soufrir,
    Einçois li vet moult anoiant.
    Et li vilainz le vet baillant
285 Aus pouces qu'il a durs et gros.
    Toutes voies n'est pas tant os
    Que a la bouche li adese.
    Et Renart qui jut a malese,
    Quant voit que durement le taste,
290 Si giete les denz, si le hape
    Ovec le pié par la main destre.
    Or est le vilain bien a mestre,
    Bien le vet Renart mestroiant :
    N'eschapera, c'est pour noiant.
295 Il eüst fet greigneur savoir,
    S'eüst lessié (ce sai de voir)
    Renart en pes querre sa vie ;
    Moult ot empensé grant folie
    Quant le volt prendre, mar le fist.
300 Tant grate chievre que mal gist.
    Bien se cuida de lui vengier :
    Or est cheü en son dangier,
    Quar il n'en aura ja pitié.
    A tout le mainz n'a il c'un pié
305 Et une main en sa baillie.
    Renart a sa geule sesie
    Del pié destre et de l'autre main.
    Moult vet menaçant le vilain,
    Et dist qu'il li torra la vie

270 s'il le laissait partir
car il ne pourrait se dépêtrer
du filet à moins d'être libéré
par quelqu'un qui en connaît l'usage.
C'est pourquoi il préférerait que la mort le frappât
275 plutôt que de lâcher le pied.
Le paysan étendu de tout son long
face contre terre
revint à lui.
Dans l'espoir de se libérer de Renart,
280 il se met à lui tâter le museau,
avec l'idée de lui ouvrir la bouche,
mais Renart se rebiffe,
agacé par son manège :
le paysan le palpe
285 avec ses pouces durs et gros,
sans toutefois oser
s'aventurer jusqu'à la bouche.
Renart, couché dans une position inconfortable,
lorsqu'il se sent tâté avec rudesse,
290 d'un mouvement brusque, happe,
outre le pied, sa main droite.
Le paysan a trouvé son maître,
Renart a le dessus
et il est vain d'espérer lui échapper.
295 Il aurait été beaucoup plus sage
de laisser Renart chercher tranquillement
son bonheur (de cela je suis sûr).
Il fut bien mal inspiré
de se mettre en tête de le capturer. Mal lui en prit.
300 Tant gratte la chèvre qu'elle est mal couchée.
Alors qu'il croyait bien se venger de lui,
le voilà tombé sous sa coupe
car jamais le goupil ne se laissera attendrir.
Il ne peut plus se servir
305 que d'une seule main et d'un seul pied,
car Renart tient dans sa gueule
le pied droit et l'autre main,
tout en l'abreuvant de menaces,
jurant sur la tête de son amie

310 Del corps, foi que il doit s'amie,
    Que ja n'en aura reançon :
    Mielz li venist estre a Lançon
    Que il fust cheüz en ses mainz.
    Grant paour en a li vilainz,
315 Ne scet que fere ne que dire.
    Des ielx pleure, du cuer souspire
    Et maine ileuques moult fort vie.
    Tout en plorant merci li crie.
    « Sire Renart, fait il, merci !
320 Lessiez moi, por Dieu vos en em pri,
    Conmandez moi ce que voudroiz,
    Et jel ferai, quar il est droiz,
    Et vostre hom seré tous jours mes.
    — Filz a putain, vilain punés,
325 Fet Renart, qu'alés vos disant ?
    Moult m'alïez hui despisant
    Et moult me cuidiez bien prendre
    Quant vos roiseus alastes tendre
    Parmi le jardin conme foux.
330 Mes si me puist aidier saint Lox,
    Vous le conparroiz hui moult chier. »
    Et cil qui ne se pot venchier,
    Crie et se plaint et fet son duel :
    « Sire, fet il, a vostre vueil
335 Ferai quanque conmanderez.
    — Tesiez, dist Renart, ne janglez,
    Filz a putain, traïtres sers,
    Que par mes doiz et par mes ners
    Je vous metrai en male paine,
340 Ne m'eschaperez des semaine.
    Bien me cuidiez avoir pris,
    Mes je vous ai mieuz entrepris.
    Ore estes vous mis en prison :
    Ja n'aie je mes garison,
345 Se ne vous faiz moult grant anui.
    Au mainz y serez vous meshui,
    N'avez pooir de vous mouvoir.
    N'en prendroie pas tout l'avoir
    L'empereour Otevien,

310 de le faire passer de vie à trépas,
il refuse d'avance de lui faire grâce.
Il courrait moins de risques à Lanson
qu'entre ses mains.
    Rempli d'épouvante, le paysan
315 ne sait que faire ni que dire.
Il pleure à chaudes larmes, soupire à fendre l'âme,
connaît maintenant des moments atroces.
Avec des sanglots dans la voix, il lui demande grâce :
« Seigneur Renart, dit-il, pitié !
320 Libérez-moi, je vous en supplie au nom de Dieu,
et ordonnez ce que vous voudrez,
je vous obéirai car cela est juste
et je serai votre vassal tous les jours de ma vie.
— Fils de pute, sale péquenot,
325 qu'est-ce que vous racontez là ? dit Renart.
Pas plus tard qu'aujourd'hui vous me traitiez de haut
et vous vous imaginiez bien m'attraper
lorsque vous vous êtes mis à étendre
vos filets sur votre jardin, en fou que vous êtes !
330 Mais, avec l'aide de saint Loup,
vous allez me le payer aujourd'hui, et très cher. »
L'autre, réduit à l'impuissance,
crie, pleure et se lamente :
« Seigneur, dit-il, je vous obéirai
335 au doigt et à l'œil.
— La paix, coupe Renart. Trêve de bavardages !
Fils de pute, faux-jeton,
je vous le jure sur ma tête,
vous allez passer un mauvais quart d'heure
340 et vous n'êtes pas près de m'échapper.
Vous vous imaginiez déjà m'avoir pris
mais j'ai su renverser la situation :
c'est vous le prisonnier à présent.
Que je n'aie plus rien à me mettre sous la dent,
345 si je ne vous en fais voir de toutes les couleurs !
Au moins, de toute la journée d'aujourd'hui,
vous ne pourrez faire un mouvement.
Même toute la fortune
de l'empereur Octavien,

350 Foi que je doi saint Julïen,
    Que je ne vous face contraire.
    — Renart, pour amour Dieu, non faire,
    Ne me fai ore pas del pis
    Que tu porras, se j'ai mespris
355 Envers toi, que bien m'i acort.
    Certes j'en ai eü le tort,
    Mes je sui prest de l'amender
    Einsi con vorras conmander :
    Ja n'irai contre ton conmant.
360 Et sachiez bien veraiement
    Que je le veil et si l'otroi,
    Que moi et tot le mien metroi
    De tout en tout en ton esgart.
    Ne devez pas, se Diex me gart,
365 Refuser de si bele amende [1],
    Et je sui garniz de vïande
    Tele conme vos a mestier,
    Ge vous en vorrai aesier,
    Plus en ai c'onme ci entour.
370 Pour Dieu fetes moi ceste amour !
    Vostre honme lige devandrai.
    Jamés voir en lieu ne serai
    Dont vous doie venir domage.
    Pour Dieu, quar prenez cest hommage,
375 Pour Dieu, ne soiez si crueuz !
    Liex puez estre, qant uns hons tiex
    Qui est si poissanz et si riches,
    Veult devenir vostre homme liges. »
        Quant Renart le vilain entent
380 Qui si fort pleure et se repent,
    Et dit que il a grant pesance
    De l'outrage et de la viltance
    Et de la honte qu'il li fist,
    Pitié l'en prent et si li dist :

1. Dans le manuscrit B, on a *Refuser desible amande*. La correction
est de G. Tilander, *refuser* pouvant « se construire dans la vieille langue
avec l'accusatif de la personne et le génitif pour la chose » (*Notes sur le
texte du Roman de Renart*, p. 694).

350 je vous le jure par saint Julien,
     ne me ferait pas renoncer à mes représailles.
         — Renart, pour l'amour de Dieu, ne le fais pas !
     N'agis pas avec la pire
     sévérité, même si j'ai mal agi
355 envers toi, je le reconnais.
     Oui, c'est moi le coupable,
     mais je suis prêt à réparer ma faute,
     il te suffit d'ordonner,
     je n'irai jamais contre ta volonté.
360 En outre, sois bien persuadé de ceci :
     je veux et j'accepte
     que mes biens et ma personne
     soient à ta pleine et entière disposition.
     Tu ne dois pas — Dieu me garde ! —
365 refuser une si alléchante compensation :
     je possède les vivres
     dont tu as besoin :
     je te ravitaillerai.
     J'en ai plus que n'importe lequel de mes voisins.
370 Par Dieu, accorde-moi cette marque d'affection.
     Je deviendrai ton homme lige
     et jamais, en aucun lieu,
     tu n'auras à te plaindre de moi.
     Par Dieu, accepte donc cet hommage !
375 Par Dieu, ne sois pas si cruel !
     Tu devrais être heureux qu'un homme
     tel que moi, puissant et riche,
     veuille devenir ton homme lige. »
         Lorsqu'il entend le paysan
380 verser des flots de larmes et se repentir,
     regretter amèrement
     de l'avoir insulté, outragé,
     déshonoré,
     Renart, touché par la pitié, lui dit :

385 « Tes toi, vilain, ne pleure pas !
     A ceste foiz mal n'i auras,
     Mes garde toi de rencheoir,
     Que, si puisse je mes veoir
     Ne ma fame ne mes enfanz,
390 Nulz hons ne te seroit garanz
     Nel te feïsse comparer ;
     Mes einçois que t'en les aler,
     Vileinz, me bailleras ta foi
     Que de par les tiens ne par toi
395 N'aurai ne honte ne domage,
     Et que tu me feras hommage
     Si tost conme lessié t'auré,
     Et que tot a ma volenté
     Metras et ton avoir et toi. »
400 Dist li vilainz : « Et je l'otroi
     Tout ainsi conme vous le dites,
     Einsi m'aïst sainz Esperites
     Que riens nule tant ne desir
     Con a fere vostre plesir. »
405 A icest mot sa foi li tant
     Li vilainz et Renart la prent.
     Or sachiez que bien le puet croire
     Tout aussi bien conme un provoire,
     Quar li vilainz estoit entiers,
410 Si ne mentoit pas volantiers.
     « Vilainz, ce dit Renart, entent !
     Tu m'as fiancé loyaument
     Que tu feras a mon esgart.
     — Voire, si ait Diex en moi part
415 Con je volantiers le ferai ;
     Que ja pour nului nel lairai,
     Ainz le feré dou tout en tout.
     — Puis que dit l'as, je pas n'en dout,
     Fet Renart, quar tu es preudom.
420 Au mainz en as tu le renon :
     Moult ai oï de toi parler. »
     A cest mot l'a laissié aler.
     Cil qui avoit esté grevez,
     A grant paine s'en est levez,

385 « Tais-toi, manant, sèche tes pleurs.
Je ne te ferai rien pour cette fois,
mais ne t'avise pas de recommencer,
car, je le jure sur la tête
de ma femme et de mes enfants,
390 personne ne pourrait intercéder en ta faveur
pour empêcher que je ne te le fasse payer.
Mais, avant que je te laisse partir,
manant, tu me donneras ta parole
que ni toi ni les tiens
395 ne m'infligerez de préjudice moral ou matériel ;
en outre, tu me rendras hommage
au moment même où je te libérerai,
en te mettant, tes biens et toi,
à mon entière disposition.
400 — J'accepte toutes vos conditions
répondit le paysan
et je vous jure — que le saint Esprit me vienne en
que je ne désire rien d'autre   [aide ! —
que de faire votre volonté. »
405 A ces mots, le paysan tend son gage
à Renart qui le prend.
Or sachez qu'il pouvait lui faire confiance
autant qu'à un prêtre,
car c'était un homme intègre,
410 qui ne mentait pas volontiers.
« Manant, dit Renart, écoute-moi bien !
tu m'as promis en toute loyauté
d'agir à ma guise.
— C'est vrai, et que Dieu s'intéresse à moi
415 autant que je serai loyal envers vous.
Je n'ai qu'une parole,
je tiendrai toutes mes promesses.
— Puisque tu l'affirmes, je te crois,
répond Renart, car tu es un honnête homme,
420 ou du moins tu en as la réputation :
on m'a souvent parlé de toi. »
A ces mots, il l'a libéré
et le paysan qui avait été blessé
eut du mal à se relever.

425 Et puis devant lui s'agenoille,
De ses lermes les piez li moille,
Si li fist hommage en plorant,
Qu'il n'i ala plus demourant :
Envers le moustier sa main tent,
430 Si li a fet le serement
Tel con estuet fere a hommage ;
Et si li amende l'outraje
Que il l'i avoit fet devant.
Bien li a tenu son creant
435 Con cil qui estoit peouros.
Puiz li dist : « Sire, or direz vous
Trestot ice qui vous plera,
Et je sui cil qui le fera
Si con vous vorrez a devise,
440 A mon pooir et sanz faintise.
— Or dont, dist Renart, vien avant,
Si me deslace tout avant
De ton roisel qui trop me grieve. »
Maintenant li vilainz se lieve,
445 Si li a fet a sa devise.
Et Renart qui en mainte guise
Engingne la gent et deçoit,
Deslïez est, si le conjoit.
Encor n'a il pas oublié,
450 Ainz li dist : « Tu m'as afié,
Amis, que trestout mon vouloir
Feras tu selonc ton pooir,
Mes certes tu en seras quites
Por mainz assez que tu ne cuides.
455 Ge te feré bien ton feret.
Aporte moi ton coc veret
Que j'ai hui toute jour gaitié ;
Se tu veus avoir m'amistié,
Si le me baille par le col !
460 Par la foi que je doi saint Pol,
Jamés riens plus ne te querrai ;
Ainz te di que je te ferai
Seigneur de moi et de ma terre. »
Bertolz qui ne voult pas la guerre,

425 Ensuite, il s'agenouilla devant lui,
   lui baignant les pieds de ses larmes,
   et il lui rendit hommage en pleurant
   sans perdre une minute.
   Il tendit la main en direction de l'église
430 et prononça le serment rituel
   de la cérémonie de l'hommage,
   effaçant ainsi l'affront
   qu'il lui avait précédemment infligé.
   Il fut fidèle à sa promesse,
435 la peur au ventre,
   et ajouta : « Seigneur, ordonnez
   tout ce qui vous plaira,
   j'exécuterai scrupuleusement
   vos ordres,
440 avec zèle et sans arrière-pensée.
   — Eh bien, dit Renart, avance
   et dépêtre-moi avant tout
   de ce filet qui me fait cruellement souffrir. »
   Aussitôt, le paysan de se relever
445 et de lui obéir au doigt et à l'œil.
   Et Renart, accoutumé
   à duper et à tromper les gens,
   à se voir libéré est plein de joie,
   mais il n'en oublie pas pour autant
450 le reste : « Mon ami, tu m'as promis
   de faire tout ton possible
   pour satisfaire mes moindres désirs,
   mais, en vérité, tu vas être quitte
   à meilleur compte que tu ne crois.
455 Grâce à moi, tu vas réaliser une bonne affaire.
   Apporte-moi ton coq au plumage bigarré
   que j'ai passé toute ma journée à guetter ;
   si tu tiens à mon amitié
   donne-le-moi donc par le cou.
460 Par saint Paul,
   je ne te réclamerai plus rien d'autre
   et, en outre, je te proclamerai
   mon suzerain et le seigneur de mes terres. »
   Bertold qui ne voulait pas le heurter de front,

465 Li dist : « Sire, vos dites mal ;
    Que, par le Pere esperital,
    Li coc est trop dur a menger.
    Se le volïez eschanger ?
    Quar il a bien deus anz touz plainz,
470 Mes je vous baudrai de mes mainz
    Trois poucins tendres, se voulez,
    Dont vous serez bien saoulez,
    Et vous feront a vostre cuer
    Greigneur bien, foi que doi ma suer
475 Dame Haouis de la Monjoie,
    Qar le coc a, se Diex me voie,
    Les ners et la char forment dure.
    — Vileinz, fet Renart, n'en ai cure
    De tes poucins : tuit soient tien ;
480 Mes se tu veuz fere mon bien,
    J'aurai le coc que je demant.
    — Sire, fet il, vostre conmant
    Ferai je sanz nule achoison,
    Quar je sui devenuz vostre hom.
485 Par mon chief orendroit l'aurez,
    Des que vous tant le desirez. »
    Atant let li vilains le plet
    Et maintenant au coc s'en vet,
    Si l'a chacié par le porpris.
490 Et tant chaça que il l'a pris,
    Vient a Renart et si li baille.
    « Tenez, sire, se Diex me vaille,
    Ge vousisse mielz, par saint Gile,
    Qu'eüssiez deus de mes gelines,
495 Qar je l'amoie durement
    Pour ce que menu et souvent
    Les me chauchoit l'une aprés l'autre.
    Mes puis que vous ne voulez autre,
    Il est bien droiz que vous l'aiez.
500 — Vileinz, or ne vous esmaiez,
    Que, par mon chief, bien l'avez fet :
    L'ommage que m'aviez fet.
    Vous claim orendroit trestout quite.
    — Sire, fet Bertolz, la merite

465 lui répondit : « Seigneur, vous avez tort,
car, par notre Père des Cieux,
ce coq est vraiment coriace.
Que diriez-vous de l'échanger ?
Il a deux ans bien sonnés ;
470 à sa place, vous recevrez de mes mains,
si vous le voulez, trois tendres poulets,
de quoi vous rassasier
et vous réjouir mille fois mieux
le cœur, je vous le jure sur la tête de ma sœur
475 dame Hauvis de Monjoie...
alors que la chair de ce coq est — Dieu me guide ! —
aussi dure qu'une semelle.
— Manant, fait Renart, je me moque
de tes poulets. Garde-les.
480 En revanche, si tu souhaites me faire plaisir,
apporte-moi le coq que je te réclame.
— Seigneur, répond l'autre,
je vous obéirai sans tergiverser,
en bon vassal.
485 Je vous jure sur ma tête que vous l'aurez sur-le-champ,
du moment que vous y tenez à ce point. »
Foin de discours ! Le paysan
s'en va de ce pas chercher le coq,
il le poursuit dans son enclos
490 et, après plusieurs tentatives, il parvient à l'attraper,
retourne auprès de Renart et le lui donne :
« Tenez, seigneur, par les bienfaits du Ciel
et par saint Gilles, j'aurais préféré
vous voir emporter deux de mes poules.
495 Ce coq, je l'aimais de tout mon cœur
parce qu'il venait souvent
couvrir mes poules l'une après l'autre...
Enfin, puisque vous ne voulez rien d'autre,
il est bien juste que vous l'ayez.
500 — Manant, ne vous faites pas de souci,
car vous avez agi avec sagesse, par ma foi.
Cet hommage que vous m'avez rendu,
je vous en libère à l'instant même.
— Seigneur, dit Bertold, puisse votre âme

505 Vos en puisse Diex rendre a l'ame,
Et sainte Marie ma dame! »
     A ces paroles se depart
Bertolz de mesires Renart [1],
Si le conmande moult a Dé.
510 Et Renart qui bien l'a gabé
A pris le coc et si s'en vet
A Malpertuis a son recet.
Bien en cuide runger l'eschine
Entre lui et dame Hermeline,
515 Sa fame que il tant amot,
Mes encore ne scet il mot
De ce que il li pent a l'ueil.
Si con il vint desouz un tueil
Qui ert lez le chemin a destre
520 Delez une ville champestre,
Garde et voit le coc qu'il porte
Qui durement se desconforte.
Des iex pleure, moult fu dolant,
A Renart grant pitié en prent,
525 Si li a dit pour quoi il pleure.
« Pour quoi? Maleoite soit l'eure,
Fet le coc, que onques fu nez!
Moult m'est or bien guerredonnez
Li servises que je ai fet
530 A l'ort vilein mesel deffet
Que j'ai si longuement servi.
Mal soit l'eure c'onques le vi,
Qar ja n'en aurai fors la mort.
— Par Dieu, fet Renart, tu as tort
535 Quant pour ce te vas dementant.
Par l'ame ton pere, ore entent!
N'est il bien droiz en toute place
Que li sires par reson face
De son serjant sa volenté?
540 Oïl, par ma crestïenté,
Il se doit bien lessier morir

---

1. Pour ce vers, nous avons choisi le texte des manuscrits C D M
B H L. N porte : *Bertolz et mesires Renart*.

505 recevoir sa récompense de Dieu
et de notre Dame sainte Marie!»
     Sur ces bonnes paroles, Bertold
quitte messire Renart
après l'avoir instamment recommandé à Dieu.
510 Renart, lui, qui l'a bien grugé,
est reparti avec le coq
dans sa cachette de Maupertuis.
Il espère bien en ronger la carcasse
en compagnie de dame Hermeline,
515 son épouse affectionnée;
mais il ignore encore
ce qui lui pend au nez.
Alors qu'il passait sous un tilleul
planté sur le côté droit d'un chemin
520 qui longeait une propriété,
il regarde le coq qu'il emporte
et le voit en proie au désespoir,
les yeux pleins de larmes : c'était un gros chagrin.
Renart, touché par la pitié,
525 lui demande pourquoi il pleure.
«Pourquoi? se lamente le coq.
Ah! maudite soit l'heure de ma naissance!
Voilà bien ma récompense
des bons et loyaux services
530 que j'ai si longtemps rendus
à ce sale péquenot, à ce vérolé tout pourri.
Maudit soit le jour où je l'ai rencontré,
car je n'attends plus rien que la mort!
— Par Dieu, reprend Renart, tu as tort
535 de t'affliger pour cette raison.
Sur l'âme de ton père, écoute-moi bien!
N'est-il pas juste que partout
un seigneur puisse, avec équité, utiliser
son serviteur comme bon lui semble?
540 Oui, par ma foi de chrétien,
un serviteur doit se sacrifier

Pour son bon seigneur garantir
De mort, se il est a meschief.
Or n'aies paour, par mon chief,
545 Ne puez avoir anor greigneur
Con de morir pour ton seigneur.
Malbailliz fust et malmenez,
Se il ne se fust rachetez
Envers moi de toi seulement,
550 Quar si aie je amendement,
Je l'eüsse occis tout froit mort.
N'aies paour, pren bon confort,
Qu'ainsi avoies a mourir :
Nus hons ne t'en pooit garir.
555 Il te vient mielz morir ainsi
Que autrement, saches de fi,
Quar, qant pour ton seigneur morras,
Saches de voir, tu t'en iras
Lassus en la Dieu compaingnie
560 Ou auras pardurable vie.
— Sire, dit le coc, bien le sai.
Ne sui pas pour mort en esmai
Que je doie avoir, ce sachiez,
Mes de ce sui je correciez
565 Que les chapons et les gelines,
Que veïstes lez les espines,
Seront a grant joie mengiees,
S'en seront leur ames plus liees
Et du solaz et de la feste ;
570 Et j'aurai croissue la teste.
Moult grant solaz me feïssiez,
Se une chançon chantissiez,
Ne me chausist qant je morusse ;
Bien sai que plus souef en fusse
575 Lassus en la Dieu compaignie. »
Et dist Renart : « Voir, par ma vie,
Est ce pour ce que tu ploroies ?
Et pour quoi ne le me disoies ?
Ja pour ce ne fai laide chiere !
580 Foi que je doi ma fame chiere,
Orendroit je vous en diré

pour sauver la vie de son seigneur,
quand il est acculé à la mort.
Ne crains donc rien, je te le jure :
545 il n'existe pas pour toi de plus grand honneur
que celui de mourir pour ton seigneur.
Ton maître aurait été perdu, mis à mal,
s'il ne s'était racheté
grâce à toi, le seul don que j'acceptai de lui.
550 Car, aussi vrai que je souhaite devenir meilleur,
je l'aurais étendu raide mort.
     Ne t'effraie pas, remets-toi :
tu y serais passé aussi,
sans que personne pût s'y opposer.
555 Il vaut mieux, sois-en sûr,
que tu meures de cette manière qu'autrement,
car, puisque tu seras mort pour ton maître,
il est sûr et certain que tu monteras là-haut,
où tu vivras en compagnie de Dieu
560 pour l'éternité.
     — Seigneur, dit le coq, je sais bien tout cela.
Je ne suis pas effrayé par la mort,
que je dois subir,
mais, ce qui m'attriste, c'est de savoir
565 que les chapons et les poules
que vous avez vus auprès de ces buissons d'aubépines
seront mangés dans la liesse générale ;
aussi leurs âmes seront-elles plus heureuses
à cause de l'allégresse de la fête.
570 Moi ? j'aurais la tête brisée...
Ce serait pour moi un grand réconfort,
si vous chantiez une chanson,
il me serait indifférent de mourir
et mon bonheur serait plus grand encore, je le sais,
575 Là-haut, dans la compagnie de Dieu.
     — Sapristi, dit Renart, par ma vie,
c'est donc pour cela que tu pleurais ?
Et pourquoi ne me le disais-tu pas ?
Laisse donc là ton chagrin ;
580 par la fidélité que je dois à ma femme,
je m'en vais sur-le-champ

Del meilleur endroit que sauré
Sanz plus, pour toi reconforter. »
Lores conmença a chanter
585 Une chançonnete nouvele.
Et qant cil qui par sa favele
L'amusoit, vit la bouche ouvrir,
Des eles commence a ferir
Et a batre et vint volant
590 Deseur un orme haut et grant
Qui devers l'autre part estoit;
Et quant dant Renart ice voit,
Bien voit que il est deceü.
Desouz l'orme est acoru,
595 Si dist : « Sire, guilé m'avez.
— Renart, dist il, or le savez,
Devant ne le saviez pas;
Foi que je doi saint Nicolas
Mielz vous venist estre teüs.
600 Se vous estes or deceüs
Par trop chanter, si vous tesiez,
Qant vous en serez aesiez
Une autre foiz, s'on vos en proie;
Si alez or querre autre proie,
605 Qar a ceste avez vous failli. »
Renart se tint pour escharni,
Ne scet que dire ne que fere.
Bien voit que mielz li venist tere
Qu'avoir chanté a cele empainte.
610 « Lierres, fet il, foi que doi sainte
Agnés qui fu de bonne vie,
Bien voi que bel chanter anuie
Et nuist aucune foiz ensemble.
Voir dist li vilainz, ce me semble [1],
615 Qui dist qu'entre bouche et cuillier
Avient souvent grant encombrier.
Ore en sui bien certainz et fiz.
Sages fu Chatons et recuiz

---

1. Il s'agit des proverbes de paysans dont on avait fait des recueils au
Moyen Age.

te dire la plus belle que je sais
sans plus attendre, pour te réconforter. »
Alors il se mit à fredonner
585 une chansonnette à la mode
et quand celui qui l'amusait
de ses balivernes le vit ouvrir la bouche,
il battit
des ailes et s'envola
590 sur un orme fort haut
qui se trouvait de l'autre côté de la route.
Maître Renart, à ce spectacle,
comprend qu'il a été trompé.
Il court au pied de l'arbre
595 et dit : « Seigneur, vous m'avez bien eu !
— Renart, répond l'autre, vous savez à présent
ce que vous ignoriez tout à l'heure.
Par saint Nicolas,
vous auriez mieux fait de vous taire,
600 Si à présent, pour avoir trop chanté,
vous vous trouvez bien attrapé, eh bien ! taisez-vous,
quand vous en aurez l'occasion
une autre fois et qu'on vous en prie.
Allez donc chercher une autre proie
605 car vous devez mettre une croix sur celle-ci. »
Renart, sentant bien la raillerie,
ne sait comment répliquer ni réagir.
A l'évidence, il aurait dû se taire
au lieu de pousser sa chansonnette.
610 « Gredin, par la foi que je dois à sainte Agnès
qui mena une sainte vie,
je constate que parfois bien chanter
non seulement ennuie, mais encore cause du tort.
Le vilain a raison, selon moi, de dire
615 qu'il y a loin
de la coupe aux lèvres.
A cette heure, j'en suis intimement convaincu.
Caton fit preuve d'une sagesse admirable

Qui enseigna son fil petit
620 Q'a son menger parlast petit;
Mes je ne l'ai pas retenu,
Bien voi que mal m'est avenu
De trop parler a ceste foiz.
Or m'en irai, quar il est droiz
625 En autre lieu moi pourchacier,
Que ne puis ci riens gaaingnier.
— Ha! puanz roux de pute estrace,
Alez vous en, ja Dieu ne place,
Fet soi li coc, ne ses vertuz,
630 Que ne soiez ars ou penduz
Ençois que li mois soit passez.
Ja m'eüssiez les os quassez
Moult putement, jel sai de voir,
Se par engin ou par savoir
635 Ne me fusse de vous estors.
Alez vous en, que par le corps
Saint Marcel, se plus attendez,
Vo peliçon ert ramendez. »
    Que que il vont ainsi parlant,
640 Quatre levrier viennent bruiant
Aprés un porc a grant alaine
Tout contreval par la champaigne,
Et deux brachez aprez eulz viennent
Et li veneour leur cors tiennent,
645 Dont il vont durement cornant.
Tout le païs vont estonnant
De lor huier, de lor corner.
Tant entent au coc a parler
Renart li roux, que mau feus arde,
650 Que onques ne se dona garde,
Ainz li sont sus le col cheü;
Lors se tint il a deceü.
Aval les chanps s'en vet fuiant,
Li veneour li vont huiant:
655 « Aha! aha! font il, Renart,
Ja Diex n'ait en vostre ame part!
Se ne fusson si emblaé,
Ja vous eüsson effraé,

lorsqu'il apprit à son fils, dès son plus jeune âge,
620 à parler peu durant ses repas.
Mais je n'ai pas suivi ses leçons
et je vois bien que les choses ont mal tourné pour moi
en cette occasion pour avoir bien parlé.
Je pars maintenant, car il est raisonnable
625 d'aller ailleurs chercher ma proie
puisque je n'ai plus rien à gagner ici.
— Eh bien! puant rouquin de sale race,
fichez le camp, réplique le coq
et plaise au Dieu Tout-Puissant
630 que vous finissiez brûlé ou pendu
avant la fin de ce mois!
Vous m'auriez déjà brisé les os,
comme une grosse brute, j'en suis certain,
si mon intelligence et mon savoir
635 ne m'avaient arraché à vos crocs.
Fichez le camp car, par les reliques
de saint Marcel, si vous tardez davantage,
votre fourrure sera rapiécée. »
    Tandis qu'ils conversent ainsi
640 quatre lévriers se ruent à perdre haleine
à la poursuite d'un sanglier
vers le fond de la plaine.
Deux braques les suivent
ainsi que des veneurs portant des cors
645 dont ils jouent à pleins poumons,
assourdissant tout le pays
de leurs huées et de leurs sonneries.
Dans le feu de sa conversation avec le coq,
Renart le roux — que les flammes de l'enfer le brû-
650 n'y prête pas garde,   [lent! —
si bien qu'ils lui tombent dessus:
quelle amère déconvenue!
Il prend la fuite à travers champs
sous les huées des veneurs:
655 « Hou! hou! crient-ils, Renart,
que votre âme ne soit jamais à Dieu!
Si nous n'avions pas été aussi occupés,
nous vous aurions fait une belle peur

    Ja si bien ne vous gardissiez
660 Que la cote n'i lessissiez;
    Trop convenist savoir de frape,
    Se ne nous lessissiez la chape;
    Mes or n'avez garde de nous. »
    Et cil s'en va touz poourous
665 Qui n'a cure de lor acost.
    Dedenz un terrain s'est repost
    Tant que li chien s'en sont outré.
    Et cil s'en vont tout arouté
    Aprés courant, et font grant noise;
670 Ne finerent de courre a toise
    Tant que il sont en la forest.
    Qant ce voit Renart, si li plest,
    Et si dit, foi qu'il doit s'amie,
    Que cele part n'ira il mie,
675 Que il puist ne que bel li soit.
    Bien scet se uns d'eulz le tenoit,
    Il li donroient el que pain.
    A cest mot est venuz au plain
    Et let le coc dont moult li poise,
680 Si s'en vet fuiant a grant toise
    Par un sentier entre deux blez.
    Encor se crient d'estre encontrez
    Ou de levrier ou de gaignon:
    Del blé s'en ist le grant troton,
685 Si se fiert enz en la forest;
    Ce est li leuz qui plus li plest
    Et ou il a mainz de peür.
    Ore est aese et asseür,
    Se ne fust la fain qui le grieve.
690 Souvent regarde, s'il voit lievre
    Ne connin que il peüst prenre.
    Moult est iriez, qant il li membre
    Du coc qui si l'a deceü,
    Et dit que mal li est cheü.
695 Ne prise tout son sens un œf,
    Fait il: « S'il fussent dis et nœf,
    Si les deüsse engignier touz.
    Chascun dit que je sui si preuz

et, malgré toutes vos précautions,
660 vous auriez dû y laisser votre paletot.
Il aurait fallu que vous soyez très fort
pour ne pas nous abandonner votre manteau.
Mais, aujourd'hui, vous n'avez rien à craindre de nous. »
Le goupil, mort de peur, file :
665 il n'a pas envie qu'ils l'accostent.
Il s'arrête dans un terrain
où il attend que les chiens l'aient dépassé.
Leur bande court toujours
derrière le sanglier, à grand bruit,
670 et toujours à une allure folle
ils sont entrés dans la forêt.
Quel soulagement pour Renart !
Par la foi qu'il doit à son amie
il n'ira pas, se dit-il, de ce côté,
675 même s'il le peut ou que le cœur lui en dise.
Il sait bien que, si l'un d'entre eux le tenait,
il ne lui ferait pas de cadeau.
Le voilà donc arrivé en rase campagne
où il renonce au coq à regret
680 pour filer à toutes jambes
par un sentier entre deux champs de blé.
Comme il tremble toujours de se trouver nez à nez
avec un lévrier ou un mâtin,
il quitte les blés au galop
685 pour se réfugier dans la forêt :
c'est l'endroit qu'il préfère,
celui où il peut enfin respirer.
Tout serait parfait
sans la faim qui le tourmente.
690 Sans cesse à l'affût, à la recherche
d'un lièvre ou d'un lapin,
des bouffées de colère lui reviennent
à la pensée de ce coq qui l'a trompé.
Il accuse la chance,
695 il ne s'accorde pas un sou de jugeotte.
« Et même, ajoute-t-il, s'ils avaient été dix-neuf,
j'aurais dû les posséder tous :
on s'extasie sur mon courage,

Et que j'ai tant senz et savoir ;
700 Certes il ne dïent pas voir :
N'ai pas grant sapïence enclose
En moi, qant si chetive chose
Conme un cochet qui m'a boulé.
Mielz voussisse que afolé
705 M'eüst en d'un pié ou d'un oeil,
Mes si puisse je mes le sueil
De ma meson passer a joie,
Se Diex donne que ja mes voie,
Je li feré chier comparer.
710 Ja disoie que buef d'arer
Ne savoit tant con moi de guile,
Et un petit cochet de vile
M'a engignié et deceü !
Ne vorroie qu'il fust sceü
715 Pour l'avoir de Costantinoble
Dedenz la court mesire Noble,
Foi que je doi touz mes enfanz
Que j'en seroie moult dolanz,
Se nus hons le me reprochoit :
720 Nel vorroie pour riens qui soit. »
Einsi s'en aloit dementant,
Et toutevoies esgardant
Savoir se ja chose veïst,
Dont sa fame liee feïst
725 Qui en sa meson se demente
Pour la fain qui si la tormente,
Et il meïsmes en baaille,
Mes n'i voit chose qui li vaille,
Dont il est moult forment iriez.
730 N'est mie un arpent alez
De terre, ce sachiez de voir,
Qant il prent a aparcevoir
Monseignor Noble et Ysengrin
Qui venoient tout le chemin
735 Et parmi le bois deduiant.
Et Renart cele part en vient,
Et dit et pense en son courage
Qu'il fera Ysengrin domage,

on vante mon intelligence et ma sagesse;
700 en vérité, on se trompe:
il ne faut pas avoir grand-chose dans la tête
pour se faire gruger
par un misérable volatile.
Ah! comme j'aurais préféré
705 perdre une patte ou un œil!
Mais si je peux avoir la joie
de repasser un jour le seuil de ma maison,
et que Dieu m'accorde de le retrouver,
il me le paiera cher...
710 Et moi qui prétendais en savoir plus en ruse
qu'un bœuf en matière de labour,
je me suis fait rouler dans la farine
par un insignifiant coquelet de village!
Pour tout l'or de Constantinople
715 il ne faudrait pas qu'on le sache
à la cour du roi Noble,
car, je le jure sur la tête de mes enfants,
j'en mourrais de honte
si quelqu'un me le reprochait.
720 Je ne le voudrais pour rien au monde.»
   Tout en ruminant ainsi des idées noires,
il continuait à guetter
dans l'espoir de trouver quelque chose
qui pût faire plaisir à sa femme
725 en train de se désoler au logis,
tant la faim la tenaillait.
Lui-même s'en décroche la mâchoire,
mais, à son grand regret,
il ne trouve rien d'intéressant.
730 Il n'avait pas encore parcouru
un arpent qu'il aperçut,
n'en doutez pas,
Sire Noble et Isengrin
qui, suivant le chemin à travers le bois,
735 arrivaient de joyeuse humeur.
Renart se dirige vers eux,
avec l'intention
de nuire à Isengrin,

S'il puet, en aucune maniere.
740 Atant s'en vint a bele chiere
Devant le roi, si le salue :
« Or ça, que bien soit hui venue,
Fet Renart, ceste compaignie ! »
Li rois ne puet muer ne rie,
745 Qant vit Renart de devant lui.
« Bon jour, fet il, aiez vous hui,
Renart, barat, qu'alés querant ?
— Sire, je me voiz pourquerant,
Fet se il, par ici entor.
750 Ne finai des le point du jour
Pour ma fame qui est enceinte,
Et ge n'ai mie encore ateinte
Chose que li puisse porter
Dont la puisse reconforter
755 Pour la fain qui la destraint fort.
— Renart, dit Nobles, par la mort,
Bien fez tes aferes sanz nous.
— Sire, fet il, foi que doi vous,
Je ne vous os m'aïde offrir,
760 Que ne daingneriez souffrir
Que si petiz homs con je sui
De force et de cors autresi,
Alasse o vous en compaignie.
Mielz amez la grant baronie
765 De vostre court avecques vos,
Aussi con or est Bruns li ours.
Baucenz et Rooniax li viautres,
Seigneur Ysengrin et ces autres.
N'avez cure de povre gent.
770 — Renart, fet li rois, bel et gent
M'alez gabant, si con moi semble.
Mes or vendrez o nous ensemble,
Se il vous plest et il vous siet
(Et si vous pri qu'il ne vous griet)
775 Tant que puissons proie trouver,
Dont nous puissons desjeüner
Entre nous trois, se Diex me voie.
— Sire, fet il, je n'oseroie

s'il le peut, d'une façon ou d'une autre.
740 Il s'approche donc du roi,
tout sourire, et le salue.
«Eh bien, dit Renart,
bienvenue à cette compagnie!»
Le roi, voyant Renart devant lui,
745 ne put s'empêcher de rire.
«Bonjour, fait-il, bonne ruse, Renart.
Que cherchez-vous ici?
— Sire, je cherche de quoi manger
et je fouille les environs,
750 sans relâche depuis la pointe du jour
pour nourrir ma femme enceinte;
pourtant je n'ai encore rien attrapé
à lui porter
pour apaiser
755 la terrible faim qui la tourmente.
— Renart, réplique Noble, morbleu,
tu peux te débrouiller sans nous.
— Sire, reprend Renart, par ma foi,
je n'ai pas la prétention de vous offrir mon aide.
760 Vous ne daigneriez pas accepter
qu'un petit bonhomme comme moi,
si faible et si frêle,
vous accompagnât.
Vous préférez la compagnie
765 de vos grands barons,
par exemple celle de Brun l'Ours,
de Baucent, de Roenel le vautre,
du seigneur Isengrin et des gens de cet acabit.
Vous ne vous intéressez pas aux pauvres gens.
770 — Renart, répond le roi, j'ai l'impression
que vous vous gaussez finement de moi,
mais je vous invite à nous accompagner
si vous le désirez
(je vous en prie, ne soyez pas fâché de cette offre)
775 jusqu'à ce que nous trouvions une proie
dont nous déjeunerons
tous les trois, Dieu me guide!
— Sire, répondit Renart, je n'oserais pas

Pour mesire Ysengrin le leu
780 Qui est o vous, que, par saint Leu,
Bien sai que il m'a contre cuer :
Ne ne m'ameroit a nul fuer.
Mes onques ne fis par mon chief
Nule chose qui li fust grief.
785 De sa fame m'a mescreü.
Mes, par Dieu et par sa vertu,
Onques encor jour de ma vie
Ne li requis je vilenie
Ne nule chose a ma comere
790 Que je ne feïsse a ma mere,
Si ne le cuideroit il pas.
— Renart, fet li rois, c'est tout gas,
Si ne puet pas estre averé
Qu'il ne vos i eüst trouvé,
795 Se tant l'eüssiez maintenue.
Or n'i ait point desconvenue,
Orendroit la pais en feson.
— Sire, fet il, le guerredon
Vos en puist rendre Diex a l'ame,
800 Que foi que je doi a ma fame,
Il a tort et je ai grant droit.
— Ysengrin amis, ce que doit,
Fait li roiz, que Renart haez ?
Par Dieu, fox estes qui creez
805 Tel vilenie de Renart.
Se Dame Diex ait en moi part,
Je ne cuit pas qu'il le feïst
Qu'en nule guise requeïst
Vostre femme de vilenie.
810 Quar fetes ore courtoisie,
Pardonnez li vo mautalent,
Si ferez senz mien escïent,
Que, par mon chief, grant tort avez,
Quant de ce que vous ne savez
815 Fors seulement par oïr dire,
Li portez et courrouz et ire :
N'est pas maniere de sage homme.
Foi que doi saint Pere de Romme,

parce que le seigneur Isengrin le loup
780 vous accompagne et je sais bien, par saint Loup,
qu'il ne me porte pas dans son cœur;
pour rien au monde il ne voudrait m'aimer,
et pourtant, je vous jure sur ma tête,
je ne lui ai jamais donné le moindre motif de méconten-
785 Il m'en veut à cause de sa femme   [tement.
alors que, par le Dieu Tout-Puissant,
jamais, au grand jamais,
je n'ai fait à ma commère
de propositions malhonnêtes,
790 ni de demandes dont ma mère eût à rougir.
Pourtant, il ne veut pas en démordre.
— Renart, reprit le roi, ce sont des paroles en l'air.
Il est sûr et certain
qu'il vous aurait pris en flagrant délit
795 si vous étiez resté plus longtemps à la chevaucher.
Mais enfin écartons tout désaccord,
et faisons la paix sur-le-champ.
— Sire, répond Renart, que Dieu
récompense votre âme pour ce geste,
800 car, au nom de ma fidélité envers ma femme,
lui a tort et moi j'ai raison.
— Mon cher Isengrin, demande le roi,
qu'est-ce qui se passe donc pour que vous haïssiez Re-
Par Dieu, vous êtes fou de le croire   [nart?
805 capable de telles vilenies.
Plaise à Dieu de m'inspirer,
je ne le crois pas coupable
d'avoir sollicité
les faveurs de votre femme.
810 Montrez-vous grand seigneur à présent:
passez l'éponge sur cette affaire,
c'est le plus sage à mon avis;
car, par ma foi, vous avez grand tort
de vous fonder seulement
815 sur de simples rumeurs
pour lui vouer une haine farouche:
ce n'est pas faire preuve de sagesse.
Par la foi que je dois à saint Pierre de Rome,

Je connois bien Renart a tel
820 Que nel feïst pour le chatel
L'empereeur Otevien.
— Sire, par foi, je le croi bien,
Fet il, quant vous le tesmoignez.
— Or donques si ne porloingniez,
825 Mes de bon cuer li pardonnez
Le mautalant qu'a lui avez !
— Sire, fet il, et je l'otroi.
Je li pardoing en bonne foi
Ici iluec par devant vous.
830 James n'iere vers lui irous
Jour que la vie el cors me soit,
Ainz voeil que mes bons conpainz soit. »
    Apres ce mot s'entrebeserent
Cil qui onques ne s'entramerent,
835 Ne ja mes ne s'entrameront.
Dire pueent ce qu'il vorront :
Por ce ne se remue droit.
Pes ont fete quele qu'el soit,
Devant le roi l'ont afiee,
840 Mes moult aura corte duree,
Quar il ne puet estre a nul fuer
Que l'uns n'ait l'autre contre cuer,
Ne ja ne seront sanz rancune.
Ne donroie pas une prune
845 En la pes, quar, se Diex me gart,
Voirs est que c'est la pes Renart
Qui einz ne fina de trichier,
Encor ne le veult pas lessier.
    Einsi ont fet pes, ce me semble,
850 Renart et Ysengrins ensemble.
Aprés se sont mis au chemin
Nobles avant et Ysengrin,
Et puis aprés vet dant Renars
Qui moult est plainz de males ars.
855 « Renart, dit Nobles, que ferons ?
A ton conseil nous maintendrons.
A cest point seras nostre mestres,
Quar bien sai que scez touz les estres

je connais assez Renart pour le savoir incapable
820 d'une telle conduite, fût-ce pour les richesses
de l'empereur Octavien.
— Sire, par ma foi, vous me voyez convaincu,
dit le loup, du moment que c'est vous qui le dites.
— Or donc, sans barguigner,
825 oubliez de bon cœur
les rancœurs que vous avez contre lui.
— Sire, répond le loup, je le veux bien.
Je lui pardonne en toute bonne foi
à cet instant même devant vous.
830 Je renonce à tout jamais
à ma colère
et le regarde comme un véritable ami. »
Ces paroles prononcées, ces ennemis
de toujours échangèrent les baisers de paix,
835 mais ils resteront des ennemis irréconciliables.
Peu importent les paroles,
elles ne changent rien au fait.
Quoi qu'il en soit, ils ont fait la paix,
solennellement, en présence du roi,
840 mais elle sera de courte durée,
car il est impossible
que l'un comme l'autre fasse taire
son animosité et sa rancune.
Cette paix ne vaut pas une roupie
845 de sansonnet, car — Dieu me garde ! —
c'est vraiment une paix à la Renart
qui a passé toute sa vie à tricher,
et n'a nulle intention de changer.
C'est ainsi, je crois,
850 qu'Isengrin et Renart se sont réconciliés
avant de reprendre la route,
le roi en tête avec Isengrin,
et puis Renart derrière,
l'esprit rempli d'astuces diaboliques.
855 « Renart, demande Noble, que proposes-tu ?
Nous nous rangerons à ton avis,
à toi de décider en cette affaire,
car je sais bien que ce bois et ces sentiers

De cest bois et toutes les sentes,
860 Mes garde que tu ne me mentes !
Se tu scez nul lieu ci entour,
Pré ne pasture ne destour
Ou nous peüssons trouver proie,
Quar nos y maine droite voie,
865 Se tu le scez, que Diex t'avoit
Chose qui le tien cuer convoit !
Lors m'auras a mon gré servi. »
Et dit Renart : « Par saint Davi,
Je ne sai pas certainement
870 En quel pasture ne conment
Nos truisson proie qui riens vaille,
Mes de tant me recort, sanz faille,
Que il a ça une valee,
Entre deux mons en une pree,
875 Ou l'en amaine souvent pestre
L'aumaille de ceste champestre
Vile qui est ici delez.
Alons cele part, se voulez,
Por savoir et pour esprouver
880 Se porrïons chose trouver
Que peüssons menger tuit troi.
— Par foi, fet Noble, je l'otroi. »
    Atant s'en tornent cele part
Entre seignor Noble et Renart
885 Et Ysengrin son bon ami,
Mes, se Dieu plest et saint Remi,
L'amor aura corte duree ;
Si s'en vont la voie ferree
Et tant ont lor chemin tenu
890 Qu'il sont dedenz le pré venu
Que dant Renart lor avoit dit.
Ysengrins regarde, si vit
El chief du pré moult bele proie ;
Or sachiez que il ot grant joie,
895 Que moult estoit de fain grevez ;
Or cuide bien estre arrivez
En lieu ou il emple sa pance.
Mes ja n'en soit il en beance,

n'ont plus de secrets pour toi.
860 Mais attention, ne triche pas!
Si tu connais un endroit par ici,
un pré ou un pâturage ou un écart,
où nous pourrions trouver quelque proie,
mène-nous-y directement.
865 Si tu le sais, que Dieu t'envoie
de quoi combler tes désirs!
et je serai satisfait de tes services.
— Par saint David, répondit Renart,
je ne peux pas dire avec certitude
870 où ni comment
nous pourrions trouver une proie digne d'intérêt,
mais je me souviens bien
qu'il y a par ici une vallée
entre deux collines, où, dans un pré,
875 on emmène souvent paître
le bétail de cette ferme isolée
que l'on voit près d'ici.
Dirigeons-nous de ce côté, si vous le voulez bien,
pour voir
880 si nous pourrions trouver
à manger pour nous trois.
— Par ma foi, dit Noble, allons-y. »
  Alors ils partent dans la direction indiquée,
messire Noble, Renart
885 et son bon ami Isengrin,
mais, s'il plaît à Dieu et à saint Rémi,
leur entente sera de courte durée.
Ils cheminent par la route empierrée
et continuent jusqu'au moment
890 où ils arrivent dans le pré
que leur avait signalé Renart.
Isengrin regarde et voit
au bout du pré une fort belle proie :
quel délicieux spectacle
895 pour quelqu'un qui mourait de faim!
Il croit le moment venu
de remplir sa panse,
mais il n'aurait jamais dû nourrir ces illusions

Que, se l'estoire ne nous ment,
900 Je cuit qu'il ira autrement.
Lors a aresonné le roi :
« Sire, fet il, foi que vous doi,
Nous avons bon chemin tenu.
Je cuit bien nous est avenu,
905 Quar je voi, si conme il me semble,
Un tor et une vache ensemble
Qui a avec lui son veel
La jus el chief de ce prael.
Ces auron nous, qui que il griet,
910 Mes je vous lo, se il vous siet,
Ainz que nous aillons celle part,
Que nous i envoions Renart
Por veoir et pour espïer
S'il y a mastin ne bovier
915 Ne chose qui nous puist mal fere.
Bien porrïons avoir contrere,
Se nous einsi despourveü
Estïons seur eulz embatu.
Mes il est grelles et menuz,
920 Si n'iert mie si tost veüz
Si comme nous i serïons.
— Vous dites voir, fet li lïons.
Il est sages et vezïez,
Si les aura tost espïez. »
925   Atant en aresne Renart :
« Renart, fet il, se Diex vous gart,
Sages estez et decevanz
Et de touz maux aparcevanz.
Quar i alez, si espïez
930 Savoir se la jus verrïez
Bovier ne vilein deputere
Dont nos peüst venir contrere,
Quar pour noiant nous irïons,
Se nostre preu n'i fesïons.
935 — Sire, fet Renart, volentiers. »
Atant s'estoit mis es sentiers
Grant aleüre aval le pré.
Tant avoit coru et troté

car, si l'histoire nous dit vrai,
900 je pense qu'il en ira autrement.
Alors, s'adressant au roi :
« Sire, dit-il, par ma foi,
nous avons pris la bonne route,
et je crois que la chance nous sourit
905 car voici, si j'en crois mes yeux,
un taureau et une vache
accompagnée de son veau
là-bas au bout de ce pré.
Ils seront à nous, envers et contre tout.
910 Cependant, je me permets de vous suggérer
d'envoyer d'abord
Renart en éclaireur,
à charge pour lui de repérer
s'il y a un mâtin, un bouvier
915 ou un danger quelconque.
Il pourrait nous en cuire,
si nous tombions sur eux
à l'improviste.
Grâce à sa petite taille,
920 Renart se fera moins vite remarquer
que nous.
— Bien parlé, dit le lion,
c'est quelqu'un de sage et d'habile ;
il aura tôt fait de les repérer. »
925   Alors, il se tourne vers Renart :
« Renart, que Dieu vous garde !
Vous êtes sage, rusé,
prompt à flairer le danger.
Partez en avant, en reconnaissance,
930 pour le cas où vous verriez
quelque bouvier, quelque sale paysan
qui pourraient nous attirer des ennuis.
En effet, nous nous déplacerions pour rien
si nous revenions les mains vides.
935 — Sire, dit Renart, j'y cours. »
Alors, par les sentiers,
il dévale le pré à toute vitesse,
courant et trottant

Qu'il est venuz au leu tot droit.
940 Tout entor lui garde, si voit
El chief du pré delez l'oraille
Le vilein qui gardoit l'aumaille,
Qui se dormoit desoz un orme.
Maintenant cele part s'en torne
945 Trestout le pas, le col bessant.
Durement se va pourpensant
Dedenz son cuer que il fera
Et conment il l'engingnera
Le vilain qu'il ne l'aparçoive;
950 Soef estuet qu'il le deçoive,
Quar il scet bien, s'il le tenoit,
Que malement l'atorneroit,
Sel feïst volontiers cheoir
En lieu dont ne peüst mouvoir,
955 Et n'ait pooir en nule guise.
Lors avoit une branche prise
De l'orme, et saut isnelement
Desus ainsi tres belement,
Que onques cil ne s'esveilla,
960 Et danz Renart, qui tant mal a
Pensé et fet puis qu'il fu nez,
S'en est de branche en branche alez
Tant qu'il vint endroit le vilain,
Si jure Dieu et saint Germain
965 Que il li fera encui honte.
Que vous feroie plus lonc conte?
Renart fist conme pute beste:
Quant il li fu desus la teste,
Dresce la queue, aler lesse
970 Tout contreval une grant lesse
De foire clere a cul ouvert,
Tout en a le vilain couvert.
Cil qui l'a sentue, s'esveille,
Taste a son vis et se merveille
975 Que ce est qui si li chiet chaut
Sus son vis de lassus en haut,
Si prent a regarder amont,
N'i voit nule chose del mont,

droit au but.

940 Là, jetant un coup d'œil tout autour de lui,
il voit au bout du pré, à sa lisière,
le paysan qui gardait le troupeau,
endormi sous un orme.
Aussitôt, il file dans cette direction,

945 à pas feutrés, le cou baissé,
tout en réfléchissant
en son for intérieur à la façon
dont il va s'y prendre pour tromper
l'homme à son insu.

950 Il faut qu'il procède en douceur,
car il sait bien que le paysan, s'il le tenait,
ne lui ferait pas de cadeau,
et qu'il le ferait tomber volontiers
dans un piège d'où il ne pourrait sortir,

955 où il ne pourrait rien faire.
S'accrochant à une branche
de l'orme, agile et discret,
Renart saute sur l'arbre
sans éveiller le dormeur.

960 Et maître Renart qui depuis sa naissance
n'a songé qu'à mal faire,
est monté de branche en branche
de façon à se trouver exactement au-dessus du paysan.
Il jure par Dieu et par saint Germain

965 qu'il ne va pas tarder à le couvrir de honte.
Pourquoi vous faire languir davantage?
Renart eut une conduite répugnante:
une fois au-dessus de sa tête,
il releva la queue et laissa

970 tomber, sans retenue,
un grand jet de diarrhée
dont le paysan fut entièrement recouvert.
L'homme, quand il s'éveille,
se tâte le visage et se creuse la tête

975 pour savoir ce qui peut lui tomber de chaud
sur le visage, du haut de l'arbre.
Il regarde en l'air,
sans rien voir,

Quar li arbres ert trop fueilliez,
980 Et Renart si s'estoit muciez
Es fueilles si qu'il n'i paroit.
Et quant li vilains riens ne voit,
Si cuide que ce soit fantosme.
Lors taste a sa main et si osme
985 Et sent que c'est merde qui put.
Ne fu pas liez quant l'aperçut,
Ainz li anuie fort et grieve.
Tout maintenant d'iluec se lieve
Et s'en cort droit a un fossé
990 Qui iluec fu au chief du pré,
Si ot bien vint piez de parfont.
Et fu pleinz d'eve jusqu'amont;
Et jure et dit, se Diex le saut,
Qu'il saura qui est la en haut
995 Sitost con il ert revenuz.
Quant il fu a l'eve venuz,
Si s'acroupi pour lui laver.
Renart qui bee a lui grever,
Saut jus a terre au mielz qu'il pot,
1000 Vers lui en est venuz le trot
Par derrier, qu'il ne l'aparçoive,
Que talant a qu'il le deçoive
A ceste foiz moult malement,
Et si le veult si soutilment
1005 Fere que il ne puist foïr.
Si con il vint de grant aïr,
Li est desus le dos sailliz.
Ore est li vileinz malbailliz,
Quar, ainz qu'il fust aparceüz,
1010 Est il dedenz l'eve cheüz,
Il ot grant paour de noier,
Si conmença a patoier [1],
Quar volantiers en issist hors;
Mes ainz aura anui du corps,

1. La rime avec *noier* indique qu'il faut lire *patoier*, et non *patojer* (patauger) comme le voulait E. Martin. *Patoier* signifie « fouler avec ses pattes », « agiter ses pattes ».

car l'arbre était très feuillu
980 et Renart s'y était dissimulé
de façon à être invisible.
Comme le paysan ne voit personne,
il se croit victime d'un fantôme,
il se tâte, sent ses doigts
985 et constate que c'est bel et bien de la merde qui pue.
Cette découverte, loin de l'amuser,
le met dans tous ses états.
Vite, il se relève
et se précipite droit vers un fossé
990 qui se trouvait au bout du pré,
profond d'un bonne vingtaine de pieds
et rempli à ras bord.
Il jure, sur le salut de son âme,
qu'il découvrira bien qui se cache là-haut
995 dès qu'il sera de retour.
Au bord de l'eau,
il s'accroupit pour se laver.
Renart, qui ne rêve que de lui faire du mal,
redescend de l'arbre de son mieux
1000 et se dirige vers lui en courant,
dans son dos, pour ne pas être vu.
Comme il souhaite en effet
lui jouer un très vilain tour,
il s'entoure de la plus grande discrétion
1005 pour que l'autre ne lui échappe pas.
De tout son élan,
il lui saute sur le dos.
Voilà le paysan en fâcheuse posture :
avant même de s'en apercevoir
1010 il est déjà dans l'eau,
en grand danger de se noyer ;
il se met à patauger,
avec l'espoir de s'en sortir ;
mais il sera bientôt à plaindre,

1015 Se Renart puet en nule guise.
Il est venuz a son joïse,
N'en istra mes sanz beste vendre [1].
Enmi le pré cort Renart prendre
Une pierre qu'il a veüe
1020 Grant et quarree, si li rue
Desus le col par tel aïr
C'onques cil ne se pot tenir
Que il ne soit au fons alez.
Ysengrins qui se jut delez
1025 Monseignor Noble enmi le pré,
L'a veü, si li a mostré,
Con se delite la aval,
Non mie pour bien, mes pour mal,
Quar onques ne le pot amer :
1030 Son ami le puet il clamer,
Mes ja du cuer ne l'amera.
Biau semblant espoir li fera,
Si vorroit il qu'il fust lardez.
« Sire, fet il, or esgardez
1035 De Renart con est maux voisins !
Bien nous tient or pour ses cousins,
Qui tant nous fait ci acorber.
Deablez le puist assorber
Quant il nous fet tant de mal trere,
1040 Que il ne vient ne ne repere !
En lui auroit bon messager
Por querre la mort et cerchier,
Quar il revenroit moult a tart.
Quar alons ore cele part,
1045 Si saurons pour quoi il ne vient
Et quiex essoines le detient.
Je le voi la, ce m'est avis,
Lez le fossé tout ademis
Ou il se jeue et court et saut :
1050 Moult petitet de nous li chaut.

---

1. *Sanz beste vendre* est un tour proverbial qui signifie que le paysan
perdra ses bêtes, et que l'on retrouve en VI 36 : 14 : *Bien pouez savoir et
entendre /N'en ira mes sanz beste vendre.*

1015 si Renart parvient à ses fins d'une façon ou d'une autre.
L'heure du jugement a sonné pour lui,
il ne s'en tirera pas sans y laisser des plumes.
Renart court prendre au milieu du pré
une pierre qu'il a remarquée,
1020 un gros bloc de pierre, qu'il lui lance
de toutes ses forces sur la tête :
l'autre ne peut s'empêcher
de couler jusqu'au fond.
    Isengrin qui, dans le pré,
1025 se tenait aux côtés de messire Noble
a vu Renart qui se divertissait là-bas,
il l'a montré au roi,
non pas qu'il lui voulût du bien,
au contraire, il n'avait jamais pu le souffrir :
1030 il a beau l'appeler son ami,
il le détestera toujours au fond de son cœur.
Si par hasard il lui fait bon visage,
il ne désire rien tant que de le voir rôti.
« Sire, dit-il, voyez par vous-même
1035 combien Renart est un faux frère.
Il nous prend donc pour ses cousins,
à nous faire tant piétiner.
Que le Diable l'engloutisse
pour la façon dont il nous traite
1040 puisqu'il ne revient pas !
Il ferait un bon messager
si l'on devait aller chercher la Mort,
car il ne serait pas près de la ramener !
Dirigeons-nous donc de son côté
1045 pour savoir pourquoi il ne revient pas
et ce qui le retient.
J'ai l'impression de le voir, là-bas,
au bord du fossé où, de bon cœur,
il folâtre, court et saute
1050 et se soucie de nous comme d'une guigne.

Il a espoir trouvé pasture
A son oes, si n'a de nous cure
Puis que il est bien saoulez.
Alons cele part, se voulez,
1055 Si saurons qu'il fet et pour quoi
Il est remés. — Et je l'otroi,
Fet Nobles, vous dites moult bien.
Foi que je doi saint Julïen,
Je li feré comparer chier
1060 Ce qu'il nous fet ici juchier :
Se il le fet pour nul despit,
Ja n'en aura point de respit,
Ne nus ne l'en sera garant
Se il n'i a cause apparant. »
1065   Atant se sont d'iluec torné.
Cele part s'en vont abrivé
Plainz d'ire et de maltalent,
Et li vileinz qui vet balant
En l'eve, que Renart destraint,
1070 Avoit ja le cuer si ataint,
Tant l'avoit dant Renart batu
Qu'il n'avoit force ne vertu.
Ja ot deus foiz au fons esté.
Et Renart qui onc n'ot bonté,
1075 Se barat non et tricherie,
S'apense que moult li anuie
Que tant le fet iluec atandre.
Garda entor lui, si va prendre
Des motes tout plain son giron,
1080 Si li rüe tout environ,
Et desus le dos et en coste.
Li vilains a en lui mal oste
Qui moult durement li meffet.
Que vous diroie ? Tant a fet
1085 Renart, et tant li a geté
Et pierres et motes de pré
Que, qui que soit bel ne qui gronde,
Tierce foiz ou fossé afonde.
Ore est mors, bien s'en puet vanter,
1090 N'en orra mes nus hons chanter

Il doit avoir trouvé de la nourriture
à son gré ; aussi se moque-t-il bien de nous
dès l'instant où il a le ventre plein.
Allons de ce côté si le cœur vous en dit :
1055 nous saurons ce qu'il fait et pourquoi
il s'attarde. — J'y consens,
dit Noble, vous parlez fort bien.
Par saint Julien,
je vais lui faire payer cher son audace
1060 à nous laisser moisir ici.
Si c'est par mauvaise volonté,
je ne le lui pardonnerai jamais,
et personne ne pourra plaider en sa faveur,
s'il n'a pas de bonnes raisons. »
1065   Alors, ils sont donc partis
et d'un pas décidé, sont allés vers Renart,
dans une colère noire,
tandis que le paysan qui s'agitait
dans l'eau, sous les mauvais traitements de Renart,
1070 perdait courage ;
Renart, en le rouant de coups,
lui avait ôté toute force et toute énergie.
Déjà, par deux fois, il avait touché le fond.
Renart, dont le cœur de pierre
1075 ne bat que pour la ruse et la tricherie,
enrage de perdre tant de temps
par sa faute en ce lieu.
Regardant autour de lui, il va remplir
ses poches de mottes de terre
1080 et il les lui lance de tous côtés,
vlan sur le dos, vlan sur le flanc !
Le paysan trouve en lui un hôte peu accueillant
qui s'acharne sur lui.
Que dire de plus ? Renart
1085 a fait tant et si bien
à coups de pierres et de mottes,
sans se soucier du qu'en dira-t-on,
qu'à la troisième fois, l'homme coule.
Il peut se vanter d'être bien mort.
1090 Personne ne l'entendra plus désormais

Male chançon d'ore en avant.
Renart, que li corps Dieu cravant,
S'en est delivrez en tel guise.
Or puent fere a lor devise
1095 De la proie tout sanz peür :
De cestui sont il asseür
Que jamés mal ne lor fera
Ne riens ne lor contredira.
    Quant Renart ot fet ce qu'il quist,
1100 Si conme il li plot et sist,
Et ot feni tout son estour,
Lors se voult metre au retour,
Quant voit dant Noble le lïon
Et dant Ysengrin le felon
1105 Qui vers lui tout droit s'en venoient,
Voie ne sentier ne tenoient,
Par les prez viennent a travers ;
Et il fu sages et apers :
Sitost con les a parceüz,
1110 Encontre vet les sauz menuz,
Si les salue gentement :
« Bien vieingniez, sire, voirement,
Fet il, et vostre compaignie !
— Renart, je ne vous salu mie.
1115 Renart, l'en vous deüst bien pendre,
Quant vos m'avez fet tant atendre
Sanz venir et sanz reperier.
— Sire, foi que doi ma moillier,
Fet soi Renart, je n'en puis mes,
1120 Quar j'ai eü un entremés
D'un vilein qui gardoit l'aumaille,
Que j'ai trouvé la en l'oraille
De ce pré dormant conme loir,
Si m'apensé et soi de voir,
1125 Que, s'il nous savoit ne veoit,
Qu'il nous nuiroit se il pooit ;
Si l'ai tant mené, Dieu merci,
Par mon engin qu'ancor sui ci
Tous sains et hetiez et tous forz,
1130 Et il gist en ce fossé morz

chanter de méchantes chansons.
C'est ainsi que Renart — Dieu le détruise ! —
s'est débarrassé de lui.
Maintenant, en toute tranquillité,
1095 ils peuvent disposer du butin.
Ils sont sûrs de cet homme
qui n'est plus en mesure de leur faire du mal
ni de s'opposer à eux.
    Son dessein réalisé
1100 à la perfection
et son combat terminé,
Renart songea à prendre le chemin du retour.
Ce fut alors qu'il vit sire Noble le lion
et ce traître d'Isengrin
1105 venir droit sur lui,
négligeant chemins et sentiers
et coupant à travers champs.
Il réagit avec beaucoup d'habileté :
dès qu'il les aperçut,
1110 il trottina à leur rencontre
et les salua courtoisement :
« Sire, soyez vraiment le bienvenu,
dit-il, vous et votre compagnie !
— Renart, je ne vous rends pas votre salut ;
1115 Renart, vous méritez d'être pendu
pour m'avoir fait languir
en oubliant de revenir vers moi.
— Sire, sur la tête de ma femme,
proteste Renart, ce n'est pas de ma faute.
1120 J'ai eu un démêlé
avec le paysan qui gardait le troupeau :
je l'ai trouvé à la lisière
du champ, dormant comme un loir.
Tout bien réfléchi, j'ai pensé
1125 que s'il nous savait ici et nous voyait,   [d'heure.
il essaierait de nous faire passer un mauvais quart
Je me suis si bien occupé de lui, Dieu merci,
en jouant de ruse, que vous me voyez ici
sain et sauf, en pleine forme,
1130 alors que lui repose mort au fond de ce fossé,

Tous estenduz conme une raine.
Moult en ai esté en grant paine,
Mes toutevoies ai tant ouvré
Que nous en sommes delivré.
1135 Se d'atendre estes anoiés,
Ne m'en merveil (ice sachiez),
Que demoré ai longuement,
Et moult anoie qui atent,
Ce dit l'en, et il est bien voirs;
1140 Mes, foi que je doi a mes oirs,
Se la verité saviez,
Ja mal gré ne m'en sauriez,
Ençoiz m'en emissiez, ce croi.
Or escoutez, je vous diroi
1145 De chief en chief le voir parconte. »
Et il adonques li raconte
Conment il monta sus l'ormel,
Conment chïa sus le musel
Au vilain tant qu'il s'esveilla,
1150 Et puis conment il s'en ala
Laver a l'eaue du fossé,
Et il ot son penel troussé.
« Et je sailli a terre aprez;
Si conme je ving a eslez,
1155 Sailli sus lui a quatre piez
La ou il estoit abessiez
A l'eve por son vis laver,
Si qu'el fossé le fis aler
La teste avant, le cul desus.
1160 Que vous diroie, fit il, plus?
Quant l'oi dedenz l'eve enbatu,
Tant le feri, tant l'ai batu
Que il n'en levera jamés.
De lui avons ore tel pés
1165 Que jamés mal ne nous fera
Ne chose ne nous desdira
Que weillons fere de l'aumaille. »
Li rois l'escoute et se merveille,
Et bat ses paumes et fet feste,
1170 Et jure ses ielx et sa teste

à plat comme une grenouille.
Ce fut une rude besogne
mais, en fin de compte, j'ai si bien travaillé
que nous en sommes débarrassés.
1135 Que vous vous soyez morfondu à m'attendre,
ce n'est pas, sachez-le, pour m'étonner
car j'ai dû, moi aussi, faire preuve d'une grande patience.
Celui qui attend trouve le temps long :
on le dit, et c'est bien vrai.
1140 Mais, sur la tête de mes héritiers,
si vous aviez su la vérité,
loin de m'en vouloir
vous m'en auriez aimé davantage, je pense.
Écoutez-moi bien, je vais en raconter
1145 par le menu la véritable histoire. »
Et il lui raconta donc
comment il est monté sur l'ormeau
et comment il s'est soulagé sur la tronche
du paysan au point de l'éveiller,
1150 et puis comment l'autre était allé
se laver à l'eau du fossé
après avoir retroussé ses hardes.
« Et moi j'ai sauté aussitôt à terre,
j'ai pris mon élan
1155 et lui ai sauté sur le dos à quatre pattes
au moment où il se baissait
pour se laver le visage
si bien que je l'ai fait tomber dans le fossé
tête la première.
1160 Qu'ajouter de plus ? dit-il.
Après l'avoir renversé dans l'eau
je l'ai roué de coups
si bien qu'il ne s'en relèvera jamais.
En ce qui le concerne, nous sommes tranquilles,
1165 il ne peut plus nous faire aucun mal
et, quoi que nous voulions faire du troupeau,
il ne pourra pas nous désavouer. »
Tout oreilles, le roi s'extasie,
applaudit et lui fait fête,
1170 jurant, sur sa tête et ses yeux,

Qu'ainz mes ne fu veüz tiex gieus.
« Par foi, fet Ysengrin li leus,
Tel bourde ne fu mes oïe,
Ne je ne le creroie mie,
1175 Certes, se je ne le veoie. »
Et dit li rois : « Se Diex me voie,
Renart, dis le me tu pour voir ?
— Il n'i a tel con del veoir,
Fet il, se vous ne m'en creez,
1180 Alez la et si le veez.
— Dahait, dit Noblez, qui ira
Et qui ja tant s'en lassera !
Je n'ai mie vilain tant chier.
Autant ameroie a touchier
1185 A un ort vessel de ma main
Conme je feroie a vilain.
Or soit iluec et si se gise !
Et nous ferons a nostre guise
Le nostre preu, se nous savon,
1190 De la proie que nos avon.
Certes moult grant tort en avons :
Moi et Ysengrin disïons
Que vous nous vouliez tricher,
Mes or vous veil bien aficher
1195 Qu'il n'a si loial ne si sage
A ma court, de vostre corsage,
Ne ours ne leu ne autre beste.
Bien avez la besoingne fete,
Et mielz assez que ne diroie,
1200 Mes ore alons a nostre proie,
Si soit partie maintenant.
Ysengrins, or venez avant,
Si faites ceste partison !
Trop y auroit grant mesprison
1205 Se chascun n'en avoit sa part.
Et dit li leus : « Par saint Maart,
Sire, quant vous vient a plesir,
Il n'est riens que je tant desir,
Que je ai au cuer fain moult grant ;
1210 Et il me semble tot avant

que c'est la première fois que survient pareille aventure.
« Par ma foi, maugréa Isengrin le loup,
ce sont des histoires à dormir debout
et je n'y ajouterais foi
1175 que si je le voyais moi-même. »
Aussi le roi d'ajouter : « Dieu m'assiste ! Renart,
parles-tu sérieusement ?
— Il vous suffit d'aller voir en personne
répond Renart, si vous en doutez.
1180 Déplacez-vous et voyez de vos propres yeux.
— Malheur à celui qui le fera,
dit Noble, et qui se fatiguera pour si peu !
J'estime qu'un paysan n'en vaut pas la peine
et j'aimerais encore mieux
1185 toucher un pot de chambre dégoûtant
qu'un paysan.
Il est là-bas ? Eh bien ! qu'il y reste !
Nous, nous tirerons parti
à notre guise, si nous y parvenons,
1190 de la proie qui nous appartient.
En vérité, nous avons eu grand tort,
Isengrin et moi, d'affirmer
que vous cherchiez à nous tromper.
Mais, Renart, je vous certifie à présent
1195 que, à ma cour, personne de votre taille ne vous égale
en loyauté ou en sagesse,
ni l'ours, ni le loup, ni aucune autre bête.
Vous avez bien rempli votre mission,
au-delà même de mes espérances.
1200 Mais il est temps d'aller à notre proie
et de la partager d'urgence.
Isengrin, approchez,
et chargez-vous de cette tâche ;
il serait scandaleux
1205 que chacun n'en eût pas sa part.
— Sire, approuva le loup, par saint Médard,
si tel est votre bon plaisir,
c'est aussi mon vœu le plus cher
car mon estomac crie famine.
1210 En premier lieu, je considère

Que nous avons ci un torel
Et une vache et un veel :
De ce devons partison fere. »
Lors prent en son cuer a retrere
1215 Ce que l'en dit auques souvent,
Que cil qui bien voit et mal prent,
S'il s'en repent, c'est a bon droit.
Et puis dist que il mielz vorroit
Qu'il fust penduz a une hart
1220 Que ja Renart i eüst part :
S'il puet, du tout l'en getera
Si que il ja n'i partira ;
Si s'aut pourchacier autre part !
« Sire, fet il, se Diex me gart,
1225 Le mielz si est que je i voie,
Que vous de ceste bele proie
Reteigniez a vostre oes cest tor
Et celle genicete encor,
Quar a ma dame l'Orgueilleuse
1230 Sera bonne et savoureuse,
Quar elle est bonne, crasse et tendre,
Et ge qui ne veil pas tout prendre,
Si aurai sanz plus cel veel,
Et cil garz roux de pute pel
1235 Si n'a mes de viande cure,
Si aut ailleurs querre pasture ! »
    Moult a grant chose en seigneurie,
Quar tot veut fere a sa devise,
De riens ne veut a part venir,
1240 Tout veut a son hues retenir.
A ce deüst avoir gardé
Ysengrin, foi que je doi Dé,
Ainz qu'en eüst partison fete.
Nobles croulla un pou la teste ;
1245 Quant la parole a entendue,
Ne li fu pas a gré venue,
Quar bien savoit trestout de voir
Tout vouloit a son hues avoir,
Que que il eüst dit avant.
1250 Deus pas avoit passé avant,

que nous avons ici un taureau,
une vache et un veau
et qu'il nous faut les partager. »
A ce moment lui revient en mémoire
1215 une vérité que l'on se plaît à répéter :
« Lorsqu'on connaît le bien et que l'on fait le mal,
il est normal que l'on s'en repente. »
Puis il se dit qu'il préférerait
se balancer au bout d'une corde
1220 plutôt que d'accorder une part à Renart.
Il va faire tout son possible
pour l'exclure du partage.
Qu'il aille donc chasser ailleurs !
« Sire, conclut-il — Dieu me garde ! —
1225 la meilleure solution me semble être
que, de cette belle proie, vous gardiez
ce taureau pour votre usage personnel,
et aussi cette petite génisse,
car Sa Majesté la reine
1230 la trouvera bonne et savoureuse,
tant sa chair est grasse et tendre à souhait.
Pour moi, je suis peu exigeant,
je me contenterai de ce veau.
Quant à ce type à la sale peau rousse,
1235 il n'aime pas ce genre de nourriture,
qu'il aille donc chercher ailleurs de quoi manger ! »
Ce n'est pas rien qu'un grand seigneur :
il veut tout voir plier à son caprice,
il ne veut rien partager,
1240 il veut tout garder pour lui.
Par Dieu, Isengrin
aurait dû s'en souvenir,
avant de procéder au partage.
Noble hocha légèrement la tête,
1245 lorsqu'il eut entendu la proposition,
il en fut peu satisfait
car, au fond de lui-même,
il tenait à se réserver l'ensemble,
en dépit de ses belles paroles.
1250 Il avança de deux pas,

Si a haucié la destre poe
Et fiert Ysengrin lez la joe
Si durement que le cernal
L'en a abatu contreval,
1255 Si l'a fet durement seingnier.
Renart emprist a aresner,
Si li a dit : « Vous partiroiz :
Ore orrons que vous en diroiz,
Sire Renart, qui tant savez.
1260 — Sire, fait Renars, ne devez
Tel chose dire en verité,
Foi que doi sainte Charité,
Vers vous ne doi je part avoir,
Mes prenez a vostre vouloir
1265 Et nous donnez ce que voudroiz,
Quar bien savez, et si est droiz
Que toute la proie soit vostre.
— Foi que doi sainte Paternostre,
Fait Nobles, ainsi n'ira mie.
1270 Je veil que ele soit partie
Ençoiz que de ci vous mouvez.
— Sire, puis que vous le voulez,
Fet Renart, je la partirai.
Il m'est avis, au sens que j'ai,
1275 Et si conme Ysengrins disoit,
Que ce est le mielz qui i soit
Que ce tor a vostre oes aiez :
Mielz sera en vous emploiez
Que il ne seroit en nule ame.
1280 Et la vache aura ma dame,
Qui est et crasse et tendrete.
Et vostre filz qui mes n'alete,
Et qui oan a esté nez,
Aura, se ainssi le voulez,
1285 A son menger ce veelet,
Qui est et tendres et de let :
N'aura encor huit jourz demain.
Et entre moi et ce vilain
Irons en autre lieu chacier
1290 Por nostre vie pourchacier. »

leva la patte droite
et frappa si brutalement
la joue d'Isengrin
qu'il en a enlevé la chair
1255 et qu'il l'a fait abondamment saigner.
Il se tourna alors vers Renart
en disant : « A vous de partager :
Nous allons entendre votre proposition,
seigneur Renart, vous qui avez tant d'expérience.
1260 — Sire, répond Renart, vous ne devez pas
tenir de tels propos, pour dire le vrai ;
au nom de la Sainte Charité,
dès lors qu'il s'agit de vous, il ne peut être question de
Prenez donc tout ce que vous voulez   [partage.
1265 et donnez-nous ce que vous voudrez
car vous savez bien qu'au regard du droit,
la proie vous revient en totalité.
— Par la foi que j'ai dans le saint *Pater Noster,*
protesta le roi, cette attitude n'est pas de mise ici :
1270 je veux que vous partagiez la proie,
avant de partir.
— Sire, puisque vous le voulez,
je m'incline, dit Renart.
Il me semble, autant que j'en puisse juger,
1275 comme le disait Isengrin,
que la meilleure solution
consiste à vous donner le taureau :
il ne peut tomber
en de meilleures mains.
1280 La vache, elle, sera pour ma Dame,
car elle est grasse et tendre.
Quant à votre fils qui est de cette année
et qu'on a sevré,
il recevra, si vous y consentez,
1285 pour son repas ce petit veau
bien tendre qui tète encore sa mère,
et qui n'aura pas huit jours demain.
Cependant, moi et ce rustre que voilà,
nous irons chercher fortune
1290 ailleurs. »

  Li rois l'entent, si li fu bien;
  Quant oit et voit que tout fu sien,
  S'en a de joie fet un saut:
  « Renart, fet il, se Diex te saut,
1295 Or me di voir, ne me mentir,
  Qui t'aprist primes a partir?
  — Sire, fet il, par sainte Luce,
  Cel vilain a la rouge aumuce,
  Je n'en oi onques autre mestre.
1300 Ne sai s'il est ou clerc ou prestre
  Qui si porte rouge couronne,
  Mes bien semble haute personne,
  Qui soit ou pape ou cardinax.
  — Renart, fait Nobles, moult es max,
1305 Tu scez plus que ton pain menger.
  Fox est qui de toi fet berchier,
  Que par mes iex ne par ma teste
  Il n'a plus veziee beste
  Que tu es dedenz mon empire.
1310 Bien retiens ce que tu os dire.
  Et cil si prent la meilleur voie
  Qui par autrui bien se chastoie.
  Et tu as bien fet, ce me semble.
  Or remanez ici ensemble
1315 Entre vous deus, que je m'en part.
  Di Ysengrin que il se gart
  Que une autre foiz parte droit,
  Qu'espoir a tel afere auroit [1]
  Qui li feroit encore pis.
1320 Or demorez, que je ne puis
  Demourer ici, si m'en voiz,
  Et vous pourchaciez par ce boiz,
  Se vous voulez, vostre disner;
  Quar ma proie en veil je mener.
1325 Vous et Ysengrin, sanz mentir,
  Par mon chief bien savez partir,

---

1. Selon G. Tilander, *Notes…*, p. 695, «*Espoir* est bien ici subst. et le passage semble vouloir dire: « Il y a espoir qu'il aurait… = il aurait peut-être telle affaire qu'il lui irait encore pis. »

Le roi est fort heureux de l'entendre.
Lorsqu'il voit et entend que tout lui revient,
il tressaille d'aise :
« Renart, dit-il, Dieu te sauve,
1295 dis-moi donc en toute franchise
le nom de celui qui t'apprit à partager.
— Sire, répond Renart, par sainte Lucie,
c'est cet individu qui porte un chaperon rouge.
Je n'eus pas d'autre maître que lui.
1300 J'ignore s'il est clerc ou prêtre
pour porter une tonsure rouge ;
mais ce doit être un personnage important,
peut-être un pape ou un cardinal.
— Renart, tu es très malin, dit Noble,
1305 et tu n'as pas la langue dans ta poche.
Il faut être fou pour t'employer comme berger,
car, sur ma tête et mes yeux,
tu es l'animal le plus intelligent
de tout mon royaume ;
1310 tu retiens bien ce que tu entends,
et c'est le propre du sage
que de se corriger par l'exemple d'autrui.
Tu t'en es bien tiré. à mon avis.
Restez donc tous les deux ici ;
1315 moi, je vous laisse.
Dis à Isengrin de veiller
à partager correctement la prochaine fois,
sinon, il risque de se tirer d'affaire
encore plus mal.
1320 Restez donc : moi, je ne peux plus
m'attarder et je m'en vais.
Vous pouvez chasser, si vous le voulez,
dans ce bois pour avoir à dîner
car je tiens à emporter ma proie.
1325 Vous et Isengrin, sans mentir,
je vous jure que vous faites de bons partages.

Et bien m'acort a vostre dit,
Vous n'i aurez ja contredit
De nul homme que bel me soit.
1330 Ore alez querre que que soit,
Se voulez, que vous mengerez,
Que ja de ceulz ne gousteroiz.
— Ha ! sire, fet cil, ne le dites !
Seront ce donques les merites
1335 De ce que ci vous amenai ?
Certes, s'aucun petit n'en ai,
Pou me porrai de vous loer.
Se vous ne m'en voulez donner,
Sire, a cel vilain en donez
1340 Tant que il soit desgeünez,
Quar il est si mal atornez
Qu'a paines se puet il ester.
Mielx li venist que l'eüssiez
Fet eschacier d'un de ses piez,
1345 Si le lessiez si fameilleus,
Ce poisse moi, si m'aïst Diex,
Quar je ne li ai que donner
Dont le face desjeüner.
Je li donnasse volantiers,
1350 Quar moult en est mes cuers tandriers
Por ce que si le voi blecié.
Moult li avez mal despeclé
Son chaperon delez la joe. »
A cest mot li a fet la moe
1355 Si que ne l'aparçut ne vit.
Nobles l'esgarda, si s'en rit
Et dit : « Renart, moult scez de boule.
Tu es issus de mainte foule.
Diex scet bien par quel couvenant
1360 Tu me vas ainsi sermonant :
Plus le dis pour pitié de toi
Que ne fes pour lui, par ma foi,
Quar je sai bien, se j'en lessoie,
Ja si tost tornez n'en seroie
1365 Que tu li torroies sa part
Et l'en monsterroies la hart,

Je me soumets à vos propositions,
et vous ne serez jamais contredits
par personne qui ait mon agrément.
1330 A présent, partez donc chercher n'importe quoi,
si le cœur vous en dit, car il n'est pas question
que vous goûtiez à ma part.
— De grâce, sire, revenez sur vos paroles, dit Renart,
est-ce votre façon de me récompenser
1335 de vous avoir conduit jusqu'ici ?
Il est certain que, si je n'en tire pas un petit profit,
il me sera difficile de me louer de vous.
Si vous ne voulez pas me faire une faveur,
sire, pensez du moins à ce rustaud
1340 pour qu'il puisse faire un repas,
car il est si mal en point
qu'il tient à peine sur ses jambes.
Il aurait été mieux pour lui
que vous lui estropiez une patte.
1345 Que vous le laissiez mourir d'inanition
me désole, j'en atteste le Ciel,
car moi, je n'ai rien
à lui donner à manger.
Je l'aurais fait de grand cœur
1350 car je suis bouleversé
par sa blessure.
Vous lui avez bougrement déchiré
son chaperon à côté de sa joue. »
Il accompagna ces derniers mots d'une grimace
1355 que l'autre ne vit pas.
Noble l'a regardé avec un sourire :
« Quel futé tu fais, Renart,
tu t'es tiré de plus d'un mauvais pas !
Dieu sait bien le but que tu vises
1360 lorsque tu me sermonnes comme tu le fais :
tu prêches plus pour toi
que pour lui, par ma foi.
Il est sûr que si je cédais à tes prières,
je n'aurais pas plutôt le dos tourné
1365 que tu lui aurais volé sa part
et que tu lui exhiberais la corde

Qu'il ne se porroit revenchier.
Se il en devoit errager,
N'en aroit il point, par mes iex.
1370 Mes je le feré assez miex,
Que, foi que doi Saint Esperit,
Ja n'en metrez la ou chiens chit
Ne pour vos fez ne pour vos dis,
Ainz vous en ferai si onnis
1375 Que ja l'un de vous par reson
N'en gabera son compaignon
D'espaule, de pié ne de cuisse,
Ne d'un ne d'el que j'onques puisse. »
    A icest mot Nobles s'en part
1380 Et lesse enmi le pré Renart
Qui moult fesoit le corecié
Por Ysengrin qu'il vit blecié ;
Et si en avoit il grant joie ;
Puis li a dit : « Se Diex me voie,
1385 Compere, bien sommes guilé.
Bien vous a li rois afolé
Trestout sanz droit et sanz reson.
Si voie je Dieu et son non,
Grant mal a fet et grant outrage ;
1390 Bien i porra avoir domage
Espoir encore en aucun temps.
Et qui vorroit, selonc mon sens,
Encontre lui du tout ouvrer,
Il le porroit bien comparer,
1395 Je cuit, ou au pres ou au loing.
Son ami doit en au besoing
Au mielz que l'en puet conseillier,
Et je m'en veil bien traveillier
Por tant que vengiez en soiez.
1400 J'en seroie certes moult liez
Se li veoie anui avoir.
S'en lui avoit point de savoir
Ne de bien ne de cortoisie,
N'eüst pas la proie sesie
1405 Si toute que n'en eüsson.
Honi sommes se nous lesson

sans qu'il pût se venger ;
même s'il devait en devenir fou de rage,
il n'obtiendrait rien du tout, par mes yeux.
1370 Mais je vais prendre une décision beaucoup plus sage,
car, par le saint Esprit,
vous n'outragerez personne,
ni par vos gestes, ni par vos propos,
mais je vous couvrirai tellement de honte
qu'aucun de vous ne sera à même
de se moquer de son compagnon
à propos d'une épaule, d'un pied ou d'une cuisse
ou de quoi que ce soit. »
       A ces mots, Noble s'en va
1380 laissant dans le pré Renart
qui faisait mine de s'affliger
devant la blessure d'Isengrin
alors qu'elle le transportait de joie.
« Par Dieu, dit-il au loup,
1385 compère, nous sommes bel et bien dupés.
Le roi vous a brutalisé,
sans en avoir le moindre droit ni la moindre raison.
Par le saint nom de Dieu,
c'est un grand péché et un abus de pouvoir,
1390 il pourrait bien lui en cuire
un jour ou l'autre,
et, à mon sens, si quelqu'un
décidait de travailler à lui nuire,
je crois qu'il serait possible
1395 que le roi le paye cher, tôt ou tard.
Si l'on a un ami dans l'embarras,
on doit l'assister de ses conseils le mieux possible ;
aussi ne vais-je pas ménager ma peine
pour mener à bien votre vengeance.
1400 Quelle serait ma satisfaction
à le voir en difficulté !
S'il y avait eu en lui tant soit peu de sagesse,
de bonté et de courtoisie,
il n'aurait pas accaparé toute la proie
1405 à nos dépens.
Nous sommes perdus si nous nous laissons ainsi

A lui einsiques defouler,
Quar tost nos porroit afoler,
Se nos ne l'osïon desdire;
1410 Si lo, ainz que la chose empire,
Que nous querons et art et guise
Par quoi la venjance en soit prise
Por vous trestout premierement
Qu'il a mené si malement,
1415 Par la force que il a fete,
Que nostre part nous a tolete,
Quar la proie estoit conmune.
Ne se deüst faire si prune [1],
Pour ce s'il est par desus nous,
1420 Que, par la foi que je doi vous
Qui estes mon compere chiers,
Ne sera si max ne si fiers
Que bien n'en aions la venjance. »
Ysengrins ot la couvenance
1425 Que Renart li offre et presente,
Que, se il veult selonc s'entente
Ouvrer et selonc son savoir,
Il li fera venjance avoir
De ce que il l'a mal mené,
1430 Et il le het plus qu'homme né
Pour le mal que il li a fet,
Et si ne li a pas meffet
Chose pour quoi il le deüst
Si mal mener : se il peüst,
1435 Il li feïst volantiers fere
Chose qui li peüst desplere,
En tel guise, gel sai de voir,
Ne s'en peüst aparcevoir
Devant que la chose fust fete.
1440 Il s'apense que sa retrete [2]
Ne sera a fin, n'acomplie

---

1. *Prune* est sans doute une graphie de *prone*. Voir G. Tilander, *Lexique du Roman de Renart*, p. 131.
2. Le mot de *retrete* est à prendre ici au sens figuré d'« arrière-pensée ».

fouler aux pieds par lui,
car il ne tarderait guère à nous estropier,
si nous avions peur de nous opposer à lui.
1410 Aussi, à mon avis, avant que la situation n'empire,
nous faut-il rechercher l'art et la manière
de nous venger,
d'abord, des mauvais traitements
qu'il vous a infligés,
1415 ensuite, de l'abus de pouvoir qu'il a commis
en nous ravissant notre part
d'un butin qui était à tous.
Il ne devrait pas faire le fier
pour la simple raison qu'il est au-dessus de nous
1420 car, par la loyauté que je vous dois,
mon cher compère,
il aura beau être méchant et insolent,
nous finirons bien par nous venger de lui. »
Isengrin entendit l'offre
1425 d'alliance de Renart
qui mettait son énergie
et ses lumières
au service de sa vengeance
contre le roi qui l'avait maltraité,
1430 et qu'il hait plus que n'importe qui
pour le mal qu'il lui a fait
sans qu'il ait commis à son égard
de faute qui justifie un pareil
châtiment ; s'il le pouvait
1435 il lui infligerait volontiers
un traitement désagréable
de telle manière, je peux l'affirmer,
qu'il ne s'en rendît compte
que trop tard.
1440 Par ailleurs, il réfléchit que son idée
ne pourra se réaliser, sa vengeance

Sa pensee, s'il n'a aïe
D'aucun qui soit plus de lui sage.
Nelui ne scet qui son corage
1445 Puist descouvrir seürement.
« Voir, fet se il, je me dement
De neant : je voi mon compere
Qui plus m'aime ore que son frere,
Et plus set de barat tous seuz
1450 Voir que ne scevent vint et deus
Des meilleurs de la court le roi,
Et je pas ne descouverrai
A lui mon cuer ? Que n'oseroie.
Paour ai, se je li disoie,
1455 Qu'il ne m'encusast au lïon,
Que en lui a maleïçon,
Si dit l'en par tout le païs
Que il est traïstres naïs :
Pour ce si ne m'i os fïer.
1460 Mes ne cuit pas qu'il aut crïer
A court ce que j'ai em pensé.
Or ai je voir moult fol pensé
Envers mon compere Renart :
Je ne cuit pas, se Diex me gart,
1465 Que il me mesfeïst pour rien.
Il est preudons, ce sai je bien.
Pieça que je l'ai esprouvé,
Et encore l'ai je trouvé
Jusques ici moult loyal homme ;
1470 Foi que doi saint Pere de Romme,
A son conseil me maintendrai :
Ja est il mon compere en loi,
Si pens qu'il ne me mefferoit,
Ne nul mal ne pourchaceroit. »
1475 Einsi a lui meïsmes tance,
Et en la fin de sa sentence
S'acorde a ce qu'il li dira
Et a son conseil en fera,
Conment que l'aferes en aut,
1480 Quar nus tant ne scet ne ne vaut
A nul besoing conme Renart.

s'accomplir qu'avec l'aide de quelqu'un
de plus sage que lui.
Il ne connaît personne d'autre
1445 à qui il puisse s'ouvrir en toute confiance.
« Vraiment, se dit-il, je me tracasse
sans raison : j'ai devant moi mon compère
qui me chérit plus que son frère
et qui connaît, à lui seul,
1450 plus de tours que n'en connaissent
une bonne vingtaine des meilleurs courtisans du roi,
et moi je n'irai pas
lui ouvrir mon cœur ? Je n'oserais pas.
J'ai peur, si je le fais,
1455 qu'il n'aille me dénoncer au roi
car il est voué au mal
et l'on dit par tout le pays
que c'est un traître né.
Voilà pourquoi je n'ose me fier à lui.
1460 Je ne pense pas cependant qu'il irait
clamer tout haut mes projets à la cour.
Et voilà que je m'abandonne
à de mauvaises pensées contre Renart.
Je ne crois pas — Dieu me garde ! —
1465 qu'il ait l'intention de me faire du mal.
C'est un honnête homme, je le sais.
J'en ai eu des preuves depuis de longues années,
et je n'ai eu, jusqu'ici,
qu'à me louer de sa loyauté.
1470 Par saint Pierre de Rome,
rangeons-nous à ses raisons ;
il est mon compère selon la loi religieuse,
et je pense qu'il ne cherchera pas à me nuire
ni à me faire du mal. »
1475 Ainsi balance-t-il en son for intérieur,
avant de conclure
à se déclarer d'accord avec Renart
et à suivre son avis,
quoi qu'il advienne,
1480 car, dans les difficultés, personne n'a autant
d'idées ni de valeur que Renart.

Lors conmence a dire par art
Et bel conme bien afetiez,
Et si a dit par amistiez :
1485 « Biax douz amis, biax douz conpere,
Conseilliez moi si qu'il i pere,
Que vostre conseil m'ait mestier.
Je ne verrai ja l'anuitier
Se de Noble ne sui vengiez,
1490 Qui si m'a le vis escorchié
Que le cuir en est moult maumis.
Pour ce le vous di, biax amis,
Que pour moi tant vous traveilliez
Qu'en bonne foi me conseilliez.
1495 — Si ferai je, ce dit Renart,
Par le baron saint Lïenart,
Mes orendroit n'en est seson ;
Mes alez en vostre meson,
Et si lessiez ester huimés. »
1500 Atant est le conseil remés,
Si vet Renart a son repere,
Et Ysengrin son chier compere
S'en est tornez a son manoir.
        Ici fet Pierres remanoir
1505 Le conte ou se voult traveillier,
Et lesse Renart conseillier [1].

1. Sur cette branche, voir notre article *Littérature oralisante et subversion : la branche 18 du Roman de Renart ou le partage des proies*,
dans les *Cahiers de Civilisation médiévale*, t. 12, 1979, p. 321-335.

Alors, il se met à lui peaufiner une réponse
des plus courtoises
et des plus amicales :
1485 « Mon cher ami, mon cher compère,
éclairez-moi efficacement,
car j'ai besoin de votre avis.
Que jamais je ne revoie la fin du jour
si je ne me suis pas vengé de Noble
1490 qui m'a écorché le visage
au point d'en arracher le cuir !
Je vous le rappelle, mon cher ami,
afin que vous vous mettiez en peine
de me conseiller en toute bonne foi.
1495 — Volontiers, dit Renart,
par le grand saint Léonard,
mais le moment n'est pas favorable.
Retournez plutôt chez vous,
et n'y pensez plus pour aujourd'hui. »
1500 Le conseil remis à plus tard,
Renart rentre au logis
tandis qu'Isengrin, son cher compère,
est retourné dans sa demeure.
    Pierre abandonne ici
1505 cette histoire à laquelle il a consacré ses efforts,
et il laisse Renart à ses réflexions.

BRANCHE XVII

La mort et la procession de Renart
(Résumé)

Édition Ernst Martin, t. II, p. 197-242, 1688 vers.

Le printemps revenu, Renart quitte sa maison. Il fait bombance dans la basse-cour d'une abbaye; surpris par un moine, il s'enfuit après l'avoir châtré. Il rencontre alors le lièvre Couard, portant sur son cou un pelletier qui a voulu le frapper et qu'il conduit à la cour royale pour obtenir réparation; le goupil l'y accompagne (1-149).

On y fêtait dame Coupée, la poule traîtreusement assassinée. Jugé, le pelletier, grâce au témoignage de douze vilains, est reconnu honnête homme et acquitté (150-261).

Les barons se livrent à leurs divertissements habituels. Renart et Isengrin jouent aux échecs; le premier mise et perd tout, y compris ses parties sexuelles que le loup cloue à l'échiquier. Atroces douleurs du goupil que la reine Fière fait porter dans sa chambre et soigner, et qui se confesse à l'âne Bernard, avant de s'évanouir. On fait venir sa famille qui accourt en habits de deuil; le blaireau Grimbert est désespéré, car il pense, comme toute la cour, que son cousin est mort (262-533).

Dans la grand-salle illuminée de milliers de cierges, les assistants chantent les vigiles des morts; puis ils jouent toute la nuit aux plantées [1] (534-876).

---

1. Selon Gunnar Tilander, *Lexique...*, p. 123, les plantées étaient « une sorte de jeu rustique... Le jeu se jouait ainsi : l'un des joueurs relevait son pied; le partenaire avait à lui donner de la plante du pied un coup si fort..., et ainsi à tour de rôle, qu'il tombait à la renverse... Dans *Renart*, la manière de jouer montre cette différence qu'on donne un coup de bâton sur la plante du partenaire, ce qui ressort surtout du vers 750 ... *sanz pié estandre* ».

Au petit jour, on transporte le corps de Renart au moutier devant la châsse de sainte Pinte. Les grands barons revêtent les ornements sacerdotaux pour l'office. L'archiprêtre, l'âne Bernard, prononce l'oraison funèbre de celui qui a mené « une vie de martyr et d'apôtre » et fait un vibrant éloge de l'acte sexuel; le cerf Brichemer prononce l'épître et le roussin Ferrant l'évangile : l'un et l'autre félicitent et absolvent Renart de ses méfaits. Le roi ordonne de l'enterrer sous un pin : Brun creusera la fosse, Chantecler maniera l'encensoir, Brichemer et Belin porteront la bière, Isengrin tiendra la croix, la chèvre jouera du tambour et Ferrant de la harpe, Tibert, Couard et le milan Hubert porteront les cierges, les souris sonneront les cloches et le singe fera des grimaces. Voici Renart dans la fosse (877-1073).

Mais au moment où Brun s'apprête à le recouvrir de terre, le goupil ouvre les yeux, bondit en emportant Chantecler qu'il est obligé de relâcher, car il est serré de près par un mâtin (1074-1203).

Tardif le limaçon l'arrache au chien, mais les gens du roi se saisissent de lui. Noble menace de le détruire. Renart se défend en accusant de trahison Chantecler qui a essayé de le faire enterrer vif. Le coq, outré de cette impudence, réclame de se battre en champ clos contre le goupil. Bataille féroce : le sang coule à flots. Renart, l'oreille droite arrachée, l'œil gauche crevé, en est réduit à faire le mort. Il est traîné dans un fossé. Le roi et ses barons retournent à leur hôtel (1204-1417).

Le corbeau Rohart et la corneille Brune en profitent pour s'acharner sur le pseudo-cadavre, mais, d'un coup de dent, le goupil arrache une cuisse au corbeau et l'emporte à Maupertuis. Brune et Rohart vont se plaindre au roi. Grimbert propose d'aller chercher Renart en compagnie du milan Hubert (1418-1549).

Le goupil refuse de suivre son cousin à qui il demande de dire au roi qu'il a succombé à ses blessures et qu'il est enterré au pied d'une aubépine, dans une tombe où repose déjà un vilain du nom de Renart. Quand il apprend la nouvelle, le roi se reproche d'avoir laissé périr son meilleur baron (1550-1688).

Résumés des branches XVIII à XXVI

Dans les branches XVIII, XIX, XXI, le goupil Renart n'apparaît pas et le héros, dans les trois premières histoires, est le loup Isengrin.

Isengrin et le prêtre Martin.

Édition Ernst Martin, tome II, p. 243-247, 138 vers.

Ce récit illustrera le proverbe «Qui a mauvais voisin a souvent mauvais matin» (1-6).

Le vieux prêtre Martin, s'il était d'une ignorance crasse, savait, par contre, engraisser les cochons, élever des brebis dont il utilisait le lait pour préparer du fromage. Il maudissait son voisin Isengrin qui, sans cesse, s'attaquait à son troupeau. Comment l'empêcher de nuire? Une grande fosse, soigneusement dissimulée, un agneau comme appât: tel est le piège bientôt préparé (7-40).

A minuit, Isengrin affamé s'élance vers ses proies habituelles. Un agneau, quelle aubaine! Sans soupçonner le piège, il se précipite sur le treillage et tombe. Au fond du trou, il médite à loisir sur les dangers de la convoitise (41-62).

Dès l'aube, le prêtre court au piège où il savoure le plaisir de la vengeance proche. Mais Isengrin esquive le premier coup de gourdin. Sire Martin change de tactique et menace de l'éborgner si bien que le loup, pour parer le choc, se saisit de l'extrémité du bâton. Au cours de la lutte qui les oppose pour la possession du gourdin, le sol cède sous les pieds du prêtre. Les deux adversaires, morts de peur, se retrouvent face à face au fond du piège (63-112).

Saisi d'une ferveur inaccoutumée, Martin se prosterne et débite toutes les prières qu'il connaît. Dieu l'entendra-t-il? Il sent les pattes du loup sur son cou... Il lui sert en effet de tremplin vers la liberté, tandis que notre prêtre reste à se morfondre jusqu'à l'arrivée de ses serviteurs.

Je vous garantis qu'il n'a jamais, depuis, retrouvé la ferveur de ce jour-là (112-138).

BRANCHE XIX

Isengrin et la jument Raisant.

Édition Ernst Martin, tome II, p. 248-250, 90 vers.

Nous retrouvons Isengrin, le soir, méditant sur cette aventure : ne prouve-t-elle pas à l'évidence qu'un loup, pas plus qu'un homme, ne peut se passer d'un compagnon (1-10) ?

Le hasard veut qu'une jument se présente à lui dans un pré. Isengrin l'aborde poliment, lui livre le fruit de ses réflexions et, de façon de plus en plus pressante, la sollicite pour compagne. Grâce à cette association, elle gagnera sans peine une bonne nourriture et la sécurité, tandis qu'elle souffre à présent de l'ingratitude d'un maître exigeant (11-50).

La jument se dit touchée de ses prévenances auxquelles, malheureusement, elle ne peut répondre favorablement. Une épine, plantée dans son pied arrière droit, la retient au pâturage. Si elle en était délivrée, il verrait quelle compagne fidèle et précieuse elle ferait ! Elle n'a pas son pareil pour mettre les mâtins hors d'état de nuire (51-68).

Isengrin, bien volontiers, s'offre à la secourir, mais pendant qu'il lui prodigue ses soins, une ruade bien assenée le jette à terre. Resté seul, le loup, éberlué, se plaint du malheur qui l'accable. Qui croire désormais (69-90) ?

BRANCHE XX

Isengrin et les deux béliers.

Édition Ernst Martin, tome II, p. 251-253, 94 vers.

Sur le chemin du retour, des bêlements de brebis attirent Isengrin : Belin et Bernard, les moutons préférés de sire Tiehart, jouent, les imprudents, à s'affronter dans le champ où les bergers les ont oubliés (1-22) !

Bernard, courageusement, dissimule la frayeur que les propos cruels du loup lui causent et sollicite une dernière faveur : peut-il arbitrer leur différend ? Comme la possession du champ les oppose, une course de vitesse pourrait en régler le partage...

Le loup donc, en arbitre consciencieux, place les concurrents et donne le signal du départ. Belin, le plus jeune, arrive le premier sur Isengrin qu'il renverse et Bernard, le plus sage et le plus vieux, vient à sa rescousse (23-72).

Le loup, à moitié mort, peut entendre, entre deux évanouissements, les quolibets des moutons en fuite. Revenu à lui, il se plaint d'être la malheureuse victime du destin. Mais de quel droit, après tout, se faisait-il distributeur de terres ?

Qu'on s'applique à bien dire cette branche particulièrement réussie (73-98).

Isengrin, l'ours Patous, le vilain et sa femme.

Édition Ernst Martin, tome II, p. 254-258, 160 vers.

Si cela vous plaît, je vous parlerai à nouveau d'Isengrin, redevenu gras et vigoureux grâce aux soins d'Hersant.

Tandis qu'il file à travers bois, il rencontre un paysan chargé d'un jambon et le persuade de partager avec lui. A l'heure du partage survient un ours qui, lui aussi, réclame sa part. Aussi, dans le bois voisin, les trois compères cherchent-ils le moyen de parvenir à une distribution équitable. L'ours, fort sagement, propose de laisser le jambon suspendu à un hêtre jusqu'au lendemain où un concours désignera le vainqueur : celui qui pourra montrer le cul le plus profond. Et tous trois d'accepter (1-66).

Le paysan, de retour au logis, rapporte l'aventure à sa femme. Ah ! ces femmes, comme elles savent faire preuve, quand il le faut, de sagesse ou bien de folie !

Celle-ci, aussi avisée que les autres, propose à son mari réjoui et consentant de prendre sa place au cours de l'épreuve (67-106).

Le lendemain, l'ours Patous engage Isengrin à commencer et, comme il fait grand jour, on peut admirer l'orifice profond qui apparaît au prix de violents efforts.

Voici le tour du « paysan ». Le spectacle est si monstrueux que les deux autres, saisis d'une terreur religieuse, ne songent qu'à fuir. Sur-le-champ et sans discussion, le « paysan », proclamé vainqueur, emporte le jambon (107-160).

BRANCHE XXII

L'association d'Isengrin, de Chantecler, de Brichemer et de Renart.

Édition Ernst Martin, tome II, p. 259-279, 722 vers.

Tout l'art d'un conteur consiste à développer les aspects plaisants d'une histoire. Je m'y suis employé dans cette histoire vraie que m'a racontée un vieillard (1-16).

Un jour, Chantecler, Isengrin, Brichemer et Renart furent saisis de la fièvre du défrichement ou plus exactement, sous les exhortations du goupil, les trois autres s'échinèrent à préparer un essart.

Qu'y planter? Renart dirige une discussion passionnée : Chantecler vante les qualités du chanvre, Brichemer celles de l'orge, lui soutient la proposition d'Isengrin : on sèmera du froment.

Cette tâche menée à bien avec toute l'énergie et toute l'expérience de bons cultivateurs, Renart convainc ses partenaires de mettre la récolte future en commun en prévision de l'hiver. Chacun prête serment et retrouve ses occupations habituelles (17-120).

En juin, les épis apparaissent mais Isengrin, après un copieux repas, choisit d'aller digérer tranquillement dans l'essart où Brichemer le surprend. Le cerf, indigné à la vue des ravages, n'est pas dupe de la comédie du malade que lui joue le loup. Il ne consent à se calmer que lorsque Isengrin, complice, lui suggère de se rassasier à son tour. Mais voici Chantecler : il tempête, il s'indigne, crie à la trahison… jusqu'au moment où on lui souffle de prendre sa part. C'est pourquoi Renart, fou de colère, la vengeance au cœur, découvre ses trois partenaires vautrés dans l'essart saccagé. Le ton monte, les vieilles rancœurs renaissent; aussi Renart propose-t-il de s'en remettre à l'arbitrage du roi Connin (121-315).

Renart, qui jouit de l'affection de ce souverain, se rend
près de lui le premier. Ce bon roi avait la passion des cons
qu'il creusait avec une bêche profonde. Renart fait la
moue devant l'œuvre réalisée : elle manque de beauté, de
mesure et de ressemblance. Mais il sait le moyen de la
rendre parfaite.

D'abord, il convient de transformer l'horrible fente en
deux trous dans un souci d'exactitude et de beauté. Des
lanières en cuir de cerf feront l'affaire. Brichemer est
attiré dans un guet-apens pour satisfaire, bien malgré lui,
la passion royale (316-424).

Ensuite, suggère le goupil, il faut dissimuler cette ouverture effrayante, ce gouffre satanique au moyen d'une
crête de coq. Quelle idée géniale ! C'est ainsi que Chantecler tombe à son tour dans le piège et le roi sacrifie sa
crête qui deviendra les fameuses lèvres (425-548).

Mais il faut parfaire l'œuvre, insiste Renart. Comme on
met un buisson pour protéger un puits, on doit mettre une
toison qui couvrira l'ensemble. Une hure de loup
conviendrait parfaitement. Voilà pourquoi Isengrin, en
dépit de ses protestations indignées, est à nouveau écorché. Sa peau, disposée artistiquement par le souverain,
est fixée si solidement qu'aucun artifice de putain ne
parviendra à l'ôter (549-694).

L'œuvre est désormais un chef-d'œuvre, grâce à Renart
qui réalisa ainsi sa vengeance : c'est la plus douce chose
du monde (695-722).

BRANCHE XXIII

Renart magicien et le mariage du roi Noble.

Édition Ernst Martin, tome II, p. 280-335, 2080 vers.

Écoutez l'ingénieuse ruse qu'imagina Renart pour retrouver les faveurs du roi (1-8).

Devant la cour rassemblée, il crie son innocence : son empressement à comparaître n'en témoigne-t-il pas ? Il ne craint pas le jugement de son roi, intègre et généreux. Pour ramener définitivement la paix et dissiper tout malentendu, pourquoi ne pas laisser ses ennemis exposer publiquement leurs griefs ? Il accepte par avance d'être châtié s'il ne parvient pas à se justifier (9-56).

Noble, flatté, promet que la justice sera faite.

Isengrin donc, le premier, rappelle que Renart s'est dérobé au serment qui devait laver l'honneur de sa famille. Renart répond en rapportant par le menu la traîtrise d'Isengrin et de son complice Roenel : leur guet-apens est un affront public à la justice royale. Cependant, dans un souci d'apaisement, il accepterait de prêter sur-le-champ ce fameux serment (57-212).

Lorsque Chantecler, à son tour, demande justice pour le crime de dame Coupée commis sous les yeux de Pinte, Renart donne sa version des faits. C'était un soir, peu après qu'il eut guéri le roi. Affamé, il avait supplié Gombert du Frêne de lui accorder l'hospitalité, au nom du roi, mais ce félon avait lâché ses chiens sur lui. Pouvait-on laisser impunément outrager la puissance royale ? En tuant Coupée, Renart n'avait cherché qu'à punir ce crime de lèse-majesté… Cependant, comme le chagrin de Chantecler le touche, il lui offre réparation (213-434).

Le moment est venu pour Brun de rappeler sèchement

au souverain, de plus en plus favorable à Renart, comment celui-ci a traité, en sa personne, un messager royal. Dans la partie serrée qui se joue, Renart proteste de sa bonne foi et rejette sur Lanfroi toute la responsabilité des malheurs de Brun. Frumant et Cointerel, le singe, viennent à son secours en exigeant des témoins (435-496).

Le roi se souvient alors que son autre messager Tibert était lui aussi revenu meurtri et blessé de sa mission. Mais le chat, qui n'a pas oublié ses souffrances, propose timidement une réconciliation avec Renart. Secrètement soulagé, le goupil l'accepte de l'air d'un vassal soumis (497-576).

Après les accusations, voici venu le temps de la délibération. Le roi désigne un conseil de cinq sages chargés de proposer un jugement dans un esprit de justice et de paix (577-610).

Si la discussion privée oppose surtout un adversaire, Brichemer, à deux alliés résolus de Renart, Cointerel et Grimbert, un désir commun, celui de plaire au roi, anime tous les membres du conseil. Aussi l'avis prudent des conciliateurs, Platel et le léopard, est-il finalement retenu : Renart en sera quitte pour un serment et une réconciliation avec Isengrin et Brun. Dans la délicate affaire Coupée, le roi finalement tranchera, puisque son honneur est en jeu (611-794).

En séance publique, on s'empresse de faire appliquer ces mesures de paix. Il ne fait plus aucun doute que Renart sera sauvé et le roi, visiblement satisfait, dans un bel élan de générosité, donne à Chantecler pouvoir de décision dans la dernière affaire. Quelle n'est pas sa surprise, sa douleur impuissante lorsqu'il entend le coq, victime du chantage amoureux de son amie Pinte, réclamer la mort du goupil (795-952) !

Seule une ruse peut à présent sauver Renart. Sur un ton de triste indifférence, celui-ci commence donc par regretter qu'un malheureux destin achève ainsi dans la honte une existence entièrement dévouée à son suzerain. Comme il aurait aimé vivre juste le temps de régler une ultime mission, le mariage de Noble avec la belle, la riche, l'extraordinaire fille du roi Yvoris ! Mais, puisque

sa mort est inévitable, le roi devra trouver un autre messager et méditer les paroles de Dieu au roi David selon
lesquelles il est bien plus grave de tuer que de se parjurer
(953-1032).

Noble entre avec satisfaction dans le jeu de Renart et
réclame un messager pour mener à bien ce projet qui lui
tient à cœur. Les barons se taisent. Où auraient-ils pu
trouver un Yvoris inventé de toutes pièces ? Et c'est ainsi
que la cour se voit contrainte d'accepter une nouvelle
victoire de Renart à qui un an de sursis est accordé pour
sa mission (1033-1128).

Chargé des messages royaux, Renart quitte la cour, la
vengeance au cœur et, sur le conseil d'Hermeline, il se
rend à Tolède pour y apprendre l'art de la magie (1129-
1196).

Au terme d'un long et pénible voyage, il parvient à
Tolède, de nuit, affamé. Le hasard veut qu'il soit capturé
dans la basse-cour d'Henri, un grand maître en magie.
Grâce à sa fourrure qui n'est pas encore de saison, il
échappe de justesse à la mort et on le laisse vivre dans la
maison comme un animal familier, mais il ne perd pas un
mot des enseignements du maître.

Une nuit, il surprend un extraordinaire secret : il apprend les pouvoirs que confère le sacrifice d'un coq,
accompli en l'honneur des démons. Ainsi il se libère et
rejoint magiquement son logis de Malcrues, étape vers
Brocéliande où siège le roi (1197-1408).

Là, Renart affirme qu'il a entièrement rempli sa mission, il ne précède la riche héritière que d'une semaine.
C'est juste le temps qu'il faut pour que les courtisans
accourent en foule, pour que le festin s'apprête et pour
que Renart multiplie les enchantements. Au jour dit, la
fiancée arrive (1409-1512).

Le roi, émoustillé, la trouve à son goût. Quand commence le repas, la vue d'Isengrin, chargé du service des
viandes, inspire à Renart une idée de vengeance. Pour la
réaliser, il va utiliser la fiancée, sa créature, qu'il fait agir
à sa guise. Il la fait fondre en larmes, s'indigner en
princesse capricieuse jusqu'à ce que le roi cède à son bon
vouloir : qu'on écorche ce mufle qui a osé conserver,

pour la servir, son bonnet et ses gants ! Ceux-ci n'étaient en réalité que la nouvelle peau repoussée à l'endroit où on l'avait écorché une première fois pour guérir le roi (1513-1700).

Après le festin viennent les divertissements. Toujours sur les conseils de la «fiancée», les champions des deux cours sont appelés à rivaliser, sous la malicieuse direction de Renart, au cours d'épreuves acrobatiques.

Quelle magnifique occasion de se venger ! D'abord Brun, convié à faire la roue, s'écrase piteusement. Ensuite Brichemer, invité à sauter dans des cerceaux, s'écorche misérablement. A leur suite, Roenel doit souffrir les mille coups d'éperon du valeureux Cointerel, son cavalier. Enfin Tibert manque son numéro de funambule, car sa corde est enchantée : il s'écrase au sol lui aussi. A chaque fois, les champions de la cour adverse l'emportent sans discussion, rivalisant d'adresse et de grâce (1701-1959).

En voilà trop pour le roi, blessé dans son orgueil. Renart est mis en demeure de payer de sa personne pour sauver l'honneur de son camp. Avec le secours, une fois de plus, des puissances infernales, le goupil saute donc du toit du palais et se retrouve indemne en bas.

La princesse en personne a souhaité rivaliser avec Renart dans cette épreuve. Cruelle déconvenue pour le roi qui découvre, en cette occasion, que sa belle est dépourvue de son bel orifice naturel ! Renart connaîtrait-il le moyen de réparer cette erreur (1960-2036) ?

Le beau prétexte pour quitter la cour ! Renart aussitôt demande congé pour une semaine, le temps de consulter Hermeline très compétente en la matière.

Mais le roi peut toujours attendre… (2037-2080).

BRANCHE XXIV

Naissance et enfances de Renart.

Édition Ernst Martin, tome II, p. 336-344, 314 vers.

Écoutez cette histoire, trouvée dans un livre d'Aucupre. Vous devez me croire parce que les livres disent la vérité (1-18).

Lorsque Dieu eut chassé Adam et Ève du paradis terrestre, il leur remit une baguette magique. Il leur suffisait d'en frapper la mer pour qu'apparaisse aussitôt un animal. Adam fit sortir de la sorte toutes les bêtes utiles à l'homme, tandis qu'Ève peuplait la terre d'animaux cruels et sauvages (19-76).

C'est ainsi que naquit Renart qui incarne la tromperie tout comme Isengrin incarne le vol. Quant à leurs épouses, Hersant et Richeut, elles n'ont rien à leur envier en matière de vice. Renart, le neveu, et Isengrin, l'oncle, s'entendaient comme larrons en foire.

L'exemple de Renart est plein d'enseignements pour qui veut méditer sur l'engrenage des vices. Il nous montre comment la traîtrise engendre la cruauté, comment la cruauté engendre l'envie et l'envie l'avarice (77-178).

Si mon histoire vous étonne, rappelez-vous celle de l'ânesse de Balaam. Si Dieu est capable de faire parler un âne, pourquoi les autres animaux ne parleraient-ils pas (179-212) ?

Un jour donc, Renart, malade, arrive chez son oncle qui lui fait préparer un plat d'abats, alors que de magnifiques jambons pendent au plafond. Renart l'invite à plus de prudence. Qu'il dissimule ces jambons tentants et clame partout qu'on les lui a volés !

A quelque temps de là, Renart s'en empare, par le toit. Et lorsque Isengrin et sa femme se plaignent du larcin, il

les félicite, sans tenir compte de leurs dénégations véhé-
mentes, d'avoir parfaitement suivi ses conseils.

Tels furent les débuts de Renart. Il a fait mieux depuis
(219-314).

BRANCHE XXV

Renart et le héron. Renart et le batelier.

Édition Ernst Martin, tome II, p. 345-353, 310 vers.

Seigneurs, vous connaissez depuis longtemps le récit que Pierre de Saint-Cloud fit des aventures de Renart et si certains ne l'apprécient guère, c'est qu'ils n'ont vu ni la richesse morale ni l'intérêt littéraire d'un tel sujet. Il arrive qu'on le traite médiocrement mais moi je vais vous conter mon histoire en vers (1-16).

Un jour, en Angleterre, Renart, le ventre vide, parcourait le pays en tous sens à la recherche de nourriture lorsqu'il découvrit un héron, occupé à pêcher dans une rivière. Cette proie méritait bien qu'on prît le temps de la réflexion. Convenait-il d'attendre que le héron se déplaçât? Le risque était grand de perdre ainsi son temps et d'être surpris par des mâtins... Mieux valait agir car, de façon générale, on n'a rien sans peine.

Renart commence par étudier les réactions du héron lorsqu'il envoie vers lui, portée par le courant, une puis deux brassées de fougères. Un instant surpris, le héron constate à deux reprises qu'il ne s'agit que de plantes inoffensives et s'en retourne, imperturbable, à sa pêche. Le piège est prêt: Renart pourra s'approcher de sa proie sans éveiller sa méfiance en se dissimulant sous un tas de fougères qui paraîtra glisser au fil de l'eau. Tout arrive comme le goupil l'avait prévu et, en un clin d'œil, le héron est attrapé, emporté sur la rive et dévoré (17-153).

Comme le soir tombe et qu'il est recommandé de se reposer pendant la digestion, Renart va se coucher sur une meule de foin, non loin de là. Mais, durant son sommeil la rivière déborde, inonde le pré en sorte que notre goupil, isolé sur une meule à la dérive, ne peut que se lamenter à son réveil : en vain il se maudit, maudit son destin : sa mort est inéluctable.

Mais voici qu'un vilain, de retour de pêche, survient. A la vue de Renart, il voit déjà sa peau vendue et sa gorge ornant son manteau. Il s'élance, tente de l'assommer avec sa rame, mais Renart, agile, parvient à esquiver les coups qui pleuvent de tous les côtés. Le paysan, en dernier recours, monte sur la meule, tandis que Renart saute dans la barque. Comme le cours des événements est imprévisible !

Renart, sans difficulté, rejoint la rive et sa forteresse, pendant que le vilain, effrayé, doit subir les assauts de l'eau et du vent. Au prix de mille peines, il réussit cependant à regagner la terre ferme à la nage. Là il jure qu'il ne s'attaquera jamais plus à un goupil (154-310).

L'andouille jouée à la marelle.

Édition Ernst Martin, tome II, p. 354-357, 132 vers.

Approchez-vous pour écouter comment, un jour, Renart découvrit une croix qui dominait la tombe d'un homme tué par ses ennemis.

Au pied de cette croix, l'ânon Frémont, l'hermine Blanche, Tibert le chat et Roux l'écureuil délibèrent, embarrassés par un problème délicat : comment partager équitablement une andouille, belle certes mais de forme irrégulière ? Ils décident finalement de la jouer à la marelle, mais au moment précis où la compétition commence, Renart survient. La belle débandade ! Seul Tibert reste après avoir pris la précaution de se percher sur la croix et d'emporter l'andouille (1-68).

Les deux compères rivalisent de finesse avant d'en venir au fait : Renart réclame sa part d'andouille que Tibert lui refuse net.

Aussi le goupil recourt-il à la ruse...

« Tiens, une souris », s'exclame-t-il, les yeux fixés à terre. Une souris ! Sous le coup de l'émotion, Tibert, se retournant, déplace la patte et l'andouille tombe.

Comme le chat se désole à grands cris, Renart lui rappelle son égoïsme tout proche encore. Il l'imitera et gardera pour lui seul l'andouille et la corde (69-132).

LEXIQUE

A, A TOT, avec.

A, *verbe, peut avoir le sens d*'il y a.

AAISIER, mettre à l'aise, réjouir, satisfaire, prendre ses aises.

ABAI, jappement.

ABET, ruse.

ABETER, tromper.

ABOETER, reluquer.

ABONIR, devenir bon, être fidèle.

ABRICONER, tromper.

ABRIVÉ, ABREVIEZ, ardent, impatient.

ABSTENANCE, abstinence.

ACESMER, orner, équiper.

ACHENER, faire signe, désigner d'un geste.

ACHESON, ACHOISON, ACAISON, ACESON, prétexte, raison, cause, occasion, accusation.

ACOARDER, devenir couard, lâche.

ACOINTE, ami, familier.

ACOINTEMENT, rencontre, commerce.

ACOISIER (soi), se taire, s'apaiser.

ACOISON, *voir* ACHESON

ACOLER, embrasser, passer les bras autour du cou.

ACONSEÜ, *part. passé du v.* aconsivre.

ACONSIVRE, atteindre en poursuivant.

ACOPIR, cocufier.

ACORDE, accord, raccommodement.

ACOURER, ACORER, mettre à mal.

ACOUTER, appuyer.

ACRAANTER, ACREANTER, promettre, accorder.

ACUEILLIR A, commencer à.

ADÉS, aussitôt

ADENZ, à plat ventre, la face contre terre.

ADESERTIR, changer en désert, ravager, ruiner.

ADONT, alors.

ADOSSER, mettre derrière le dos, oublier.

ADOULÉ, *adj.*, chagrin.

ADRECE, chemin direct, chemin, raccourci.

ADRECIER, diriger.

AERDRE, saisir, accrocher.

AFAITEMENT, belles manières, habileté.

AFAITIÉ, instruit, habile, poli, fin, bien informé.

AFETIER, AFAITIER, préparer, façonner, se réconcilier, dresser.

AFICIER, AFICHIER, déclarer, juger, se vanter; fixer.

AFÏER, promettre, jurer.

AFIERT, de *aferir*, convenir, appartenir.

AFINER, finir, réaliser, mettre fin à la vie de, tuer, mourir.

AFOLER, blesser, endommager.

AFONDRE, s'enfoncer, être submergé.

AFOUTREÜRE, garniture de feutre.

AGENCIER, arranger les choses, ajuster.

AGENSIR, arranger, ajuster.

AGUAIT, guet, embuscade.

AIDIER (soi), être en pleine force, employer ses forces.

AÏE, AŸE, aide.

AINC, jamais.

AINÇOIS, voir ANÇOIS.

AINZ, voir EINZ

AÏR, violence, impétuosité.

AÏRIER, irriter.

AÏT, subj. prés. du v. aider.

AIS, planche.

AIVE, aïeul, ancêtre.

ALACHER, dégager, soulager, lâcher.

ALECHIER, attirer, inciter à.

ALIBORON, ellébore.

ALOSÉ, renommé.

ALOSER (soi), se vanter.

ALUCHIER, favoriser, placer.

AMBEDUI, AMBEDOUS, tous deux.

AMBLER, aller l'amble (allure où le cheval avance en même temps les deux jambes du même côté).

AMBLEÜRE, allure; possibilité de chevaucher (sens érotique).

AMENDISE, amende.

AMER, aimer.

AMMONE, aumône.

AMONT, en haut.

AMORDRE (soi), se risquer à, se mettre à, s'habituer à; amordre, engager à.

ANÇOIS, mais, avant; ançois que, avant que.

ANDUI, ANDOI, tous les deux.

ANE, cane.

ANEAX, ANEL, anneau.

ANEL, fondement.

ANGUISSIER, presser, tourmenter, harceler.

ANQUENUIT, ce soir.

ANVIS (a), malgré lui.

AOITE, avantage, profit.

AOURER, AORER, adorer, prier.

APAIER, faire la paix, accorder.

APAROLER, appeler.

APARTIENT (ne m'), n'est pas de ma famille.

APERT, évident.

APOIGNANT, piquant des éperons, en hâte.

APORT, provision, offrande.

APOSTOILE, pape.

APROISMIER, s'approcher de.

AQEUDRE (soi — au suen), se tenir à, s'associer à son parti.

ARAISONNER, ARAISNIER, adresser la parole.

ARAMIR, engager, prendre la parole.

ARCHERES, meurtrières par lesquelles l'on peut tirer à l'arc.

ARCIE, ARCHIE, portée d'un arc.

ARÇONS (monter es), faire l'amour.

ARDOIR, brûler.

ARDRE, voir ARDOIR.

AREE, labour; terre labourée.

ARENGIER, mettre en rang, en ordre de bataille.

ARME, âme.

ARNE, âne.

AROCHER, lancer un projectile contre quelqu'un, attaquer.

AROTER, AROUTER, mettre en troupe, rassembler pour mettre en route.

ART, artifice, ruse, art.

AS, aux.

ASEGIER, asseoir, disposer.

ASENS, sentiment, avis, idée.

ASÉS, beaucoup.

ASSENER, viser, atteindre, frapper.

ASEÜR, ASOÜR, en sécurité.

ASSOTER, rendre sot.

ATANT, alors.

ATARGER, s'attarder.

ATENPRER, *voir* ATREMPER.

ATIREMENT, accord, volonté, dessein.

ATIRIER, équiper, préparer, arranger, fixer.

ATORNER, préparer, équiper, établir, statuer.

ATOIVRE, bétail.

ATRAIRE, attirer, essayer de séduire.

ATREMPER, mêler, tremper.

AUGE, 3e *pers. du s. du prés. du subj. du v.* aller.

AUMONERE, sacoche de pèlerin.

AÜNER, réunir.

AUNER SES BURAUS, mesurer ses vêtements comme avec une aune, *i.e.* frapper avec un bâton, étriller.

AUQUES, un peu.

AUS, *pronom*, eux.

AUT, 3e *pers. du s. du prés. du subj. du v.* aller.

AUTORITÉ, confiance (que l'on inspire).

AUTRER, *voir* AUTRIER.

AUTRESI, aussi.

AUTRETEL, tel.

AUTRIER, l'autre jour, naguère.

AVAL, en bas.

AVALER, descendre; *a l'avaler!*, à terre!, en bas.

AVEL, désir, plaisir.

AVENABLE, convenable.

AVERSIER, AVRESIER, ennemi, adversaire, démon.

AVISER, regarder, reconnaître.

AVOI, *interjection*, eh là!

AVOIER, conduire, guider, marcher.

AVOUTIRE, AVOUTERE, adultère.

AVOUTRE, bâtard.

AVOUTRER, commettre un adultère, accuser de bâtardise.

AVRESIER, *voir* AVERSIER.

AX, *pronom*, eux.

AŸE, aide.

BAAILLIER, bâiller (de faim, de désir, de douleur).

BACELER, jeune homme, jeune noble.

BACON, pièce de lard.

BAELLIER, *voir* BAAILLIER.

BAILLE, enceinte.

BAILLER, prendre, saisir, porter, donner, livrer.

BAILLI, traité.

BAILLIE, pouvoir, manière.

BALANCE (en grant), en danger.

BALER, danser.

BAN, défense proclamée hautement.

BANDON (a), sans restriction, sans réserve, impétueusement; *mettre a bandon*, condamner, proscrire.

BARAT, ruse, tromperie.

BARBACANE, ouvrage avancé d'un système de fortification pour défendre une porte, un pont.

BARETERES, trompeur.

BARNAGE, BARNÉ, assemblée des barons.

BARNESSE, noble dame.

BARON, grand seigneur, mari, homme généreux et noble.

BASSET, à voix basse.

BATANT, immédiatement, vite.

BATRE (le crepon, la croupe), posséder charnellement.

BAUDOR, hardiesse, joie.

BAULIEVRE, balèvre, ensemble des deux lèvres.

BAUS, BALT, gai.

BAUS, BEAX, BIAX, beau.

BAUTESTAL, discussion.

BÉ, *déformation de* Dieu.

BEER, désirer, aspirer à, avoir la bouche ouverte.

BER, *cas sujet de* baron.

BERE, bière, cercueil.

BESLOY (mener a), tromper.

BIEVRE, castor.

BLANDIR, caresser, flatter.

BOBAN, orgueil, arrogance.

BOËLE, boyaux, entrailles.

BOFOI, orgueil, arrogance.

BOIDIE, tromperie.

BOISIER, tromper.

BOISIERRES, BOISERES, trompeur.

BOLE, tromperie.

BONTÉ, faveur, avantage, service, valeur.

BORDELERE, prostituée.

BORDON, bâton du pèlerin.

BORSE TROVEE (avoir), avoir bien de la chance.

BOT, BOZ, crapaud.

BOTER, BOUTER, pousser.

BOUET, BOUEL, conduit, boyau, trou.

BRACONER, valet de chien.

BRAIER, ceinture.

BRANCHE, partie du *Roman de Renard*.

BRANDELER, balancer.

BRAON, chair de la cuisse.

BREF, BRIEF, lettre, brevet.

BREMENT, BRIEMENT, brièvement.

BRERE, BRAIRE, crier.

BRICHE, mauvaise situation.

BRICON, sot, fou.

BROCE, broussaille, fourré.

BROCHER, éperonner.

BROION, BRAION, piège à gros gibier, traquenard.

BUCHETER, casser du bois en bûchettes.

BUER, pour mon, ton, son... bonheur, avec chance, avec raison.

BUÉS, bœuf.

BUFFET, soufflet.

ÇA, ici.

CAEL, CHAEL, jeune chien.

ÇAIENS, céans.

CAITIS, *voir* CHAITIF.

CAMBERERE, chambrière, servante, fille de peu.

CAMEL, chameau.

CAOIR, choir, tomber.

CAR, *avec un impératif, marque une requête pressante* : donc.

CARERE, CHARIERE, QUAR-RIERE, chemin de charrette, voie.

CARTRE, CHARTRE, prison.

CASCUNS, chacun.

CASTAX, château.

CASTÏER, CHASTÏER, instruire, réprimander, faire la leçon.

CASTOIVRE, CHASTOIVRE, ruche.

CAUT, CHAUT, *du v.* chaloir, importer.

CELERER, cellérier.

CEPEL, piège.

CERT, assuré, certain.

CERVOISE, bière.

CESTUI, celui-ci.

CEU, ce.

CEVOIL, cheveu.

CHA, çà.

CHAAIGNON, nuque (c'est notre *chignon*).

CHAALLER, traiter de manière injurieuse, traiter comme un petit chien.

CHACEÏS, poursuite.

CHAÏ, *passé simple du verbe* chaoir, tomber.

CHAIAUX, CHAEL, CHEAUX petit du renard, *ou* jeune chien.

CHAITIF, CHAITIS, CAITIS, prisonnier, malheureux.

CHAMER, se plaindre en justice.

CHAMP, combat singulier, bataille en champ clos.

CHAMPAIGNE, plaine.

CHAMPETER, combattre en champ clos.

CHAOIR, tomber.

CHAOIT, CHEOIT, *participe passé* de choir : tombé.

CHAON, nuque.

CHAR, viande.

CHARRA, *futur de* choir.

CHARRETIL, charrette.

CHARRIERE, *voir* CARERE.

CHASTÏER, *voir* CASTÏER.

CHEF, CHES, tête, bout, fin; *a chef de foiz*, un beau jour;

de chef en chef, d'un bout à l'autre.

CHEN, chien.

CHEOIT, *voir* CHAOIT.

CHEVECE, encolure, ouverture du cou.

CHEVEE ROCHE, creux de rocher, grotte.

CHEVELER, arracher le poil.

CHIERE, CHERE, *nom*, visage; *faire chiere*, avoir l'air.

CHIET, CHET, 3ᵉ *personne du s. du prés. de l'indic. du v.* choir.

CHOCIER, coucher.

CHOISIR, apercevoir.

CHOSE, testicules, coït; affaire, grief.

CHOSER, accuser, blâmer, quereller.

CHOÜ, CHEÜ, chu, tombé.

CIET, *voir* CHIET.

CIL, *démonstratif de l'éloignement*, ceux-là *ou* celui-là *ou* ce *(adj.)*.

CIS, CIST, *démonstratif de la proximité*, celui-ci, *ou* ceux-ci, *ou* ce *(adj.)*

CIT, cité.

CLAMER (soi), se plaindre, se proclamer.

CLAMOR, doléance, plainte en justice.

CLEIM, plainte.

CLÉS, taquet d'un piège.

CLINER, incliner, baisser.

CLOCER, CLOCHIER, boiter (cf. clochard, à cloche-pied).

CODRE, coudrier, noisetier.

COE, queue.

COIEMENT, tranquillement, en cachette.

COILLE, parties sexuelles.

COILLIR EN IRE, éprouver de la colère contre quelqu'un.

COINTE, brave, présomptueux; prudent, sage, habile; élégant.

COINTEMENT, avec élégance.

COLEE, coup (à l'origine sur le cou).

COLEÏCES, à glissière.

COLOIER, lever la tête, tendre le cou pour voir.

COMPAIGNE, compagnie.

CONBRER, saisir, retenir.

CONCHÏER, souiller, outrager, se jouer de.

CONCILE, assemblée.

CONDUIT, escorte, compagnie, sauf-conduit.

CONDUIT, polyphonie sur paroles latines.

CONFÉS, confessé.

CONFESSE, *nom*, confession.

CONFONDRE, détruire.

CONFORT, réconfort, encouragement, courage.

CONFORTER, réconforter, soutenir.

COMMUNAL, commun, qui est à tous.

COMPERER, payer.

CONPING, bourbier.

CONQUESTER, gagner.

CONROI, ordre, disposition, soin.

CONSALX, CONSAUS, conseil.

CONSITOR, assemblée solennelle (c'est le mot *consistoire*).

CONTENIR (soi), se conduire.

CONTENT, querelle, débat.

CONTOR, seigneur, comte.

CONTOR, ruse, détour.

CONTRAIRE, difficulté, contrariété, mésaventure.

CONTREDIT, *nom*, interdiction.

CONTREMANDER, s'excuser de ne pouvoir comparaître.

CONTREMONT, en remontant, en haut.

CONTRESTER, résister.

CONTRET, CONTRAIT, paralysé.

CONTREVAL, en bas.

CONTROVER, imaginer, inventer.

CONVENANT, convention.

CONVERSER, vivre, demeurer.

ÇOOIGNOLE, CEOIGNOLE,

piège à bascule, trébuchet (c'est notre mot *chignole*).

COP, *voir* COX.

COPE, faute.

CORAGE, CORACHE, cœur, sentiment, pensée.

CORONE, tonsure; *a corone*, en cercle.

CORS, COURS, course.

CORS SEINT, relique.

CORT, cour, siège de justice où l'on plaide.

CORTIL, jardin potager.

COS, coq.

COSTERE, flanc (d'une vallée.)

COSTOS, dépensier, difficile.

COSTURE, COTURE, terre cultivée.

ÇOU, ÇO, CE, cela.

COÜ, chu, tombé.

COUE, COE, queue.

ÇOULE, jeu de choule, sorte de jeu de boule (qu'on lançait avec un maillet)

COURRE, *nom*, bâton de coudrier.

COUS, coup.

COUTE, coussin, matelas, couette.

COUVERTURE, feinte, dissimulation.

COVINE, COUVINE, conduite, attitude.

COVOITÉ, convoitise.

COX, COUS, cocu.

CRAANTER, CREANTER, promettre, assurer.

CRAVANTER, écraser, abattre.

CREANT, promesse, engagement, créance due à quelqu'un.

CREMER, CREMIR, CRIEMBRE, craindre.

CREPON, reins, croupion.

CREVER (en parlant de l'aube), poindre.

CRI, réputation.

CRIEME, crainte.

CRIENT, CRENT, 3ᵉ *personne du s. du prés. de l'indic. du verbe* craindre.

CROISSIR, briser, rompre.

CROLER, agiter, secouer.

CROPERE, coup donné sur la croupe.

CROPIR, CROUPIR, être à croupetons.

CROT, CROZ, trou (sens obscène).

CROTE, CROUTE, caverne, trou, souterrain.

CRUÉS, *nom*, creux, trou.

CUDIER, *voir le mot suivant.*

CUIDIER, croire, s'imaginer.

CUMUNALEMENT, en commun, en général.

CURE, souci.

CUVERT, CUIVERT, canaille, maraud.

DAHEZ AIT, maudit soit.

DAMACHE, dommage.

DAMACHER, endommager.

DAMAJE, dommage.

DAMLEDEX, DAMEDEU, le seigneur Dieu.

DAN, DANT, DAM, seigneur, titre et rang de la noblesse (entre le comte et le baron).

DANREE, denrée, quantité d'une marchandise correspondant au prix d'un denier.

DE CI A, DE SI A, jusqu'à.

DÉ, Dieu.

DEÇOIVRE, DECEVOIR, tromper.

DEÇOÜ, déçu, trompé.

DEDUIRE (soi), se comporter, se réjouir.

DEDUIT, plaisir, amusement, divertissement.

DEFOIS (mettre en), s'opposer à.

DEFRIPER (soi), se démener, s'agiter.

DEFRIRE (soi), griller, brûler.

DEGROCIER, se fâcher, se plaindre.

DEGUERPIR, abandonner.

DEHAITIER, DEHETIER, affliger, attrister, désoler.

DEJOSTE, à côté.

DEJUS, en bas, en dessous.

DELEZ, à côté.

DELIT, plaisir.

DELIVRE, alerte, agile; libre, délivré.

DELIVREMENT, promptement, facilement.

DELS, DEUS, douleur.

DEMEINE (en), en personne; en son pouvoir.

DEMENTER (soi), se lamenter.

DEMORANCE, retard.

DEPARTIR, séparer.

DEPORT, plaisir.

DEPUTERE, de mauvaise race, pervers.

DERENNIER, DESRAISNIER, raconter; soutenir en justice; soutenir sa cause par les armes; converser; disputer.

DESBENDER, délier.

DESCONFORTER, abattre, décourager, désoler.

DESCONSEILLIÉ, déconcerté, découragé.

DESCONVENUE, incorrection, malheur, aventure fâcheuse.

DESCOPLER, détacher.

DESCORDE, DESCORT, discorde, dispute.

DESDIRE, renier, contredire, médire.

DESFAÉ, mécréant, misérable, maudit.

DESFERME SA MALE, ouvre sa malle, dit ce qu'il a à dire (cf. vider son sac).

DESFUBLER, ôter son manteau (en défaisant la broche qui le maintient).

DESJOCHER, sortir du juchoir.

DESLOËR, déconseiller, blâmer.

DESOIVRE, DESSOIVRE, du v. dessevrer, séparer.

DESORE, dessus.

DESPIT, mépris.

DES QUE, jusqu'à.

DESROCHIER, renverser, culbuter, forcer, détruire.

DESROI, dérèglement, violence, désordre, trouble, incorrection.

DESSERVIR, mériter.

DESTOR, lieu ou passage détourné.

DESTOUPER, déboucher.

DESTRE (aller a), marcher à la droite de, avoir le pas sur.

DESTRECE, douleur.

DESTREINDRE, serrer, presser, tourmenter.

DESTROIT, nom, défilé, passage étroit.

DESVOIER, égarer, donner le change.

DETRERE, tirer.

DETRERS, DETRES, derrière.

DEULT, DELT, DEUT, 3e pers. du s. du prés. de l'indic. du v. doloir, faire mal.

DEUS, nom, voir DUEL.

DEVÉ, DESVÉ, fou furieux.

DEVERIE, folie.

DEVERS (par), du côté de, près de.

DEVÏER, mourir, tuer.

DEVISE, convention, volonté, entretien, manière; par tel devise, ainsi; par tel devise que, à la condition que.

DEVISER, raconter, dicter, exposer, arranger.

DEVOIER, voir DESVOIER.

DIS, nom, jour (cf. vendredi, dimanche...)

DOINT, DOINST, DOIGNE, subj. du v. donner.

DOIS, table.

DOL, DOUS, voir DUEL.

DOLOIR, faire mal, s'affliger, souffrir.

DONE, nom, donation.

DONRAI, DORRAI, futur de donner.

DONT, donc, alors.

DONT, interrogatif, d'où.

DOTER, SOI DOTER, douter, redouter.

DRAS, vêtements.

DROIT FEIRE, régler un litige.

DROITURE, droit, ce qui est de droit, ce qui convient, bien légitime; droite.

DUEL, douleur, deuil.

DUREMENT, beaucoup, fort.

DUSQUE, jusque, jusqu'à ce que.

ECHARGAITIER, monter la garde.

EFORCEMENT, violence, force.

EIM, 1ʳᵉ pers. du s. du prés. de l'indic. du v. aimer.

EINC, jamais.

EINÇOIS, voir ANÇOIS.

EINS, EINZ, avant, mais; einz... que, plutôt que, avant que; eins mes, jamais.

EIRE, OIRRE, voyage.

EL, art. contracté, en le.

EL, autre chose.

ELLAIZ, voir ESLÉS.

ELS, eux.

EM, EN, on; l'en, l'on.

ENANGLÉ, serré dans un coin.

ENBATTRE, pousser, chasser.

ENBLER, dérober.

ENBRONCHIER, baisser, pencher (surtout en parlant du visage).

ENCHAUS, poursuite, chasse, poursuite amoureuse.

ENCLIN, incliné.

ENCLINER, s'incliner profondément.

ENCOMBRIER, nom, difficulté, dommage.

ENCONTRE (male), mauvaise rencontre, mauvaise chance.

ENCOPER, accuser, inculper.

ENCOR, maintenant, encore, un jour, encore une fois, aussi, pourtant.

ENCORRE, courir un danger.

ENCOSTE, auprès, à côté.

ENCRIME (felon), effroyable coquin, scélérat.

ENCROËR, accrocher, pendre, jucher.

ENCUI, aujourd'hui.

ENDEMENTIERS QUE, ENDEMENTRES QUE, ENDEMETERS QUE, pendant que.

ENFANCE, légèreté digne d'un enfant, folie.

ENFANTOSMER, ensorceler.

ENFERM, ENFERS, malade.

ENFERMETÉ, maladie, infirmité.

ENFONDRER, enfoncer, briser.

ENGANER, bafouer, tromper.

ENGIGNERES, ENGIGNEOR, trompeur.

ENGIN, ENGING, piège, ruse, intelligence, talent.

ENGINGNIER, tromper.

ENGRAIGNIER, augmenter, accélérer.

ENGRÉS, ardent.

ENHERMIR, désoler, ravager.

ENMI, au milieu de.

ENORTER, exhorter, conseiller.

ENOSSÉ, étranglé avec un os, mort étouffé.

ENPARLIER, orateur, avocat, qui a la parole facile.

ENPEINDRE, pousser, jeter avec violence.

ENPERERE, ENPERIERE, empereur.

ENPIRER, blâmer, accabler, endommager.

ENPRENDRE, entreprendre.

ENS, à l'intérieur.

ENSEMENT, pareillement.

ENSORQUETOT, par-dessus tout.

ENTALENTÉ, qui a un vif désir de.

ENTECHÉ, souillé, entaché.

ENTENDRE, comprendre.

ENTENTE, intention, pensée, désir, application.

ENTER, placer, faire entrer.

ENTESNIER, ENTAISNIER, entrer dans une tanière.

ENTICIER, exciter.

ENTOCHIER, piquer, toucher.

ENTREPRENDRE, mettre en difficultés, surprendre.

ENTRESAIT, ENTRESET, tout de suite.
ENVAÏE, attaque.
ENVERS (a), mal, de travers.
ENVERSÉ, tourné à la renverse.
ENVIAUS, tour, ruse.
ENVOISIER, se réjouir, s'amuser.
ERE, *imparfait du v.* être.
ERRANT, vite.
ERRAUMENT, aussitôt, vite.
ERRER, voyager, marcher.
ERT, *futur ou imparfait du v.* être.
ES VOS, ESTES VOS, voici.
ES, *art. contracté*, en les.
ESBANOIER, se divertir.
ESCACHIER, écraser, briser.
ESCAME, escabeau.
ESCHAR, plaisanterie.
ESCHARNIR, bafouer, railler.
ESCHAUGUETER, monter la garde.
ESCHERIE, partage, lot.
ESCHIS, ombrageux, qui fait des écarts.
ESCHIVER (soi), se dérober.
ESCÏENT (a), à dessein, en connaissance de cause.
ESCLAIRER (a l'), au lever du jour.
ESCLAVINE, vêtement de pèlerin fait d'une étoffe velue.
ESCLENCHE, gauche.
ESCLOT, sabot, empreinte du sabot, trace.
ESCOÉ, ESCOUÉ, privé de sa queue.
ESCOILLIER, châtrer.
ESCOLLE, école, condition.
ESCOLLÉ, instruit, habile.
ESCONDIRE (soi), se disculper.
ESCOPER, ESCOPIR, cracher, outrager.
ESCORPÏON, scorpion, fouet, instrument de torture.
ESCOTER, payer son écot.
ESCOUT, *du verbe* escoudre, secouer.

ESCREMIE, escrime.
ESCREPE, ESCHARPE, sacoche pendue au cou, bourse de pèlerin.
ESCRISIE, brisée.
ESCROPER, mutiler.
ESCUISSIER, casser la cuisse.
ESCUSER (soi), se tirer d'affaire.
ESERISIER (a l'), à la tombée de la nuit.
ESFORCEMENT, violence, force.
ESFROI, agitation, peur, abattement; *estre en esfroi*, se tourmenter.
ESGAIER (soi), s'écarter.
ESGARDER, considérer, décider, ordonner.
ESGART, jugement, arrêt, délibération, attention, examen minutieux; manière d'agir; *par esgart*, avec justice, équitablement; *faire esgart*, décider; *tenir l'esgart*, tenir conseil; *metre soi en l'esgart*, se soumettre au jugement de; *en l'esgart*, en face, vis-à-vis.
ESGRAMI, triste, fâché.
ESGRONDRE, gronder, faire un petit bruit pour attirer l'attention.
ESLAISSIÉ, à toute bride, en toute hâte.
ESLAISSIER, *voir* ESLESSIER.
ESLÉS, ESLAIS (a), de toutes ses forces, à vive allure.
ESLEESCIER, réjouir, manifester sa joie.
ESLESSIER (soi), s'élancer, fondre.
ESLEÜ, élu, choisi.
ESMAIER, effrayer, inquiéter.
ESMÏER, mettre en miettes.
ESMOCHIER (soi), se garantir, se battre (*à l'origine*, chasser les mouches).
ESPARDRE, étendre.
ESPERITAL, ESPERITABLE, spirituel.
ESPÏÉ, en épis.

ESPLOIT (a), rapidement.

ESPLOITIER, agir, agir avec ardeur et rapidité, s'empresser.

ESPOIR, *adv.* peut-être.

ESPOIT, broche.

ESPRENDRE, s'enflammer, incendier.

ESQACHIER, briser, écraser.

ESSART, espace défriché.

ESSAUCIER, EXAUCHIER, élever, glorifier.

ESSOINE, ESSOIGNE, excuse.

ESSONBRE, obscurité.

ESTABLE, ferme.

ESTABLETÉ, certitude.

ESTAL (livrer), défier au combat, attaquer, livrer bataille.

ESTANS, sec, séché.

ESTANT (en, en son), debout, immobile.

ESTENDEILLIER (soi), s'étirer.

ESTER, se tenir debout, être, rester; *laissiez ester*, renoncez à votre projet, ne vous inquiétez pas de; *esta*, 3ᵉ pers. du s. du prés. de l'indic., ou forme de l'impératif pour commander le silence ou l'arrêt (halte); *en estant*, debout, immobile.

ESTERLIN, monnaie anglaise.

ESTESTER, décapiter.

ESTOIRE, histoire.

ESTONER, retentir, tonner.

ESTOR, bataille, attaque, mêlée, tumulte.

ESTORDRE, échapper.

ESTORMI, réveillé, mis en déroute.

ESTOT, ESTOZ, hardi, audacieux.

ESTOTIE, propos hardi et mensonger, folie.

ESTOVOIT, il fallait.

ESTRACE, origine, race.

ESTRAINE (a bonne), de belle manière.

ESTRANGE, étranger.

ESTRAYER, aller librement.

ESTRE, *nom*, lieu.

ESTRIVER, lutter contre, s'efforcer.

ESTROUX (tout a), parfaitement, certainement.

ESTUET, ESTEUT, *du v.* estovoir, il faut.

ESTUI, resserre, garde-manger.

ESTUT, il fallut.

EÜR, chance.

EUZ, yeux.

EVE, eau.

EZ, voici.

FAÇOIZ, *subjonctif prés. du v. faire*, fassiez.

FAILLE, faute.

FAIRE (LE), faire l'acte amoureux (*cf.* faire cela, faire la chose).

FART, tromperie, déguisement.

FAUDESTUET, siège royal.

FAUSET, voix haute et perçante.

FAUT, 3ᵉ *pers. du s. de l'indic. prés. du verbe* faillir, manquer, échouer.

FAUTRE, point d'appui de la lance.

FAUVE ANESSE, hypocrisie, fausseté.

FAVELE, hâblerie.

FAZ, 1ᵉʳ *pers. du prés. de l'indic. du v.* faire.

FEL, félon, cruel.

FENIR, finir.

FERA, 1ᵉʳ *ou* 3ᵉ *pers. du futur de* faire.

FERIR, frapper *(le mot peut avoir un sens obscène)*.

FERMIR, frémir.

FERRÉ (chemin,) grand-route.

FERTÉ, forteresse.

FES, fardeau, charge, entreprise difficile; *tot a un fes*, ensemble, d'un seul coup.

FESTU (rompre le), *ici*, pour rendre l'engagement plus solennel.

FI, certain; *de fi*, avec certitude.

FÏANCE, confiance, certitude.

FICHIER, se précipiter, transpercer.

FIENS, fumier.

FIERT, 3ᵉ pers. du s. du prés. de l'indic. du v. ferir, frapper (cf. sans coup férir).

FINER, finir, cesser.

FLAEL, fléau, bâton.

FLAIRIER, exhaler une odeur, puer.

FLICHE, flèche de lard.

FOISON (male), petite quantité.

FOLER, mutiler, maltraiter, outrager.

FOLER LA VANDANGE, faire l'acte sexuel.

FORCE, grand ciseau.

FORCE, FORCHE, fourche.

FORCE (a), avec vigueur.

FOREIN, étranger, extérieur.

FORFAIRE, causer du tort.

FORMACHE, FORMAGE, fromage.

FORMENT, beaucoup, fortement.

FORMÏER, fourmiller.

FORNIER, celui qui tient un four banal, boulanger, pâtissier.

FORS, prép., sauf; adv., dehors.

FORSJUGER, condamner irrégulièrement.

FORTRAIRE, enlever, soustraire.

FOU, nom, hêtre.

FOU, nom, feu.

FOUTRE, FOTRE, posséder charnellement.

FOX, fou.

FOYEE, FOIEE, FIEE, fois.

FRAITE, ouverture, brèche.

FRANC, FRANS, noble.

FRANCISSE, FRANCHISE, noblesse, générosité.

FRAPE, ruse; male frape, mauvais pas (cf. fiere frape).

FRAPIER (soi metre au), prendre la fuite.

FREMÏER, FORMÏER, frissonner, avoir des picotements.

FREPE, guenille.

FRIAND, se dit de personnes ardentes au plaisir, gourmandes.

FRIÇON, frayeur.

FROISSIER, briser, rompre.

FRONCHIER, renifler.

FRUME, tromperie, ruse; mauvaise mine, grimace.

FUERRE, paille, fourrage; aler en fuerre, aller en quête.

FUIRON, furet.

FUSICÏEN, médecin.

FUST, bois, pièce de bois, tronc.

FUSTER, fustiger, battre de verges.

GAAIGNERIE, prairie.

GAB, GABET, plaisanterie, farce.

GAIGNON, GAINNON, mâtin, mauvais diable.

GAÏN (fromage de—), fromage d'automne fait au moment où le lait est le plus gras.

GAITE, guetteur.

GAMBOISEES, matelassées et piquées.

GANDIR, s'enfuir, s'échapper.

GARÇON, GARS, valet de bas étage.

GARDE (avoir), avoir peur, craindre.

GARDER, regarder, se garder; garder (que), prendre garde que, veiller à ce que.

GARIR, garantir, sauver, échapper au danger, se sauver, approvisionner.

GARISON, défense, salut, remède, moyens, entretien, provisions, vivres.

GARMENTER, se lamenter.

GARRA, futur de garir.

GART, 3ᵉ pers. du s. du prés. du subj. de garder.

GAST (metre a), détruire, dilapider.

GASTE, dévasté, désert, inculte.

GAUDINE, lande boisée.

GELINE, poule.

GENCHE, GUENCHE, ruse, tromperie, détour.
GENTIL, noble.
GERNON, *voir* GRENONS.
GERRE, guerre.
GESTE, faits, actions mémorables; poèmes; groupe de traditions épiques; famille.
GIENT, 3ᵉ *pers. du s. du prés. de l'indic. du v.* geindre.
GIEZ, patte d'ours.
GILE, GUILE, ruse.
GIRON, devant du vêtement.
GIRRA, *futur de* gésir.
GITE, *verbe*, jette.
GLATIR, crier, hurler.
GLOS, GLOT, GLOZ, glouton, terme d'injure (canaille, brigand).
GODITOËT, *expression anglaise*, Dieu le sait.
GONE, longue cotte.
GONNELE, paletot, peau.
GRACÏER, rendre grâces, remercier.
GRAFE, burin.
GRAILE, trompette ou cor qui rendait un ton aigu.
GRAIN, *adj.*, affligé, de mauvaise humeur, en colère.
GRAINDRE, GREGNOR, GRAIGNEUR, GRANOR, plus grand.
GRANDIME, GRANDESME, très grand.
GRELLE DOIT, index.
GRENONS, GUERNONS, moustaches, mâchoires.
GRESILLON, grillon.
GRIEF, GREF, pénible, douloureux, triste.
GRIS, petit-gris, sorte d'écureuil.
GROCIER, grogner, protester.
GRONDRE, gronder, grogner.
GUEINCHOIS (faire le tour), s'enfuir.
GUENCHIR, GUENCIR, obliquer, se détourner, échapper par un détour.
GUERPIR, GERPIR, laisser, quitter, renoncer à

GUERPILAGE, GORPILLAJE, caractère, mœurs du goupil, tromperie.
GUERREDON, récompense.
GUERREDONNER, récompenser.
GUICET, guichet, porte basse.
GUICHE, ruse, finesse.
GUISE, manière.

HACE, *subj. du v.* haïr.
HACHIE, HACHIEE, peine, tourment.
HAEZ, *ind. pr. du v.* haïr.
HAIESIER, *voir* AAISIER.
HAITIÉ, content, bien portant, guéri.
HANTIN, séjour, lieu où se trouvent des volailles.
HAOIT, *imparfait du v.* haïr.
HARDEMENT, audace, hardiesse.
HARDILLONS, chapelets d'anguilles.
HART, corde pour pendre.
HASCHIE, *voir* HACHIE.
HASTEREL, HATEREL, HATER|EAX, HATERIAUX, nuque, tête.
HEE, *subj. du v.* haïr.
HERBERGIER, installer, loger.
HERCIER, frapper, tirer, percer, blesser.
HERENS, harengs.
HERITES, hérétique.
HESE, HAISE, barrière, clôture.
HIDE, épouvante.
HOCHIER, remuer.
HORDEÏS, galeries de bois élevées sur un mur de château pour permettre à ses défenseurs d'en battre le pied.
HOUCEPIGNIER, houspiller, battre.
HOURDER, palissader, fortifier.
HOUSIAUX, bottes.
HUCHIER, crier, faire venir.
HUI, aujourd'hui.
HUIER, huer, exciter par des cris.

HUIMES, maintenant, désormais.

HUIS, porte.

IAUS, *pronom*, eux.

IERT, *futur ou imparfait du v.* être.

IES, 2e *pers. du s. du présent de l'indic. du v.* être.

ILEC, ILEQUES, là.

ILOC, ILOQUES, là.

IRASCU, en colère.

IREEMENT, avec colère.

IRESTRE, irriter.

ISNEL, INNEL, INNEAX, rapide.

ISSI, *adv., forme de* einsi.

ISSI, 1er *ou* 3e *pers. du s. du passé simple du v.* issir, sortir.

IST, 3e *pers. du s. du prés. de l'indic. du v.* issir, sortir.

ITANT, alors.

ISTROIS, 5e *pers. du futur de* issir.

JA, déjà, autrefois; maintenant; bientôt; assurément.

JAEL, femme publique.

JALOIE, mesure pour liquides, environ un seau.

JANBET, croc-en-jambe.

JANGLERES, bavard, hâbleur, médisant.

JANGLOIS, bavardage.

JEI, je.

JEL, je le.

JERRAI, *futur du v.* gésir.

JES, je les.

JETER HASART ARRERE MAIN, *terme de jeu :* jeter un mauvais coup de dés, *ici,* avoir mauvaise chance.

JOGLERES, JOGLEOR, jongleur.

JOIANZ, joyeux.

JOINTE, degré, intervalle de hauteur musicale.

JONCHERE, lieu où poussent les joncs.

JUGLERE(S), jongleur.

JUI, *adv.*, aujourd'hui, maintenant.

JUI, JUT, JUST, *passé simple du v.* gésir.

JUÏSE, JOÏSE, jugement, épreuve judiciaire.

JUS, en bas.

JUSTICIER, gouverner.

LABOR, labeur, travail.

LAC, LAS, LAZ, lacet, filet (*cf.* tomber dans le lac).

LAÇON, lacet.

LAIDENGIER, injurier, maltraiter.

LAIDURE, injures.

LAIENS, là.

LAIER, LAIRE, laisser, abandonner.

LAIS, *nom*, legs.

LARDER, *verbe*, frire, comme du lard, faire tort à.

LARDER, *nom*, garde-manger.

LAS, LAZ, *adj. ou nom*, malheureux.

LÉ, *adj.*, large.

LECHERES, LECERES, homme livré à la débauche ou à la gourmandise, terme d'injure.

LECHERIE, gourmandise, luxure.

LEDENGIER, *voir* LAIDENGIER.

LEEMENT, LIEMENT, joyeusement.

LEENS, LAIENS, LAENZ, làdedans.

LERAI, LERRAI, LAIRAI, *futur du v.* laier.

LERES, LERRE, larron.

LERME, larme.

LES, LEZ, *prép.*, près de (*cf.* Plessis-les-Tours).

LET, LAIT (faire), faire dommage.

LEUS, *nom*, loup.

LEUS, *nom*, lieu.

LI. *pronom*, lui *ou* elle.

LÏANCE, hommage lige, obligation.

LICE, barrière, palissade placée en avant du mur d'une place forte.

LIÉ, joyeux.

LIEMENT, joyeusement.

LIGE, vassal qui a promis à son seigneur toute fidélité contre qui que ce soit, sans restriction.

LISSE, LICE, femelle de chien de chasse.

LIVROISON, compte, fourniture, remise.

LO, 1re pers. du s. du prés. de l'indic. du v. loer, conseiller.

LOBER, tromper, railler.

LOCHIER, LOCIER, se soulever, se détacher.

LOGE, tente, cabane.

LOI, religion, coutume, serment.

LOIER, nom, récompense, salaire (c'est notre loyer).

LOIER, verbe, lier, attacher.

LOPE, LOUPE (faire la), faire la grimace.

LOS (a son), d'une manière digne d'approbation.

LOSENGER, nom, flatteur, trompeur.

LOSENGIER, flatter, tromper par des flatteries.

LOUFFES, railleries, moqueries.

LOUVIAUS, louveteaux.

LOVIERE, tanière du loup, piège à loups.

LUES, là.

LUI souvent employé pour elle.

LUIT, participe passé de luire, couvrir (la brebis), en parlant du bélier.

LUITE, lutte.

LUS, brochets.

LUT, 3e pers. du s. du passé simple de loisir, être permis.

MAILLE, nom, petite monnaie valant un demi-denier (cf. sans sou ni maille).

MAILLIER, frapper avec un maillet.

MAINBOURNIR, administrer.

MAINS, adv. moins.

MAIS, MES, adv., davantage, à l'avenir, jamais; ne... mais, ne... plus : onques mais, ains mais, jamais; mais hui, désormais; ne mais que, si ce n'est que, sauf; mais que, à condition que.

MAL, MAUS, adj., mauvais.

MALAGE, maladie, souffrance.

MALBAILLI, maltraité, mal loti.

MALDEHEIT AIT, maudit soit.

MALE VEUE (aler, aler a, en), mauvaise situation.

MALEOIT, maudit.

MALFÉ, diable.

MALOSTRU, infortuné.

MANACIER, menacer.

MANAGE, MESNAGE, maison, demeure, habitants d'une maison, famille, meuble, ustensile.

MANAIE, merci, pitié.

MANC, manchot, privé d'un membre.

MANERES (erbes de), toutes sortes d'herbes, simples.

MANGONNEAX, machines de guerre.

MANOIR, verbe, demeurer.

MANUIER, habile.

MAR, pour (mon, ton, son...) malheur, à tort. Peut être l'équivalent d'une négation.

MARCHE, terre, province.

MAREMENT, douleur, déplaisir.

MARTIRIER, martyriser, tourmenter.

MAT, abattu, vaincu.

MATER, vaincre, dompter.

MAUTALENT, colère, dépit.

MAUX, mal.

MECINE, remède.

MEENIÉ, MEHAINGNIÉ, MAENNIÉ, mutilé, blessé, malade.

MEESME (par), directement, à bonne hauteur.

MEFFET, faute, tort, méfait.

MEIN (tierce), tierce personne.

MEINS, moins.

MEINTENANT, sur-le-champ.

MELLER, MESLER, brouiller, semer la discorde.

MENÇOIGNE, mensonge.

MENDRE, moindre.

MENGÜE, MENJUE, MAN-JUE, 3ᵉ *pers. du s. de l'in-dic. prés.* de manger.

MERCI, grâce, pitié, miséri-corde.

MEREL MESTRAIT, mauvais jeu, faux coup.

MES, *voir* MAIS

MESAESMER,MESAASMER, traiter honteusement.

MESCHEANCE, MES-CEANCE, malchance.

MESCHIEF, infortune, dom-mage.

MESCHINE, MESCINE, jeune fille ou jeune femme, femme ou fille de la noblesse, servante.

MESCOÜ (il li est —), il lui est arrivé une mésaventure.

MESCROIRE, ne pas croire, soupçonner.

MESEL, lépreux, terme d'in-jure.

MESESE, malheur, chagrin.

MESESTANCE, désagrément.

MESHUI, dorénavant, désor-mais.

MESNEE, MESNIE, famille, suite, domesticité.

MESNIL, maison.

MESPRENDRE, commettre une faute, manquer à quel-qu'un.

MESPRESURE, faute, tort.

MESPRISON, méprise, faute.

MESSAJE, messager, message, fonction de messager.

MESTIER (avoir), être utile à quelqu'un, avoir besoin de.

MEÜ, *part. passé du v.* movoir.

MEUDRE, MIELDRE, meil-leur.

MEÜRER, mûrir, s'amender.

MEUS, MEUZ, mieux.

MIE, chair molle ; *ailleurs, c'est*

un renforçant de la négation.

MIRE, médecin.

MIRER, regarder, admirer.

MIS, *adj. possessif,* mon.

MOE, moue, grimace ; *faire la moe,* se moquer de.

MOIE, mienne.

MOIE CORPE, mea culpa.

MOIENEL, MOIENAX, petit cor de chasse.

MOIGNE, moine.

MOILLIER, *nom,* épouse.

MOLESTE, grief, dommage.

MON, *particule affirmative.*

MONT, monde.

MONTEE, monte, saillie.

MOSTELE, belette.

MOSTIER, monastère, église.

MOT (n'en savoir), avant de bien se rendre compte des choses, avant de savoir ce qui arrive, inconsciemment.

MOTE, colline, hauteur.

MOVOIR, se mettre en route, partir, causer, soulever, pro-voquer (une querelle, une guerre).

MUCHIER, MUCIER, cacher.

MUE (en), à l'abri.

MUIR, 1ʳᵉ *pers. du prés. de l'in-dic. du v.* mourir.

MUIRE, *inf.,* mugir, crier.

MUSART, étourdi, nigaud.

MUSE (faire la), tromper.

MUSER, être distrait, s'amuser.

MUSTEL, MUSTEAX, gras de la jambe.

NACES, NACHES, fesses.

NAI, NAIE, non.

NAVRER, blesser.

NE, *conjonction,* ni, ou, et.

NEÏS, pas même, même, encore.

NEL, ne le.

NENIL, NANIL, non.

NEPOROC, néanmoins.

NEPORQANT, NEPOUR-QUANT, néanmoins.

NEQUEDENT, pourtant.

NES, *voir* NEÏS.

NES, ne les.

NESUN, NEISUN, NISUN, aucun, quelque; personne.

NIES, NIEZ, neveu.

NIGROMANCE, magie, sorcellerie.

NOÇOIER, épouser.

NOER, nager.

NOIENT, NEENT, rien, néant; *peut avoir le sens positif de* quelque chose.

NOIER, nier.

NOIF, neige.

NOISE, bruit, tapage, querelle.

NOISOUS, querelleur, bruyant.

NON (par), formellement.

NONE, environ trois heures de l'après-midi.

NORECON, bête à l'engrais.

NOVEL (de), bientôt, à brève échéance, récemment.

NUISEMENT, dommage, détriment.

NUL, NUS, *peut avoir le sens de* quelque, quelqu'un.

O, *préposition*, avec; *adv. relatif*, où; *conjonction de coord.*, ou bien.

OBEDIENCE, obéissance.

OÉ, OUE, oie.

OEILLE, brebis (*cf.* ouailles).

OEN, OAN, OUAN, cette année, à présent.

OÉS, UÉS, utilité.

OI, 1re *pers. du s. du prés. de l'indic. du v.* OÏR, entendre, ou *du passé simple du v.* avoir.

OÏ, 1re *ou* 3e *pers. du s. du passé simple du v.* OÏR.

OIANCE, audience.

OIGNEMENT, onguent.

OIRE, OIRRE, ERRE, chemin, voyage; *de grant oire, grant erre, de bonne erre*, en hâte.

OISSIR, sortir (*cf.* issir).

OISSU, issu.

ONC, jamais.

OR, ORE, ORES, *adv.*, maintenant; *peut renforcer l'impératif.*

ORAI, ORA, *futur d'*OÏR, entendre.

ORALLE, *voir le suivant.*

OREILLE, lisière, orée du bois.

OREILLIER, prêter l'oreille, écouter.

OREINS, OREINZ, tout à l'heure, il y a peu de temps.

ORENDROIT, maintenant, désormais.

ORER, OURER, prier, souhaiter, demander.

ORGUENER, chanter, chanter la seconde partie d'une polyphonie à 3 voix.

ORINAL, urinal.

ORINE, origine.

ORNE (a), à la suite.

ORRAI, *futur du v.* ouïr.

ORS, *nom*, ours.

ORT, ORD, répugnant.

OS, *adj.*, audacieux.

OS, OST, HOST, armée, assemblée.

OSTELER, héberger.

OSTOR, autour.

OT, 3e *personne soit du prés. de l'indic. du verbe* oïr, *soit du passé simple du verbe* avoir. OT *est souvent l'équivalent de* il y eut.

OTTROIER, accorder, octroyer, consentir.

OU, *art.*, en le.

OU VOIT, dès qu'il (elle) voit.

OUAN, *voir* OEN.

OULTRAGE, excès, présomption, témérité.

OÜR, *voir* EÜR.

OURNE, *voir* ORNE.

OUS, *pronom*, eux.

OUT, *voir* OT.

OUTRAGE, *voir* OULTRAGE.

OUTREE, en avant!

OVRE, *peut avoir un sens obcène*, acte vénérien.

OVRER, *nom*, ouvrier.

OVRER, *verbe*, agir.

PAILLER, paille de la basse-cour.

PALEFROI, cheval de voyage.

PAR, *particule augmentative et*

jouant le rôle d'un superlatif.
PARFONT, profond.
PARSOME, total, fin; *a la par-*
some, en conclusion, en
somme.
PART (de male), avoir une mau-
vaise nature.
PARTENCIER, discuter jus-
qu'au bout, vider une querelle.
PARTIR, partager (*cf.* répartir).
PAS, passage (*cf.* le pas de la
mort).
PASSET, marche régulière au
pas.
PAUMER, PALMIER, pèlerin.
PAUTONER, gueux, vagabond.
PECUNAILLE, argent, ri-
chesse.
PEIOR, pire.
PEL, peau.
PEL, PEX, PIEX, pieu, épieu.
PELIÇON, pelisse, vêtement de
dessous pour le buste, doublé
de fourrure, sorte de chandail.
PELOTE (jeu de), jeu de balle.
PENDANT, penchant, côté,
colline, descente, montée; tes-
ticule.
PENDRE A l'UEIL, menacer.
PENÉ, maltraité.
PERECOUS, paresseux, lâche.
PERIERE, machine de guerre.
PERNÉS *pour* PRENEZ.
PERTUIS, trou.
PESANCE, peine, affliction.
PESAZ, tige de pois.
PETIT, *adv.* peu; *a bien petit que,*
par un petit, il s'en faut de bien
peu que.
PETITET (un), un tout petit
peu.
PEUS, poil.
PIEÇA, il y a longtemps que.
PIECE (molt grant), un très
long moment.
PIEX, pieux.
PILET, dard, javelot, trait d'ar-
balète.
PINNE, PIGNE, peigne.
PLACE, 1re *ou* 3e *pers. du s. du*
subj. prés. de plaire.

PLAGNE, plaine.
PLAIER, couvrir de plaies, bles-
ser.
PLAISSIÉ, PLASCIÉ, PLAS-
SEÏZ, clôture faite de buissons
entrelacés, enclos fermé de
haies.
PLAIT, PLET, parole, querelle,
accord, affaire, procès, tribu-
nal du roi, assises, mauvais
tour, état, situation.
PLAÏZ, plie, poisson.
PLANÇON, tige.
PLEGE, garant, caution.
PLEIN, PLAIN, *nom,* plaine,
terrain libre.
PLEIN (a), entièrement.
PLENIER, complet, grant, vaste.
PLENTÉ, abondance, multitude.
PLESSIER, courber, accabler.
PLEVINE, garantie.
PLEVIR, promettre, jurer.
PLOIER, plier, déployer.
POE, patte.
POGNANT, *voir* POINDRE.
POI, 1re *pers. du s. du passé*
simple de l'indic. du v. pouvoir.
POI, PO, POU, peu; *a poi, par*
pou, il s'en faut de peu que.
POILLIER, malmener.
POINDRE, piquer des éperons,
piquer.
POÏR, *voir* PUÏR.
POIRE, *v.,* péter.
POISE, *nom,* balance.
POISON, boisson, breuvage salu-
taire, potion.
POÏST, 3e *pers. du subj. impar-*
fait du v. pouvoir.
POISTRON, derrière, croupe.
POOIR, pouvoir.
POOR, peur.
POON, paon.
PORCHACIER, POURCHA-
CIER, rechercher, réunir,
pourchasser, chercher à obte-
nir, poursuivre avec ardeur;
soi porchacier, se tourmenter,
se procurer...
PORCHAZ, action, effort, quête,
recherche.

PORPENSER, méditer, réfléchir.

PORQUERRE (soi), se mettre en peine.

PORT, défilé.

POTENCE, bâton, béquille.

POUDRE, poussière.

POUDRIERE, tas de poussière, bourrier.

POURPRIS, enclos.

PRAEL, pré.

PREMEREIN, premier.

PRENDRE A, commencer à; *prendre et partir*, se sauver.

PREU, PROU, *adj.*, utile, courageux.

PREU, *adv.*, assez, beaucoup (*cf.* peu ou prou).

PREU, PROU, *nom*, profit, avantage.

PRIMES (a), d'abord.

PRISON, prisonnier.

PRIVÉ, familier, parent.

PRIVEEMENT, en se cachant.

PRODOME, homme sage et loyal, homme de bien, « honnête homme ».

PROIER, prier.

PROISIER, priser, apprécier, faire cas de.

PROVOIRE, PROUVOIRE, prêtre (*cf.* la rue des Prouvaires).

PUÏR (POÏR) SES JEUS (faire), faire repentir de.

PUISQUE, après que, dès que.

PULENT, infect.

PUNAIS, PUGNAIS, puant.

PURE, *nom*, pure vérité.

PUT, PUTE, *adj.* mauvais.

QUANQUE, tout ce que, tout ce qui.

QUANT, lorsque, puisque.

QUASSIER, blesser, estropier.

QUATIR (soi), se cacher.

QUE, *peut signifier :* car, *ou* ce qui, ce que, *ou :* de quoi (*ex :* n'a vant donner ne qu'acheter). *L'expression* faire que fous *signifie :* agir en fou,

faire ce que ferait un fou. *Que... que... que,* aussi bien... que... et...

QUEIL, quel.

QUEL, que le, qui le.

QUE QUE, pendant que *ou* quoi que.

QUEREAX, carreaux, flèches.

QUERNEAX, créneaux.

QUERRE, chercher.

QUES, qui les *ou* que les.

QUESTRE, bâtard.

QUEU, cuisinier (*cf.* maître-queux).

QUIDIER, *voir* CUIDIER.

QUIER, *du v.* querre, chercher, prier (*cf.* je requiers).

QUIEX, quel, ce que.

QUIL, qui le.

QUI QUE, qui que ce soit qui.

QUIS, *part. passé,* cherché.

QUIT, je crois, je pense.

QUITE, tranquille.

QUITEMENT, librement, sans charge ni redevance, complètement.

QUITTIER, libérer, absoudre, acquitter, céder.

RAGE, tumulte.

RAIERE, rigole.

RAIM, rameau, brin, rejeton.

RAION, fossé, rigole.

RAISON, parole, propos; *metre a raison,* adresser la parole.

RAMENTEVOIR, rappeler.

RAMPONE, RANSPRONE, quolibet, raillerie.

RANDON (de), avec impétuosité, avec rapidité: *être en mal randon,* être mal parti, être en mauvaise posture.

RE, R-, *préfixe, a souvent le sens de :* de son (mon, ton) côté.

REBRACIER, retrousser (sa manche ou son vêtement).

RECET, logis, refuge.

RECIGNIER, RECHIGNIER, découvrir (les dents), montrer les dents en grimaçant.

RECLAMER, implorer, supplier.

RECORCIER, retrousser.

RECRAANT, RECREANT, s'avouant vaincu, renonçant, lâche, épuisé.

RECROIRE (soi), se lasser, s'arrêter, s'avouer vaincu.

RECTORÏEN, rhétoricien, savant.

RECUIT, RECUIZ, madré, roublard.

REE, rayon de miel.

REGARDER (soi), regarder autour de soi.

REGEHIR, confesser.

REHUSER, reculer, s'éloigner.

REMEINDRE, *voir* REMANOIR, rester.

REMEINT, 3e *pers. du s. du pr. de l'indic. de* remanoir, rester.

REMEIS, REMES, 1re *pers. du s. du passé simple ou participe passé de* remanoir, rester.

REMEIST, REMEST, 3e *pers. du s. du passé simple de* remanoir, rester.

RENDATION, couvent, maison religieuse.

RENDU, moine.

RENEIÉ, RENOIÉ, infidèle, traître, pervers.

REPAIRIER, revenir.

REPASSER, guérir.

REPENTISON, repentir.

REPOST, caché.

REPROVIER, reproche, proverbe.

REQUERRE, prier, rechercher, attaquer.

REQUOI (en), à part, en secret.

RERE, raser.

RES A RES, tout contre.

RESCORE, RESCORRE, délivrer, sauver.

RESGART, attention, crainte.

RESOGNIER, RESOINGNIER, RESOIGNIER, respecter, craindre.

RESOIN, crainte, appréhension, souci.

RESPIT, délai.

RESPITIER, prolonger, remettre, accorder un répit, différer.

RESVERTÜER (soi), reprendre ses forces.

RETER, accuser.

RETRAIRE, raconter, retirer, revenir.

RETRET, RETRAIT, *part. passé de* retraire.

REÜSER, se dérober.

REVEL, révolte, violence.

REVERCHIER, fouiller.

REZ, RES, *nom*, pleine mesure, botte.

REZ, RES, *adj.*, rasé.

RIEN *a souvent le sens positif de* chose.

RIVE, bord du puits.

ROËLE, petite roue, roue, roue de la Fortune.

ROILER, secouer.

ROIS, filet.

ROISEL, filet fin.

ROLLEÏZ, palissade de troncs horizontaux.

ROMANZ, français (opposé au latin).

RONCIN, cheval de charge, de peu de valeur.

ROOINGNIÉ, rasé.

ROTE, ROUTE, troupe, compagnie.

ROTRUENGE, chanson à refrain, ritournelle.

ROVER, ROUVER, demander, ordonner.

ROVOISONS, rogations.

RUER, jeter, lancer.

RUEVE, 3e *pers. du s. du prés. de l'indic. du v.* rover.

SA, *verbe*, 1re *pers. du prés. de l'indic. de* savoir.

SACHIER, tirer.

SAILLIR, SALIR, sauter.

SAINE, *voir* SENE.

SAINTEFÏER, sanctifier.

SAINTIME, très saint.

SAINTUAIRES, SEIN-

TUAIRE, reliquaire, relique.
SAIVE, sage.
SAJETE, SAIETE, flèche.
SANER, guérir.
SAOL, rassasié (*cf.* manger tout son soûl).
SAUS, sauvé, sain et sauf.
SAUT (DIEX VOS), Dieu vous sauve!
SAUTER, *nom*, psautier.
SEEL, seau.
SEGNIER, faire le signe de la croix.
SEICLE, *voir* SIECLE.
SEINZ, relique; pèlerinage vers un saint.
SEJORNÉ, *adj.*, vigoureux, reposé, dodu.
SEJORNER, se reposer, attendre.
SEL, se le (se *est la conjonction moderne* si) *ou* si le (si *est un adverbe*).
SELLE, seille.
SELT, SEULT, 3e *pers. du s. du prés. de l'indic. du v.* soloir, avoir l'habitude.
SEMONCE, assignation en justice.
SEMONDRE, avertir, sermonner, exciter.
SEMPRES, aussitôt.
SEN, intelligence, manière, sens, état.
SENBLANCE, semblant, apparence, manière.
SENE, SENNE, SANE, *nom*, synode, assemblée de prêtres.
SENÉ, *adj.*, sensé, prudent.
SENGLER, sanglier.
SE... NON, sinon.
SENTE, SENTELE, chemin, sentier.
SEOIR, être assis, être situé.
SERDRE, s'accoupler.
SERGENT, SERJANT, serviteur *ou* homme d'armes non noble.
SERMONNIER, prêcheur.
SERRE, *nom*, serrure.
SES, *adj. possessif*, son *ou* ses.

SES, si les.
SESINE, SAISINE, possession.
SETE, bête puante.
SEULT, 3e *pers. du s. du prés. de l'indic. du v.* soloir.
SEURONDÉ, plein à déborder.
SEUT, SIUT, suit.
SEVENT, 3e *pers. du pl. du prés. de l'indic. du v.* savoir.
SI, *adj., poss.* ses.
SI, S', SE, *adv.*, ainsi, aussi, pourtant, alors, et.
SIECLE, SIEGLE, SECLE, monde, vie terrestre.
SIL, si le.
SI QUE, en sorte que, si bien que.
SIS, *adj. possessif*, son.
SIVEZ, SIVI..., *formes du verbe* suivre.
SOAVET, doucement.
SOE, sienne.
SOËF, doucement.
SOENTRE, après, à la suite.
SOFACHIER, SOUFFACHIER, soulager, soulever.
SOI, 1re *pers. du passé simple de* savoir.
SOI, SOIF, haie renforcée de piquets, clôture.
SOIER, couper.
SOIGNANT, maîtresse, concubine, adultère.
SOIL, seuil.
SOJOR, repos, paix, délassement.
SOJORNER, *voir* SEJORNER.
SOLALLER, SOLLELIER, profiter du soleil, être exposé au soleil, sécher au soleil.
SOLAUS, soleil.
SOLAZ, SOULAS, joie, plaisir.
SOLDEE, gage, salaire, solde.
SOLOIR, SOULOIR, avoir l'habitude.
SOMIER, cheval de charge.
SOMME, SOME, point capital, essentiel, résumé.
SON, *nom*, sommet.
SONET, chanson.
SONGNANT, *voir* SOIGNANT.

SORCUIDANCE, outrecuidance.

SORDIZ, calomnié.

SORE, sur, dessus.

SORT, sourd, bête.

SOT, 3e *pers. du s. du passé simple de* savoir.

SOUDRE, payer, acquitter.

SOUE, SEÜE, SOE, sienne.

SOUÉF, doucement. (*cf.* SOÉF).

SOUFFACHIER, *voïr* SOFACHIER.

SOUFFRETE, pénurie, misère.

SOUFFROITEUX, SOFRETOS, qui est dans le besoin, nécessiteux (*cf.* souffreteux).

SOULDUIANT, SOSDUIANS, fourbe.

SOURPORTER, entraîner, dominer.

SOUT, *voir* SOT.

SOVIN, couché sur le dos.

SUEIL, SOIL, 1re *pers. du s. du prés. de l'indic. de* soloir.

SURANNEZ, de l'autre année, de plus d'un an.

SUS, en haut; *en sus*, en haut, au loin, à l'écart; *or sus*, debout.

TABORIE, vacarme.

TAISIR, TESSIR, taire.

TALENT, envie.

TAMÉS (ne vos), ne craignez rien.

TANCIER, TENCIER, disputer, quereller, faire effort, tancer.

TANS, TENS, TEMPS (par), bientôt.

TANT, *adj.* si nombreux.

TECE, TECHE, marque distinctive, qualité en général.

TEINT, pâle, obscurci.

TEL... QUE (par), à la condition que...

TENANT (en un), de suite.

TENDRA, *futur des verbes* tenir *et* tendre.

TENCE, dispute, querelle.

TENCHIER, *voir* TANCIER.

TENIR A, considérer comme.

TENSER, protéger, défendre.

TERDRE, frotter, nettoyer, torcher.

TERRIER, terre, terreau.

TESSON, blaireau.

TESTIMONIE, témoignage.

TINBRE, tambour.

TINEL, massue.

TING, 1re *pers. du s. du passé s. du v.* tenir.

TOLIR, TOUDRE, enlever.

TOR, taureau.

TORNEÏS, *adj.* tournant.

TORT, 3e *pers. du s. du subj. prés. du v.* tourner.

TOT (del, du), complètement, tout à fait.

TOUR FRANÇOIS, prise de lutte (ceinturer et faire pression sur le buste).

TOUSE, jeune fille.

TRAIRE, TRERE, tirer, tracer, produire; *traire alonge*, allonger son discours; *le mal trere*, supporter la peine; *trere a chef*, terminer, venir à bout.

TRAMETRE, transmettre, envoyer.

TRAPE, piège.

TRAVAIL, peine, tourment.

TRAVELLIER, tourmenter, molester, fatiguer.

TREBUCET, piège à bascule.

TRECHERE, TRICHERE, trompeur, fourbe.

TRECHIER, tricher, tromper.

TREF, poutre, tente.

TREPEIL, mêlée, inquiétude, danse.

TRESCHE (faire la—), tourner en rond.

TRESCHIER, danser.

TRESLUE, mensonge, ruse.

TRESPAS, passage.

TRESPENSÉ, très pensif, soucieux.

TRES QUE, depuis, jusqu'à.

TRESTUIT, *sujet pluriel*, tous.

TREÜ, tribut.

TRIBOLER, TRIBULER, secouer.

TRICHIER, tromper.

TRIEGE, rencontre de chemins, carrefour, route.

TRIES, derrière.

TRIEVE, TRIVE, trêve.

TROP, beaucoup.

TROTON (le grant), au grand trot; *en mal troton*, dans une position critique, mal en point.

TRUANDER, mendier.

TRUIS, 1re *pers. du prés. de l'indic. du verbe* trouver.

TRUISSE, *prés. du subj. du v.* trouver.

TUIT, tous.

U, OU, *art.*, en le.

UÉS (a), au profit de, dans l'intérêt de.

UIS, UZ, porte.

ULLER, USLER, HULER, OLLER, hurler.

VAILLANT (le), la valeur de...

VAIN, VEIN, abattu, sans force.

VAIR, fourré avec la peau du ventre de l'écureuil appelé petit-gris.

VAIREZ, guère.

VASSEL, vaisseau, pot *(qqf. avec un sens obscène)*.

VEAUTRE, *voir* VELTRE.

VEER, VEHER, VAER, refuser, contredire.

VEIL, WEIL, VUEIL, je veux.

VELS, VELT, 2e *et* 3e *pers. du prés. de l'indic. du verbe* vouloir.

VELS, VEIL, VIAUS, vieux.

VELTANCE, affront, mépris.

VELTRE, chien de chasse, molosse.

VENDRA *est la* 3e *pers. du s. du futur de* venir *et de* vendre.

VENDRE, faire payer.

VENERRE(S), veneur.

VENTRELLONS (a), sur le ventre.

VERGOINE, honte.

VERGONDER, déshonorer.

VERTU, force, puissance, miracle; *par vertu*, avec force.

VESPRES, environ six heures du soir, le soir.

VET, 3e *pers. du s. du prés. de l'indic. du v.* aller.

VÏAIRE, visage.

VÏANDE, nourriture, vivres.

VÏAS, VÏAZ, vivement, vite.

VIAUS, du moins, au moins.

VIEZ, vieux, vieille.

VILAIN, paysan.

VILE, ferme, village.

VILTANCE, affront, mépris.

VILTÉ, bassesse, abjection.

VIS, *nom*, visage.

VIS, *adj.*, vivant.

VITAILLE, nourriture.

VOIE, chemin, route.

VOIE (fornir la), accomplir jusqu'au bout le pèlerinage.

VOIL, 1re *pers. du prés. de l'indic. du v.* vouloir.

VOIL (mon, ton, son), suivant (ma, ta, sa) volonté.

VOIR, vrai; *por voir*, en vérité.

VOIR, VOIREMENT, *adv.*, oui, certainement.

VOIRE, *nom*, vérité.

VOISDIE, ruse.

VOISEUS, VOISOUS, VOIZÏÉ, intelligent, rusé, prudent.

VOIST, 3e *pers. du subj. prés. du v.* aller.

VOIZ, 1re *pers. de l'ind. prés. du v.* aller.

VOIZÏÉ, *voir* VOISEUS.

VOLT, 3e *pers. du passé simple de* vouloir.

VOLTRER, vautrer, rouler.

VOUSSISSE, VOUSIST, 1re *et* 3e *pers. du subj. imparfait du v.* vouloir.

VOUT, *voir* VOLT.

VOUTRILLIER, se vautrer.

VUIT, vide.

BIBLIOGRAPHIE

I. ÉDITIONS. Les principales sont celles de :
— E. MARTIN, 3 vol. plus un vol. d'*Observations,*
Paris-Strasbourg, 1882-1887.
— M. ROQUES, 6 vol. parus, Paris, Champion, 1951-
1963 (*Classiques français du Moyen Age,* n°s 78, 79,
81, 85, 88, 90).
— N. HARANO, N. FUKUMOTO et S. SUZUKI, en cours
de publication, t. I, Tokyo, France Tosho, 1983.

II. TRADUCTIONS ET ADAPTATIONS. On retiendra
surtout celles de Paulin Paris (Paris, 1861, rééd. Paris,
Belfond, 1966), Maurice Genevoix (Paris, Presses de la
Cité, 1958), d'Albert-Marie Schmidt (Paris, Albin Mi-
chel, 1963), d'André Eskénazi et Henri Rey-Flaud, branche I (Paris, Champion, 1971), de Micheline de Comba-
rieu et Jean Subrenat (Paris, 10/18, 1981).

III. TEXTES LATINS. A retenir particulièrement :
Ecbasis Captivi, éd. E. Voigt, Strasbourg-Londres,
1875.
NIVARD, *Ysengrimus,* éd. E. Voigt, Halle, 1884.
(Il existe maintenant une traduction française
d'E. Charbonnier, *Recherches sur l'Ysengrimus. Tra-
duction et étude littéraire,* Vienne, Verlag Karl M.
Halosar, 1983.

IV. ÉTUDES. Comme elles sont nombreuses, nous nous
contenterons d'un choix.
M. AUGIER, *Remarques sur la mort dans le Roman de
Renart* (branche I), dans *Morale pratique et vie quoti-*

dienne dans la littérature française du Moyen Age,
Aix-en-Provence, Cuerma, 1976, p. 9-15; *Le Thème
de la faim dans les premières branches du Roman de
Renart*, dans *Mélanges... J. Lods*, Paris, ENS de jeunes filles, 1978, t. I, p. 40-48.

J. BATANY, *Renardie et Asnerie dans La Fontaine et la
tradition médiévale*, dans *Europe*, mars 1972; *Renart
et les archétypes historiques de la duplicité vers l'an
mille*, dans *Nierderdeusche Studien*, t. 30, p. 1-24; *Le
Lion et sa cour : autour du Pantchatantra et du jugement de Renart*, dans *Marche Romane*, t. 28,
p. 17-25.

B. BECK, *Le Roman de Renart*, dans *Tableau de la littérature française*, Paris, Gallimard, 1962, t. 1,
p. 76-83.

G. BIANCIOTTO, *Renart et son cheval*, dans *Mélanges...
F. Lecoy*, Paris, Champion, 1973, p. 27-42.

J. BICHON, *L'Animal dans la littérature des XIIe et
XIIIe siècles*, Paris, Champion, 1978.

R. BOSSUAT, *Le Roman de Renart*, Paris, Hatier, 1957,
seconde éd. 1971.

R. DUBUIS, *Les Structures narratives dans la branche I
du Roman de Renart*, dans *Mélanges... P. Le Gentil*,
Paris, Sedes, 1973, p. 199-211.

J. DUFOURNET, *Petite Introduction aux branches I, Ia et
Ib du Roman de Renart*, Paris, CDU, 1971; *Défense et
illustration de la branche Ia du Roman de Renart*, dans
L'Information littéraire, 1971, p. 55-65; *L'Originalité
de la branche XVII du Roman de Renart ou les trois
morts du goupil*, dans *Mélanges... Ch. Camproux*,
Montpellier, 1978, t. 1, p. 345-363; *Littérature oralisante et subversion : la branche XVIII du Roman de
Renart ou le partage des proies*, dans *Cahiers de
Civilisation médiévale*, t. 22, 1979, p. 321-335; *Rutebeuf et le Roman de Renart*, dans *L'Information littéraire*, 1978, p. 7-15.

A. FIGUEROA, *El Roman de Renart. Documento critico
de la sociedad medieval*, Santiago de Compostela,
Universidad, 1982.

A. M. FINOLI, *« Italianismi » nel Roman de Renart di*

Pierre de Saint-Cloud, dans *Atti del Soladizio Glotto-
logico Milanese 1964-1965,* Milan, 1968, p. 11-24.

J. FLINN, *Le Roman de Renart dans la littérature française et les littératures étrangères au Moyen Age,*
Toronto, University of Toronto Press, 1963.

L. FOULET, *Le Roman de Renart,* Paris, Champion,
1914, nouveau tirage en 1968.

J. GRAVEN, *Le Procès criminel du Roman de Renart.
Étude du droit criminel féodal au Moyen Age,* Genève,
1950.

H. R. JAUSS, *Untersuchungen zur mittelalterlichen Tier-
dichtung,* Tübingen, 1959; *Les Enfances Renart,* dans
Mélanges... M. Delbouille, Gembloux, Duculot,
1964, t. II, p. 291-312.

O. JODOGNE, *Le Roman de Renart. Un fait socio-litté-
raire,* dans le *Bulletin de l'Académie royale de Belgi-
que,* t. 58, 1972, p. 178-188; *L'Anthropomorphisme
croissant dans le Roman de Renart,* dans *Aspects of the
Medieval Animal Epic,* Louvain-La Hague, 1975,
p. 25-41.

P. JONIN, *Les Animaux et leur vie psychologique dans le
Roman de Renart (branche I),* dans les *Annales de la
Faculté des lettres d'Aix,* t. XXV, 1951, p. 63-82.

F. A. de la BRETÈQUE, *Un conte à personnages animaux
du Moyen Age : le partage des proies,* dans la *Revue
des langues romanes,* t. LXXXI, 1975, p. 484-507.

N. LEFAY-TOURY, *Ambiguïté de l'idéologie et gratuité
de l'écriture dans la branche I du Roman de Renart,*
dans le *Moyen Age,* t. LXXX, 1974, p. 89-100.

R. A. LODGE, *On the « character » of Renart in Branche I,* dans *Studies... Fr. Whitehead,* Manchester-
New York, 1973, p. 185-199.

M. Th. de MEDEIROS, *La Parole dans la branche I du
Roman de Renart,* dans *La Revue des langues romanes,* t. LXXXVI, 1982, p. 107-116.

A. MICHA, *Note sur la date de la branche Ib du Roman
de Renart,* dans *Romania,* t. XCII, 1971, p. 261.

J. NOGUES, *Estudios sobre el Roman de Renart (su rela-
ción con los españoles y extranjeros),* Salamanque,
1956.

G. Paris, *Le Roman de Renart,* dans le *Journal des Savants,* 1894-1895, repris dans les *Mélanges de littérature française du Moyen Age,* Paris, 1912, p. 337-423.

C. Reichler, *La Diabolie, la séduction, la renardie, l'écriture,* Paris, Éd. de Minuit, 1979.

J. Rychner, *Renart et ses conteurs ou le style de la sympathie,* dans les *Travaux de linguistique et de littérature,* t. IX, 1971, p. 311-322.

E. Schulze-Busacker, *Renart le jongleur étranger : analyse linguistique et thématique à partir de la branche Ib du Roman de Renart,* dans *Nierderdeusche Studien,* t. XXX, p. 380-391.

L. Spitzer, *Die Branche VIII des Roman de Renart,* dans *Archivum romanicum,* t. XXIV, 1940, p. 205-237.

J. Subrenat, *Renart et Ysengrin, Renart et Roonel, deux duels judiciaires dans le Roman de Renart,* dans *Études... offertes à André Lanly,* Nancy, 1980, p. 371-384; *Trois Versions du jugement de Renart (branches 7b, 1 et 8 du ms. de Cangé),* dans *Mélanges... P. Jonin, Senefiance n° 7,* Aix-en-Provence, Cuerma, 1979, p. 623-643.

L. Sudre, *Les Sources du Roman de Renart,* Paris, Bouillon, 1892.

E. Suomela-Härmä, *Les Structures narratives dans le Roman de Renart,* Helsinki, 1981 (*Annales Academiae Scientiarum Fennicae, Dissertationes humanarum litterarum,* 26).

G. Tilander, *Remarques sur le Roman de Renart,* Göteborg, Elander, 1923; *Lexique du Roman de Renart,* Paris, Champion et Göteborg, Elander, 1924; *Notes sur le texte du Roman de Renart,* dans *Zeitschrift für romanische Philologie,* t. XLIV, 1924, p. 658-721; *Remarques sur quelques passages du Roman de Renart, ibidem,* p. 221-231.

V. Väänänen, *Qu'est-ce que hermeçon du Roman de Renart, branche I, v. 542 (ms. de Cangé)* dans *Neuphilologische Mitteilungen,* t. LXXIII, 1972, p. 472-476; repris dans *Recherches et récréations latino-romanes,* Naples, Bibliopolis, 1981, p. 325-330.

K. VARTY, *Reynard the Fox. A Study of the fox in the Medieval English Art*, Leicester, 1967.

Pour des compléments bibliographiques, on se reportera à
K. VARTY, *An Etat present of Roman de Renart studies*, dans *Mélanges... J. Wathelet-Willem, Marche romane*, Liège, 1978, p. 699-716; *First list of recent publications and research in progress for 1975, 1976, 1977*, dans *Marche romane*, t. XXVIII, 1978, p. 235-237.

CHRONOLOGIE

Entre **1174** et **1177,** branches II et Va du *Roman de Renart* : Renart et Chantecler, Renart et la mésange, Renart et Tibert le chat, Renart et Tiécelin le corbeau, Renart et la louve, la cour de Noble le lion.

A cette époque, publication du *Tristan* de Thomas. En 1174, privilèges du pape Clément III aux maîtres et étudiants de Paris ; canonisation de saint Bernard ; *Vie de saint Thomas Becket* par Guernes de Pont-Sainte-Maxence ; campanile de Pise. En 1175, cathédrale de Cantorbéry. En 1176, l'Asie Mineure tombe sous la domination turque. En 1177, Raymond V de Toulouse écrit à Cîteaux pour exposer le péril cathare. Entre 1176 et 1181, Chrétien de Troyes compose *Le Chevalier au lion* et *Le Chevalier de la charrette*.

1178, branche III : le vol des poissons, le moniage du loup, la pêche à la queue. Appartiennent à la même époque les branches IV (Renart et Isengrin dans le puits), XIV (Renart et Tibert dans le cellier du vilain, tours joués par Renart au loup Primaut), V (Renart, Isengrin et le vol du jambon, Renart et le grillon) et XV (Renart, Tibert et l'andouille, Tibert et les deux prêtres).

1179, branche I : le Jugement de Renart.
Entre **1180** et **1190,** branche X : Renart médecin.

De 1180 à 1223, Philippe Auguste, roi de France. En 1180, les Vaudois sont condamnés par l'Église. Vers cette date, le moulin à vent apparaît en Normandie et en Angleterre. Lambert le Tort publie le *Roman d'Alexandre*. Vers 1182, *Perceval* ou le *Conte du Graal* de Chrétien de Troyes. En 1183, Frédéric Barberousse reconnaît la liberté des villes lombardes ; porche gothique de la Gloire à Saint-Jacques-de-Compostelle. Durant ces années, chansons de Conon de Béthune, du Châtelain de Coucy, de Blondel de Nesle ; roman de *Partonopeus de Blois*. 1184 : le pont d'Avignon ; l'inquisition épiscopale. Vers 1185, André le Chapelain expose d'une manière méthodique l'art d'aimer courtois dans son *De Amore*. En 1187, Saladin prend Jérusalem. 1189-1191 : troisième Croisade. 1189-1199 : Richard Cœur de Lion règne sur l'Angleterre.

1190, branches VI (Duel de Renart et d'Isengrin), VIII (Pèlerinage de Renart) et XII (Renart et Tibert au moutier).

Entre **1190** et **1195,** branches Ia (Siège de Maupertuis) et Ib (Renart teinturier et jongleur).

1190-1197 : Henri VI empereur. En 1190, fondation des Chevaliers Teutoniques. En 1191, les Croisés s'emparent de Saint-Jean-d'Acre. A cette époque, la boussole apparaît en Occident, on rédige les premiers traités de droit féodal en France et en Allemagne, on entreprend la construction des cathédrales de Bourges et de Chartres, cependant qu'Hélinand compose les *Vers de la Mort,* que Joachim de Flore parle de la fin du monde dans son *Expositio in Apocalypsim,* qu'est achevé le *Tristan* et écrit le *Jeu d'Adam*.

Entre **1195** et **1200,** branches VII (Confession de Renart au milan Hubert) et XI (Renart empereur).

En 1196-1197, effroyable famine en Occident ; les grands vassaux rédigent les premières chartes d'hommage à Philippe Auguste. 1197 : avènement de Gengis Khan. 1198 : mort d'Averroès. 1198-1216 : Innocent III, pape ; 1199-1213 : Jean sans Terre roi d'Angleterre.

1200, branche IX : Le vilain Liétard, l'ours et Renart.

1202, branche XVI : Renart et le vilain Bertaut, le partage des proies.

1205, branche XVII : La mort et la procession de Renart.

Du début du siècle datent le *Parzival* de Wolfram von Eschenbach, le *Jeu de saint Nicolas* et le *Congé* de Jean Bodel, la chantefable d'*Aucassin et Nicolette,* le *Roman de l'Estoire dou Graal* de Robert de Boron. C'est l'époque de la quatrième Croisade : prise de Zara (fév. 1203), de Constantinople par deux fois (17 juil. 1203 et 12 avr. 1204), élection de Baudouin de Flandre comme empereur de Constantinople (mai 1204), défaite des Croisés sous Andrinople et capture de l'empereur Baudouin par les Bulgares (14 avr. 1205). En 1202 est commencée la construction de la cathédrale de Rouen. 1204 : Gengis Khan unifie la Mongolie. Philippe Auguste conquiert la Normandie, la Touraine, l'Anjou et le Poitou. En 1207, mission de saint Dominique en pays albigeois. La croisade contre celui-ci va bientôt commencer, en même temps que Gengis Khan s'attaque à la Chine (1209). Après 1207, Robert de Clari et Geoffroy de Villehardouin relatent la conquête de Constantinople.

La rédaction des autres branches du *Roman de Renart* se situe entre **1205** et **1250.**

Branche XIII : Les peaux de goupils ; Renart, teint en noir, se fait appeler Choflet.

— XXIII : Renart magicien et le mariage du roi Noble.

— XXIV : Naissance de Renart, les Enfances de Renart.

— XXV : Renart et le héron ; Renart et le batelier.

— XXVI : L'andouille jouée à la marelle.

— XXI : Isengrin, l'ours Patous, le vilain et sa femme.

— XVIII : Isengrin et le prêtre Martin.
— XIX : Isengrin et la jument Raisant.
— XX : Isengrin et les deux béliers.

Enfin, le *Roman de Renart* est à l'origine non seulement d'imitations étrangères, telles que le *Reinhart Fuchs* de Heinrich der Glichesaere (fin du XIIᵉ siècle), *Rainardo e Lesengrino* (XIIIᵉ siècle), le poème flamand *Van den Vos Reinaerde* et sa suite *Reinaerts Historie* (vers le milieu du XIIIᵉ siècle), mais aussi de poèmes plus ou moins longs, comme *Renart le Bestourné* de Rutebeuf (entre 1260 et 1270), le *Couronnement de Renart* de la seconde moitié du XIIIᵉ siècle, *Renart le Nouvel* de Jacquemart Gielée (fin du XIIIᵉ siècle) et *Renart le Contrefait* par le Clerc de Troyes (1319-1342).

TABLE

TITRES RÉCEMMENT PARUS

GF GRAND-FORMAT

Vous trouverez chez votre libraire le catalogue complet de notre collection.

GF — TEXTE INTÉGRAL — GF

10917-1985. — Impr.-Reliure Mame, Tours.
Nᵒ d'édition 10389. — Janvier 1985. — Printed in France.